Le Manuel
de l'Étiquette
et du Protocole
des Affaires

27⁹⁵

Marguerite du Coffre

Le Manuel de l'Étiquette et du Protocole des Affaires

traduit par
Jean Chapdelaine Gagnon

Données de catalogage avant publication (Canada)

du Coffre, Marguerite:
Manuel d'étiquette et de protocole des affaires
Comprend des références bibliographiques.
ISBN 2-89111-407-8
1. Savoir vivre – Affaires.   I. Titre.
HF5389.D82 1990   395'.52   C90-096105-8

Maquette de la couverture: France Lafond
Illustrations: Caroline Mérola
Illustrations assistées par ordinateur: Mario Cliche

Photocomposition et mise en pages: Imprimerie Gagné Ltée

© Éditions Libre Expression
2016, rue Saint-Hubert
Montréal, H2L 3Z5

Dépôt légal:
2ᵉ trimestre 1990

ISBN 2-89111-407-8

Table des matières

Avant-propos

Depuis la publication du *Livre de l'étiquette* en 1986, de nouvelles questions ont surgi, principalement en ce qui concerne la nouvelle étiquette du monde des affaires. Il est donc évident que ce sujet mérite qu'on s'y attarde, et c'est la raison de ce nouveau livre.

Chaque femme et homme d'affaires doit aujourd'hui connaître les nouvelles règles de l'étiquette des affaires afin de pouvoir se tailler une place de choix dans une «jungle» de plus en plus compétitive où les bonnes manières font loi. Le recyclage en cette matière est devenu priorité puisque de nouveaux obstacles et problèmes sont nés. Cette nouvelle étiquette des affaires s'adresse à tous, du président à la réceptionniste.

Dans notre société moderne, de plus en plus de femmes accèdent au niveau décisionnel et siègent aux conseils d'administration. Les manières «chevaleresques» d'hier envers la gent féminine se sont transformées, aujourd'hui, en relations d'égal à égal. Cette nouvelle étiquette des affaires en est encore au stade de l'apprentissage et les «nouveaux» collègues hésitent sur la façon correcte de s'adresser l'un à l'autre, de s'accueillir, de passer la porte, de saisir l'addition.

Toute entreprise commerciale vise à projeter une image de marque afin de créer et de maintenir de solides relations avec les clients actuels et potentiels. Ses représentants ont donc pour mission de perpétuer cette réputation d'excellence dans leur pays d'origine et à l'étranger. Un faux pas, si minime soit-il, peut affecter les résultats positifs d'une négociation. Récemment, les journaux ont fait état de la conduite d'un groupe d'hommes d'affaires occidentaux qui, mal informés des coutumes orientales, ont omis de retirer leurs chaussures et négligé de faire usage de baguettes lors d'un repas officiel offert par des représentants japonais. Un briefing préalable sur les coutumes du pays et les notions de base de l'étiquette des affaires aurait pu empêcher l'embarras créé par cette fâcheuse situation.

Les bonnes manières n'ont rien à voir avec le snobisme; elles sont plutôt un signe de respect et de considération envers les autres. Un cadre ou un employé qui aide son collègue à transporter une pile de livres fait preuve de manières correctes. Ces manières sont à l'image de celui qui les pratique et de ses connaissances en la matière. Pour ma part, je suis convaincue que l'étiquette des affaires devrait être inscrite au programme d'études de toute institution spécialisée. Pour gravir l'échelle du succès en affaires, il n'est pas suffisant de savoir se vêtir et se maquiller. Il s'agit là de règles «de façade» qui doivent être appuyées par une connaissance approfondie des lois de l'étiquette et de l'usage des bonnes manières en toutes circonstances.

Il y a plus important encore que d'avoir extérieurement une apparence impeccable et d'observer toutes les «règles» à la lettre et en tout temps, et c'est d'avoir intérieurement le désir le plus sincère de plaire, d'être généreux, aimable, secourable, ce qu'Érasme décrit comme «l'attitude de l'âme».

Si chaque parent, chaque cadre — homme ou femme — prenait soin d'éduquer ses enfants et d'être pour eux un modèle de respect envers les humains et envers toutes choses, nous pourrions espérer en un monde meilleur, peuplé de gens civilisés pour qui un comportement moral en affaires (et en politique) serait naturel et où les «chefs» n'auraient plus besoin d'avoir recours à des lois pour sauvegarder et préserver cette planète et la paix sur terre. Si nous enseignions aux enfants de cette génération à éviter les paroles et les comportements agressifs — qui trop souvent conduisent à la violence — et à ne pas polluer les rues et la campagne, les rivières et les océans — bref, à respecter la nature et tous les êtres vivants —, ils se conformeraient aux lois de la nature et du savoir-vivre, et cet enseignement se transmettrait ensuite de génération en génération. Il n'en tient qu'à nous de faire en sorte que cela survienne et de contribuer ainsi à l'édification d'un monde meilleur et plus policé, renouvelé par les lois de la civilité la plus parfaite.

L'une des plus graves erreurs commises par nos sociétés dans le passé fut l'adoption de la doctrine «rousseauiste*», le mouvement de «retour à la nature» des années 60 et 70, alors que les gens, cherchant à retrouver l'état primitif de l'Homme non soumis à des conventions sociales, croyaient qu'il découlait naturellement de leur «nouvelle liberté» qu'ils disent et fassent n'importe quoi, en suivant leurs instincts. Dans un monde civilisé, certaines contraintes s'imposent (spécialement dans le domaine des relations internationales). Si chacun agissait d'après ses impulsions, nous serions vite acculés à la destruction totale.

Voilà justement ce que visent à nous épargner l' «étiquette» et le «protocole».

Marguerite du Coffre.

---

* Jean-Jacques Rousseau (1712-1778), écrivain et philosophe genévois de langue française, théoricien du «retour à la vertu primitive».

Note à l'intention des lectrices

Pendant les nombreuses années que j'ai passées à rédiger *Le Livre de l'étiquette* et *Notre mariage*, je n'ai pas réussi à trouver de meilleure solution, pour éviter l'utilisation de la lourde formule «il / elle» chaque fois que j'énonce une recommandation, que d'employer le seul pronom «il» lorsque je m'adresse aux personnes des deux sexes, même si, ce faisant, je suis consciente de contrevenir aux règles les plus strictes du nouvel usage.

En conséquence, je prie mes lectrices de ne pas s'offusquer de ce que je me serve du pronom masculin pour m'adresser à elles, mais d'interpréter plutôt ce choix comme la reconnaissance de leur égalité bien méritée dans l'actuel monde des affaires.

Introduction

Parler d'étiquette suscite presque inévitablement un malaise, une impression de déjà vu, ramenant le souvenir de cette époque encore récente où les jeunes gens devaient supporter d'ennuyeux cours de bienséance dispensés par un professeur autoritaire qui leur dictait, sans discussion possible, les mots et les gestes que commande ou interdit la vie en société.

L'impropriété du mot «étiquette», qui n'évoque rien de tangible et semble aussi inexplicable qu'une énigme, est sans doute responsable de tous les malentendus entretenus à son sujet. Comme nous redoutons l'inconnu en général et plus particulièrement l'incertitude quant à la bonne façon de faire les choses, il m'apparaît important de définir dès le départ le sens du mot «étiquette». Du même coup, on établira la différence entre l'étiquette et le protocole et on répondra à cette question pertinente: «Qui crée les règles?»

Le mot «étiquette» relève à la fois de la courtoisie, de la civilité, de la politesse et de la décence; ces deux dernières sont souvent désignées ensemble sous le terme de «bienséance». À l'origine, le mot «courtoisie» servait à définir la conduite adoptée dans les cours des grands seigneurs féodaux du Moyen Âge. Avec l'apparition, aux XVIe et XVIIe siècles, d'une nouvelle aristocratie de cour au sens absolu du terme, le concept de civilité devint l'expression des comportements admissibles en société. Dans la France du XVIe siècle, la courtoisie et la civilité allaient de pair, mais la première devait graduellement disparaître un siècle plus tard. En 1675, un auteur français anonyme écrivait: «Nous disons civilité, honnêteté...», des notions qui, au XVIIIe siècle, allaient tracer la voie à la politesse. Dès 1733, dans la dédicace de son *Zaïre* à un bourgeois, Voltaire affirmait que la politesse n'était pas le moins du monde une convention, mais «une loi de la nature».

Plusieurs oeuvres témoignent du passage de la courtoisie à la civilité, puis à la bienséance; c'est le cas, par exemple, du *Tischzuchten* (les règles de conduite à table) de Tannhaüser au XIIIe siècle, des célèbres et très prisés *Colloques* d'Érasme au début du XVIe siècle, et du *Galateo* (1558) de Giovanni della Casa, sans oublier *Les Règles de la bienséance et de la civilité chrétienne* (1729) de La Salle, le volumineux *Essai sur les moeurs* (1756) de Voltaire, et *The Habits of Good Society* d'un auteur anonyme, publié à Londres en 1858.

À différentes époques, des écrivains ont proposé de brefs commentaires sur les mêmes sujets: les bonnes manières à table, la façon de s'exprimer, de se vêtir, de se baigner, les noces, les relations sexuelles et matrimoniales, etc. Les changements que tous ces auteurs se sont accordés à relever témoignent d'une évolution constante des moeurs. Au-delà des différences existant entre les traditions et les cultures des divers peuples, ils indiquent ainsi la voie à l'observateur attentif des transformations sociales actuelles, tout en lui permettant de ne pas répéter bêtement les conclusions de ses prédécesseurs.

L'étiquette d'une époque n'est jamais l'invention d'une seule personne, pas même d'individus aussi éminents qu'Érasme, qui en colligea pourtant les règles et les commenta, ou que Voltaire, qui fit l'inventaire des convenances de l'humanité dans leur variété et leur totalité.

Certains détails de l'étiquette moderne peuvent paraître insignifiants, alors que d'autres sont, à l'évidence, d'une importance capitale. Mais tous visent un même objectif: faire de ce monde un lieu plus civilisé, plus poli et, de ce fait, plus pacifique. La dignité et la maîtrise de soi, le respect d'autrui et la considération devraient être naturels à tous les membres de la société, et les règles de la politesse, strictement observées afin d'atteindre cet idéal.

On considérera comme un heureux présage pour l'avenir de l'humanité que plusieurs s'intéressent maintenant à l'étiquette, qu'ils jugeaient jusqu'ici peu importante, y voyant souvent de l'hypocrisie et parfois même du danger. Le nouveau code de politesse adopté par les chefs des superpuissances aura peut-être même empêché des affrontements ces dernières années et ouvert de nouvelles avenues à une meilleure compréhension entre les peuples.

De nos jours, les entreprises organisent des séminaires pour leur personnel de direction parce qu'elles ont compris qu'elles ne pouvaient prospérer sur la scène internationale sans observer scrupuleusement les règles fondamentales de la politesse et connaître avec précision le protocole du milieu des affaires, qu'on définira comme «un code officiel d'étiquette pour les affaires d'État, un inventaire systématique des types de négociations et conventions qui peuvent avoir lieu dans le monde des affaires (nationales et internationales)».

Quiconque met en pratique les bonnes manières peut espérer réussir et survivre en société. Tous prennent de plus en plus conscience de cette vérité; il y a lieu de nous en réjouir et d'applaudir même les moindres améliorations en ce domaine comme un signe évident que nos sociétés reviennent à la civilité et aux subtilités de la politesse.

Les pages qui suivent sont le fruit de l'observation des changements sociaux survenus dans notre monde. Elles constituent aussi un commentaire des réactions qu'ils ont provoquées, plus précisément des récentes transformations qui ont marqué les bonnes manières dans le milieu des affaires. Elles proposent également des suggestions pour mieux réagir dans des situations bien précises. Mais elles ne prétendent ni enseigner ni imposer, encore moins condamner. Elles ne visent qu'à informer le lecteur des modèles de comportement acceptés dans notre société.

L'auteur de ce livre a procédé de la même façon que ses prédécesseurs: elle a observé les gens de toutes les classes de la société et noté ses observations. Voici le fruit d'années consacrées à l'étude, à l'écriture, à des conférences dans plusieurs pays et à des échanges avec des gens de toutes conditions.

Selon l'éducation qu'ils ont reçue, certains lecteurs remarqueront que bien des vieilles règles de conduite n'ont pas changé, alors que d'autres ne pourront que s'étonner devant plusieurs suggestions. Mais tous s'entendront pour reconnaître l'existence d'un retour à une plus grande formalité dans tous les secteurs de l'activité quotidienne.

Puisse le lecteur trouver dans ce livre la réponse à toutes ses questions pour chacune des situations qu'il connaît dans sa vie professionnelle ou sociale.

I

L'étiquette au travail

1. LES RELATIONS ENTRE COLLÈGUES

La «nouvelle étiquette» entre les deux sexes

Dans nos sociétés actuelles, on a deux poids, deux mesures à l'égard des femmes, selon qu'elles sont dans leur vie privée ou qu'elles sont au travail, puisque les femmes occupent maintenant des positions de haute direction et que les salles de conseil d'administration ne sont plus accessibles uniquement aux sténographes chargées de la transcription des discussions. Dans la vie professionnelle, on a remplacé par un tout nouvel esprit de collégialité entre hommes et femmes le traitement chevaleresque accordé aux femmes dans la vie privée, que bien des hommes observent encore en plusieurs circonstances. Désormais, les hommes et les femmes se traitent mutuellement de la même manière, suivant les règles du protocole des affaires plutôt qu'en fonction de leur sexe. Chacun s'empresse de venir en aide à l'autre chaque fois que celui-ci a besoin d'assistance. Ainsi:

- les femmes comme les hommes se lèvent pour accueillir un visiteur (homme ou femme) dans leur bureau;
- les collègues, hommes ou femmes, s'aident mutuellement à retirer ou à enfiler leur manteau;
- un homme ou une femme, aussi bien cadre que simple employé, ouvre rapidement une porte à un autre individu

25

qui a les mains pleines, et même au garçon de bureau qui se démène avec son diable;

- n'importe qui ramasse ce qu'un autre a échappé et qu'il peut récupérer plus aisément que ce dernier.

L'homme distingué avait l'habitude de toujours ouvrir la porte à une femme, de l'aider à mettre ou à enlever son manteau, de se lever quand elle entrait dans une pièce et de rester debout jusqu'à ce qu'elle s'assoie, tout en l'aidant à placer sa chaise. Dans la vie privée, il continuera vraisemblablement à lui prodiguer ces gestes d'attention. Toutefois, même en privé, les hommes ne portent plus les paquets des femmes, ne hèlent plus de taxi pour elles, ne leur tendent plus la main lorsqu'elles montent dans une voiture ou en descendent, ne commandent plus pour elles au restaurant et ne paient plus toujours l'addition. La femme ne précède plus l'homme, où qu'ils se trouvent; elle marche plutôt à sa droite, si possible, mais il ne s'agit pas là d'une règle absolue. Et l'homme ne la protège plus des éclaboussures que pourrait faire un chauffeur trop pressé. Pour sortir d'un ascenseur, les hommes et les femmes adoptent la manière la plus rapide et la plus commode. Ce sont l'esprit pratique et le bon sens qui nous guident maintenant dans la vie privée et qui constituent, avec la collégialité, les fondements mêmes des nouvelles bonnes manières entre les sexes dans le milieu des affaires.

En règle générale, un directeur de rang supérieur, qu'il soit homme ou femme, précède toujours ses subalternes lorsqu'il:

- passe une porte;
- prend place à une table;
- entre dans un ascenseur ou en ressort (dans la mesure du possible); s'il est l'hôte, il laisse ses invités le précéder.

Il y a quelques années, dans *Le Livre de l'étiquette*, j'écrivais: «Nous en sommes encore à l'étape de la mise au point de l'étiquette au bureau»; cette affirmation tient encore aujourd'hui. Nous ne nous demandons plus toutefois comment nous saluer les uns les autres quand nous nous rencontrons en société. Le baiser sur la joue est évidemment réservé aux situations de la vie privée; la poignée de main est plus indiquée dans le cas de rencontres d'affaires. On ne se permet de refermer l'autre

main sur la poignée de main que si l'on se trouve à serrer celle
d'un pair ou d'un ami. Ce geste de familiarité de la part d'un
candidat à un poste lors d'une entrevue d'embauche, par exemple, pourrait paraître malvenu au recruteur.

Comment s'adresser à une collègue

L'attitude qu'adopte un homme à l'égard d'une collègue
dépend de son éducation. Mais, quelles que soient ses origines,
il aura avantage à bien connaître les règles de l'étiquette. Il
satisfera au moins à l'obligation élémentaire de s'adresser poliment à elle. Plusieurs hommes se font des femmes une idée
stéréotypée (et faussé), ce qui peut nuire à leurs chances
d'avancement ou même les anéantir avant qu'ils n'aient eu le
temps de faire leurs preuves dans un nouveau lieu de travail.
Sans le vouloir et sans le savoir, les femmes projettent
souvent une image négative d'elles-mêmes, ce qui peut induire
leurs collègues masculins à porter sur elles un jugement défa-
vorable. Par exemple, une femme trop sûre d'elle-même sera
perçue comme autoritaire et masculine; si elle est trop gentille
et s'exprime d'une voix trop douce, on dira qu'elle n'a pas la
force de caractère requise pour survivre dans le monde des
affaires. Si elle n'est pas mariée, on se méfiera d'elle, mais
si elle est épouse et mère, on prétendra que ses obligations
familiales l'empêcheront de remplir pleinement sa tâche. Trop
belle, elle distraira ses collègues masculins, mais si elle n'est
même pas jolie, l'image de la compagnie en souffrira. Si une
femme boit un peu trop, même une seule fois, dans le cadre
d'une réception d'affaires, on l'étiquettera instantanément
comme une alcoolique; un homme en état d'ébriété ne subira
pourtant pas le même sort. Si certains préjugés peuvent être
atténués ou dissipés, d'autres sont plus tenaces. On évalue les
femmes selon d'autres critères que ceux utilisés pour les
hommes.
Toute femme a droit à ce qu'on s'adresse à elle par son nom
de famille et son titre (Madame ou Mademoiselle), et qu'on
la vouvoie; ou, si elle préfère, par son prénom, tout en la

vouvoyant (ou en la tutoyant, si elle n'y voit pas d'objection). Les surnoms, le langage irrespectueux ou humiliant n'ont jamais leur place. Les hommes qui tiennent des propos désobligeants sur les femmes se font finalement plus de tort à eux-mêmes qu'à quiconque. Aucune femme ne devrait hésiter à préciser à un supérieur ou à un collègue masculin qu'elle n'apprécie pas qu'on l'appelle «Ma chérie», «Mon chou,» etc.; elle peut même rappeler à un collègue d'user d'un langage honnête en présence d'autres femmes. La plupart des hommes respectent d'ailleurs ces détails de l'étiquette. Ceux qui y dérogent auraient avantage à relire ce qui précède.

Plusieurs titres professionnels n'ont pas de genre. On a toutefois procédé depuis peu à quelques changements en ce sens; qu'on pense seulement aux exemples suivants: une auteure, une ingénieure, une ministre. Bien des femmes n'apprécient pas cette nouvelle nomenclature, de sorte que leurs collègues masculins ne s'y retrouvent plus et ne savent quel titre employer, si les femmes ne viennent gentiment à leur rescousse en précisant leurs préférences.

L'homme d'affaires correct

Un homme distingué qui occupe un poste de haute ou de moyenne administration donnera toujours sa chance à une femme nouvellement employée et l'aidera de son mieux. Il lui fera visiter les lieux, lui expliquera le fonctionnement de l'entreprise et ce qu'il attend d'elle. Cela comprend une information complète sur les politiques de la société. Il ne verra en elle que sa valeur pour la compagnie et la jugera sur son apport au milieu de travail. Il évaluera son rendement avec impartialité et, si nécessaire, le critiquera de la même façon que pour un employé masculin. Elle a surtout besoin d'une évaluation objective de ses compétences et de ses qualités. Il n'hésitera. donc pas à souligner ses réalisations au sein de l'entreprise ou de la société. Il veillera enfin à ce qu'on l'accueille, au même titre qu'un homme, comme membre à part entière de l'équipe, et l'invitera à se joindre à toutes les activités de groupe.

On évitera de tenir les femmes qui occupent des postes de haute direction à l'écart des déjeuners d'affaires occasionnels qui réunissent informellement les cadres pour discuter d'affaires ou échanger de l'information. Les cadres féminins apprécieront grandement ces occasions, puisque les femmes à des postes de haut niveau sont encore l'exception et qu'elles ont moins souvent que les hommes la possibilité d'échanger leurs vues sans cérémonie. En conséquence, toute femme saisira l'occasion qui lui est donnée d'assister à ces déjeuners impromptus pour éviter de se sentir exclue de son milieu de travail.

Une femme traitée avec équité se joindra au groupe pour casser la croûte avec la volonté et la ferme intention de contribuer au succès du repas en traitant de sujets intéressants (plutôt que de se livrer à des commérages), en apportant des informations et en usant de son sens de l'humour. Elle réglera elle-même la note de son repas et remerciera ses collègues qui l'auront acceptée comme une des leurs.

La femme d'affaires correcte

Les hommes ne sont pas seuls responsables de la qualité du climat de travail entre les deux sexes. On prête naturellement aux femmes de bonnes manières; on les a d'ailleurs toujours perçues comme les dépositaires du savoir-vivre, ce qui ne correspond plus tout à fait à la réalité de nos jours. Mais on aura toujours plaisir à travailler sous les ordres d'une femme qui a de bonnes manières et adopte une règle de conduite constructive. Comme ses collègues masculins, elle observe toutes les règles de l'étiquette et du protocole, est de commerce agréable avec tous au bureau et pas seulement avec le patron. Elle est toujours ponctuelle, méthodique, et respecte ses échéanciers. Elle n'hésite pas à féliciter un collègue pour son apport à la société et à le remercier gracieusement pour son aide. Elle respecte la hiérarchie de l'entreprise et ne tente pas de supplanter ses supérieurs. Une femme d'affaires ne doit pas mêler vie privée et travail et doit éviter de devenir trop intime avec ses supérieurs et collègues. Bien avisée, elle se montrera particulièrement amicale avec les épouses de ses collègues, ce qui la rendra moins menaçante aux yeux de ces dernières. (Bien des femmes sont jalouses de leurs semblables qui partagent tant de temps avec leur époux!) En dépit de l'égalité entre les sexes consacrée dans notre monde moderne, elle doit s'abstenir de tout langage grossier, qui n'en paraît que plus répréhensible dans la bouche d'une femme. Elle ne doit jamais blâmer ses confrères pour ses erreurs, et doit soutenir les jeunes femmes qui marchent sur ses traces, en se rappelant ses débuts difficiles. Elle n'oubliera jamais l'aide apportée par quiconque, et donnera crédit à tous ceux qui l'ont assistée dans sa carrière. Une dernière recommandation importante: une femme ne doit jamais se plaindre de discrimination ou de harcèlement sexuel, à moins que ce ne soit vraiment et incontestablement le cas.

Problèmes spécifiques de la femme cadre

Malheureusement, les femmes qui occupent aujourd'hui un poste de direction doivent longtemps se considérer comme étant à l'essai. Tant qu'elles n'ont pas prouvé qu'elles peuvent remplir leurs tâches aussi efficacement que leurs collègues masculins, elles sont tenues de faire preuve de plus de doigté en affrontant divers problèmes.

- Quand des hommes ou des employés très anciens se rapportent à une nouvelle patronne

Dès le début, elle fera sentir qu'elle comprend l'embarras de ses subordonnés. Ce n'est qu'ensuite qu'elle pourra réussir à entretenir de bonnes relations avec chacun. Elle exprimera sa joie de compter dans son équipe des hommes depuis longtemps au service de la société et leur fera sentir qu'elle apprécie leur expérience et leurs connaissances. Elle écoutera d'une oreille attentive leurs problèmes relatifs à leur emploi; elle promettra que leur travail sera équitablement récompensé et veillera à ce qu'il en soit ainsi.

- La nouvelle jeune patronne et sa première réunion de personnel

La première rencontre est extrêmement importante. Elle définira le style de direction et l'atmosphère de travail que souhaite instaurer la patronne nouvellement nommée. Les hommes, particulièrement ceux qui sont au service de l'entreprise depuis longtemps et qui ont donc un certain âge, ne voudront pas croire qu'ils recevront dorénavant des ordres d'une patronne beaucoup plus jeune qu'eux. La tension est presque palpable dans l'air et certains osent peut-être même murmurer ou témoigner ouvertement leur mépris. Si, au lieu de s'étendre longuement sur son rôle de commande, elle reconnaît les qualifications et la réputation de ses nouveaux subalternes, elle parviendra rapidement à réprimer toute velléité de mutinerie. Elle pourra expliquer, d'une voix calme et d'un air digne, ce que son personnel peut attendre d'elle. Pour gagner chaque membre de son personnel à sa cause, elle devra déployer tous ses talents de persuasion.

- L'étiquette particulière au cadre féminin

La femme cadre moderne peut demander à un confrère de travail:
- de lui servir de cavalier pour une soirée;
- de l'accompagner au théâtre, au cinéma ou à une exposition;
- de venir dîner chez elle;

mais elle s'assurera au préalable qu'il n'est pas marié, fiancé ni engagé dans une relation sérieuse. Elle s'efforcera de ne pas paraître trop entreprenante lorsqu'elle lancera une invitation à un client, à un client potentiel ou à un homme qui occupe un poste beaucoup plus élevé, ce qui pourrait l'induire (et induire d'autres personnes) à penser que son geste n'est pas désintéressé.

Elle pourra, si elle le désire, prendre elle-même toutes les dispositions nécessaires pour la soirée et même payer l'addition, mais discrètement. (Pour plus de détails à ce sujet, voir le chapitre III.)

Les rendez-vous du genre ne surviendront qu'occasionnel-lement. Une femme avisée qui occupe un poste de cadre, comme toute simple employée, n'engagera jamais de relation sérieuse avec l'un de ses collègues ou de ses clients. Et si un associé l'invite à l'occasion, elle pourra accepter si elle le désire. Elle ne négligera pas de l'en remercier après, parce qu'il est discourtois d'agir comme si tout nous était dû, sans compter qu'un remerciement ne s'oublie jamais!

Sexe et idylles au bureau

À chaque époque de son histoire, l'humanité a codifié les règles du comportement sexuel. La littérature et les oeuvres d'art qui les ont largement rapportées et commentées en témoi-gnent admirablement. Les règles de l'étiquette concernant la sexualité ont pris une grande importance dans nos sociétés. Pourtant, aucune d'elles n'a trait au milieu de travail, parce que les relations sexuelles n'y ont pas leur place. Bien entendu, et à des degrés divers, celles-ci n'en existent pas moins dans cette sphère de nos vies; mais plus une relation devient intime, plus ses conséquences sont désastreuses, particulièrement lors-qu'elle implique deux cadres. Aucun président d'entreprise ne saurait interdire d'idylle au bureau, que ce soit à ses tout nouveaux employés ou à son personnel de haute direction, mais personne n'ignore que les entreprises licencient alors l'un des deux individus concernés, généralement la femme.

L'étiquette recommande qu'on ne mêle jamais vie sexuelle et travail. Mieux vaut d'ailleurs ne jamais parler de sa vie amoureuse ou matrimoniale au bureau. Si on a besoin d'aide ou d'aborder ce sujet des plus intimes, on cherchera une oreille sympathique ou un conseil avisé ailleurs qu'au bureau. Un membre de la haute direction qui fait part de ses aventures sexuelles sera perçu comme un éternel adolescent et un indi-vidu vraisemblablement incapable de s'acquitter de ses respon-sabilités. Quiconque se vante de ses conquêtes embarrasse son entourage. Ce comportement est peut-être acceptable dans le vestiaire d'un centre sportif, mais certainement pas au bureau.

On prendra soin toutefois de ne pas confondre la personne qui veut flatter ou plaire avec celle qui s'acharne à engager un vrai flirt. Dans ce dernier cas, une seule et simple phrase suffira: «Ce n'est pas l'endroit pour cela; ici, c'est un bureau et j'y suis pour travailler.» Quiconque se permet de faire la cour, même à la blague, peut y perdre une chance de promotion ou même être renvoyé.

Plusieurs entreprises n'engagent pas de couples mariés. Celles qui y consentent n'apprécient pas que les conjoints se témoignent publiquement leurs sentiments. Les baisers et les étreintes ne sont très certainement pas appropriés dans un bureau.

Le harcèlement

Il convient toutefois de bien distinguer les avances sexuelles malvenues du véritable harcèlement.

Au cours d'un voyage d'affaires avec un collègue de sa société, ou lors d'un party de bureau ou d'une réception qu'elle tient à sa résidence, il arrive qu'une femme ait la désagréable surprise de se voir soudain faire des avances. Cela se produit souvent après le traître dernier verre, sans que la femme n'ait aucun moyen de prévenir ni de parer ce geste qui est, pour elle, choquant et très embarrassant. Un homme qui en est victime en sera tout aussi déboussolé. En pareille circonstance, on tentera d'abord de rappeler à la raison le coupable, de lui expliquer que ce comportement pourrait nuire à sa carrière et que ce genre de démonstration trahit un manque de maîtrise de soi et de considération professionnelle pour la personne qui en est l'objet. Il n'y a pas de meilleure solution que de quitter les lieux. Si la personne fautive a agi sous l'influence de l'alcool, on aura le tact de ne pas y faire allusion lorsqu'on se retrouvera en sa présence, parce qu'elle ne se souviendra sans doute même pas de l'incident. Agir autrement pourrait mettre dans l'embarras le coupable, qui sera reconnaissant qu'on ne lui rappelle pas son erreur. Les hommes et les femmes oublieront ces incidents disgracieux et se les pardonneront s'il s'agit de faits isolés et qui ne se répètent pas. Mais s'ils se multiplient au point de constituer des avances insistantes, qui s'accompagnent de menaces et de promesses, on se trouve alors en présence d'un cas de harcèlement qui appelle une action d'une grande fermeté[1].

Collègues et conjoints

Il est préférable, mais pas toujours facile, de ne pas se lier d'amitié avec la famille d'une relation d'affaires, d'un collègue ou même d'un supérieur (ce qui a plus de chances de se produire dans de petites entreprises, moins hiérarchisées). Certains réussissent assez bien à se créer une vie sociale totalement séparée de leur vie professionnelle. Cela présente de grands avantages, parce qu'une brouille entre les conjoints du couple ami peut altérer — et c'est souvent le cas — la qualité des rapports professionnels et laisser un goût amer au conjoint soudain exclu d'activités auxquelles il participait jusque-là.

Dans les grandes entreprises, les collègues qui ne travaillent pas en rapport étroit parviennent toutefois à organiser avec succès une vie sociale avec certains de leurs partenaires de travail. Si leurs conjoints sont plus ou moins du même âge et d'une même origine sociale, ils pourront se découvrir des intérêts communs qui les rassembleront. De nature, les êtres humains aiment célébrer avec leurs semblables, confier leurs malheurs et se réconforter mutuellement. Les attentions que

---

1. Plusieurs solutions sont possibles avant d'avoir recours aux tribunaux pour résoudre un problème qui menace le bien-être mental et physique d'une personne de même que sa sécurité financière. La Commission des Droits de la Personne stipule que toute personne victime de harcèlement sexuel n'a pas à avoir recours aux tribunaux. L'une des raisons en est que l'intervention de la Commission peut nécessiter un processus assez long et qu'il faut parfois jusqu'à deux ans pour que l'affaire soit réglée. Selon son opinion et celle d'autres organismes consacrés aux affaires féminines, les tribunaux doivent être le dernier recours. De la documentation sur le harcèlement sexuel en milieu de travail est disponible au Y.W.C.A. et au Conseil consultatif sur le Statut de la Femme.

se prodigueront les conjoints pourront même aider les collègues à mieux s'entendre et à entretenir de meilleurs rapports au travail. En cette matière fort délicate, on n'agira qu'avec la plus extrême prudence.

• La concurrence

Un couple peut éprouver de graves difficultés si l'un de ses membres progresse plus rapidement que l'autre dans la carrière. Pour assurer la survie du couple, rien ne vaut alors une franche discussion dans un climat de sérénité, avec la détermination de bâtir une vie de famille heureuse et durable. Tout conjoint veillera toujours à ne pas considérer l'entreprise de son partenaire comme une rivale.

Les amis s'appliqueront à déceler le moindre indice de concurrence entre conjoints. Il est important d'être attentif à ce genre de manifestation pour éviter de poser une question gênante. Ainsi, on demande souvent aux maris s'ils ne préféreraient pas que leur épouse renonce à son travail, où elle réussit, pour rester à la maison et s'occuper des enfants. Si leur épouse gagne un meilleur salaire, on leur demande parfois si cela ne cause pas à l'un ou à l'autre un problème. Aux épouses, on demande par exemple si chacun des membres du couple contribue également aux dépenses du ménage ou si elles en assument plus que leur part. Il est très blessant de laisser entendre que l'un des membres du couple gagne beaucoup plus que l'autre. Si l'un des époux reçoit une importante promotion, on l'en félicitera en l'absence de témoins pour ne pas froisser son conjoint. Les amis et les collègues de travail feront donc preuve de tact et de discrétion et traiteront avec ménagement les épouses et les maris que leur carrière met en compétition. On écartera ainsi bien des sources d'animosité et toutes les personnes concernées connaîtront une vie plus heureuse.

• Le mariage

Si un associé vous annonce ses fiançailles, rien ne vous oblige à lui offrir un présent, mais vous lui ferez parvenir un cadeau pour ses noces, en tenant compte de l'importance de l'événement et de vos moyens. (Pour plus de détails à ce sujet, voir «Les cadeaux de mariage» et «Les cadeaux collectifs», dans la section 4 du chapitre II.) Qu'on se le dise: un présent bien choisi et attentionné, même de peu de valeur, cimente souvent plus qu'on ne le croit une relation d'affaires.

Quand le collègue en question rentre au travail après son voyage de noces, on pourra lui offrir une petite surprise en guise de cadeau de bienvenue: une plante verte, un bouquet de fleurs ou quelque autre petit présent. Que ce geste de délicatesse ne soit inspiré que par le désir de partager le bonheur d'un collègue et de lui exprimer ses profonds sentiments d'attachement. Le destinataire de ces attentions ne les laissera évidemment pas sans réponse.

• La maternité

Une femme cadre informera avec tact et pondération le personnel de son bureau qu'elle est enceinte. Ce n'est pas le moment de se donner en spectacle. Ses collègues ne la bombarderont pas de questions du genre: «Avez-vous l'intention de continuer à travailler?», «À quel moment reviendrez-vous?» ou, plus crûment: «Vous ne quitterez pas votre emploi, n'est-ce pas?» Si elle annonce ses intentions en même temps que l'heureux événement, elle mettra un frein aux potins, aux questions et aux spéculations de ceux qui espéreraient lui succéder.

Bien entendu, toute future mère se gardera d'étaler les détails intimes et physiques de sa condition. Le cadre attentionné ne surchargera pas de travail une subalterne enceinte, en raison même de sa condition.

Pour leur part, les supérieurs d'une femme cadre enceinte veilleront:
• à ne pas mettre en doute sa capacité de bien remplir sa tâche;
• à ne pas paraître embarrassés qu'une femme enceinte représente la compagnie. De nos jours, de plus en plus de futures mères travaillent jusqu'à la toute fin de leur grossesse, puisque notre société a finalement accepté cette condition pour ce qu'elle est: un état naturel.

• La mère célibataire

On ne trouve plus étrange qu'une femme désire avoir un enfant sans épouser le père ni même manifester l'intention de se marier. Mais la future mère célibataire qui ne cohabite pas avec le père de son futur enfant pourra se trouver bien embarrassée au bureau, tant en face de ses compagnons de travail que de ses patrons. Si elle garde secrète sa grossesse jusqu'à ce que celle-ci soit visible, ses collègues ne pourront lui être d'aucun secours. Mais elle évitera alors d'adopter l'autre solution extrême en criant sur les toits que, même non mariée, elle a décidé d'avoir un enfant. Les collègues qui noteront sa transformation physique n'oseront pas, de toute manière, aborder le sujet. Ce sera alors le moment pour elle de confier, individuellement et en privé, son secret à ses collègues de travail.

• La nouvelle maman

Toute personne qui travaille avec une nouvelle maman lui exprimera de quelque manière ses félicitations. On peut envoyer des fleurs à la mère (et au père), un petit mot écrit à la main ou une jolie carte appropriée, ou encore, si des rapports plus étroits nous lient à la personne concernée, un cadeau pour le nouveau-né. Une plante sera également appréciée, parce que les plantes symbolisent la croissance et la vie qui se perpétue. Comme toujours, c'est la pensée qui compte, plus que la valeur du présent. (Pour plus de détails, voir la section 4 du chapitre II.)

On considère comme un geste attentionné des collègues qu'ils organisent un *baby shower* où l'on offrira des cadeaux destinés au bébé. Les réceptions de ce genre sont toujours d'un grand secours pour la nouvelle maman. Comme il s'agit d'un événement de nature privée, on ne le tiendra pas au bureau, mais plutôt dans un lieu plus intime.

La femme cadre nouvellement mère réglera elle aussi sa conduite d'après le code de l'étiquette. Comme son congé de maternité l'a éloignée de son travail avant et après l'accouchement, la société qui l'emploie se sera peut-être sentie «trahie» et délaissée pendant sa longue absence. En conséquence, dès son retour au bureau, elle aura avantage à travailler d'arrache-pied, avec entrain et bonne humeur, ensoleillant par son attitude enjouée son milieu de travail. Mais elle contiendra aussi son enthousiasme et évitera de ramener toutes ses conversations au bébé. Elle se contentera d'un sourire de fierté et d'une réponse brève aux questions sur la santé du nouveau-né, parce qu'elle découvrira qu'une montagne de travail s'est accumulée sur son bureau pendant son absence. Rappelez-vous que, si tout le monde adore les nourrissons, on se lasse d'en entendre constamment parler dans les moindres détails et d'être forcé de s'extasier devant des photographies prises sous tous les angles imaginables.

• Les faire-part

On contrevient aux règles de l'étiquette en adressant des faire-part de naissance à toutes les personnes inscrites sur la liste d'envoi du bureau, qui pourraient interpréter ce geste comme une invitation tacite à faire parvenir un cadeau, surtout si elles ne sont pas des intimes. On n'adresse de faire-part qu'aux associés qui sont aussi des amis proches.

• Fausse couche et avortement

Dans la vie professionnelle (comme dans la vie privée), on n'aborde le sujet d'une fausse couche ou d'un avortement qu'avec la plus extrême diplomatie. Mieux vaut ne poser aucune question, même si on est parmi les collègues les plus proches de la personne en cause. Mais comme on ne peut totalement feindre d'ignorer ce drame, tout spécialement entre collègues féminines, qui savent à quel point un événement semblable traumatise une femme, on pourra suggérer un déjeuner au restaurant pour aborder le sujet sans témoins, compatir à la douleur de la personne en cause et lui offrir son aide. En pareil cas (comme dans celui d'un collègue dont un des membres de la famille a été frappé par le malheur), on réagira de quelque manière, ne serait-ce que par un petit mot personnel. Entre honnêtes gens, on ne passe pas sous silence une nouvelle qui bouleverse la vie d'un semblable.

38

Divers petits gestes peuvent souligner le retour au travail de femmes et d'hommes secoués par un événement douloureux dans leur vie privée. Je connais une femme cadre remarquable qui a toujours à portée de la main un petit cadeau pour chaque occasion. Une petite fleur dans un vase, une simple attrape ou un mot joliment tourné pour ceux qui, à son bureau, se sentent déprimés ou tristes.

• Le divorce

Les règles de l'étiquette nous viennent aussi en aide lorsqu'un membre du bureau entame des procédures de divorce. Le traumatisme consécutif au divorce n'affecte pas que dans leur vie privée les individus directement concernés; il altère aussi la qualité de leur travail et leur rendement (qu'il s'agisse d'un cadre ou de tout autre employé). Les femmes particulièrement semblent éprouver alors un sentiment d'échec, d'isolement et d'appréhension devant l'avenir. Certaines grandes entreprises et sociétés offrent d'ailleurs les services d'un psychologue (à qui on a également recours dans d'autres situations de crise) et y trouvent largement leur profit. Mais les collègues de bureau peuvent apporter beaucoup à une personne qui traverse un divorce difficile, ne serait-ce que par leur disponibilité. En pareil cas, le ménagement le plus subtil s'impose.

Aucun employé ne laissera des difficultés personnelles entraver son travail. Les lamentations continuelles sur sa vie professionnelle ou privée (même sur sa santé ou d'autres problèmes) et l'étalage de détails personnels trahissent un manque de fierté. Qui discute en public des détails de sa vie privée ne peut qu'embarrasser ses interlocuteurs. On peut même perdre un véritable ami, pourtant bien intentionné, en agissant de la sorte. L'envoi de faire-part imprimés pour annoncer un divorce est une faute de goût terrible. On se contentera d'informer ses amis en affaires de ses projets de divorce. On évitera ainsi d'être invité à la même soirée que son ex-conjoint. Cependant, on ne se permettra pas d'exercer des pressions sur ses collègues de travail pour qu'ils rompent toute relation avec celui-ci.

Les collègues et les associés d'une personne en instance de divorce ne se montreront pas indiscrets en posant des questions trop personnelles; ils offriront plutôt, si nécessaire, leur soutien moral. Ils éviteront les remarques de mauvais goût et ne lanceront des invitations à dîner aux intimés, pour leur présenter quelqu'un de bien, qu'après le règlement final du divorce. Certains livres consacrés à la nouvelle étiquette prétendent qu'il est de bon ton de célébrer un divorce par une réception ou de grandes libations. Les honnêtes gens ne se commettent pas dans ce genre de manifestations et ne poussent pas le cri primal de soulagement: «Enfin, je suis libre!», parce qu'un divorce laisse toujours l'un des ex-partenaires profondément blessé, sans parler des enfants et de tous les innocents témoins.

• Le veuvage

(Pour plus de détails, voir «Les lettres difficiles», dans la section 3 de ce chapitre.)

Au travail, les collègues soutiendront l'un des leurs qui a perdu son conjoint. Le chagrin provoqué par la perte du compagnon de vie est encore plus cuisant quelques mois après le décès, alors qu'amis et collègues supposent que le survivant s'est repris en main et réduisent leur vigilance. On se montrera prévenant avec la personne endeuillée, et cela signifie aussi, pour une certaine période, de songer à l'inviter, par exemple, à des dîners de fête ou à des activités de week-end. Graduellement, la personne en veuvage se fera à l'idée de vivre seule, nouera de nouvelles amitiés et de nouvelles relations. C'est une gentille attention que d'inviter la personne nouvellement esseulée à des événements sociaux où elle pourra se découvrir de nouveaux intérêts; lui présenter un partenaire potentiel n'est une si mauvaise idée.

* * *

La section qui précède avait pour but de démontrer qu'on peut humaniser l'atmosphère du bureau, parfois froide et impersonnelle, et que les relations entre hommes et femmes au travail peuvent être civilisées sans qu'en souffrent les règles du décorum. Les expressions de familiarité ou d'intimité n'ont pas leur place au bureau: les hommes et les femmes sont censés y travailler de concert (dans une ambiance agréable) pour atteindre un objectif commun.

2. LES BONNES MANIÈRES AU BUREAU

Le comportement du patron

Le cadre au fait des règles fondamentales du savoir-vivre en société — la gentillesse, la politesse, le respect d'autrui — et animé par le souci d'efficacité et le sens pratique maîtrisera avec élégance toutes les situations en société comme en affaires; les femmes qui occupent des postes de commande savent qu'un comportement affecté et hautain n'est pas la marque de commerce d'un excellent cadre. Par sa compétence en affaires et sa bonne humeur, un bon supérieur rend plus humain et plus productif son milieu de travail.

Un bon directeur:
- se plie lui-même aux règles qu'il impose aux autres;
- donne des ordres à ses subalternes et prête l'oreille à leurs suggestions;
- respecte les idées des autres;
- tient toutes ses promesses;
- assure d'excellentes communications à l'intérieur de son service, au point qu'on le cite en exemple.

Des cadres, on attend qu'ils fassent preuve d'efficacité pendant les réunions, qu'ils ne perdent pas de temps ni ne s'enlisent dans des détails sans importance, et qu'ils transmettent l'information pertinente aux personnes concernées par un dossier ou un projet. Tout bon directeur se portera à la défense de l'un des membres de son personnel qu'on accuse injustement; il encaissera un blâme adressé à son équipe s'il était lui aussi dans l'erreur. Il n'émettra que des critiques constructives et attribuera à chacun le mérite qui lui revient. S'il lui faut réprimander un employé, il ne le fera qu'en privé.

41

Il revient au directeur de fixer le décorum qu'il juge approprié au sein de son service et de donner le ton en cette matière. Il veillera à maintenir un climat agréable et de bonnes conditions de travail dans son service.

Tout cadre efficace retourne ses appels téléphoniques et répond rapidement à son courrier, ou délègue quelqu'un pour le faire. Il aide toujours les nouveaux membres du personnel à s'adapter à leur emploi. Il souligne le travail des employés qui ont contribué en coulisse au succès de son service. Un bon patron se bat pour obtenir des avantages à ses employés et il apporte son aide à un collègue en difficulté. Il ne fait jamais courir de bruits et ne répète pas de rumeurs, spécialement si elles portent atteinte à la réputation d'une personne. Il ne se prétend pas un expert en toute matière et se rappelle que son éloge n'est valable que s'il est fait par les autres.

Un cadre sait se vêtir convenablement au bureau comme dans la vie privée. Il choisit d'instinct ou d'expérience le vêtement approprié pour chacune des occasions de la vie. Il répond sans tarder à toute invitation, par un mot ou par un appel téléphonique, selon ce que précise le carton qu'on lui a adressé. S'il lui est impossible de se rendre à une invitation qu'il a acceptée, il téléphone immédiatement pour s'excuser de son absence. On ne se vante pas d'une invitation à ceux qui n'en ont pas reçu et on ne s'y rend pas accompagné sans autorisation.

Un cadre, s'il est l'hôte d'une réception, traite avec considération ses invités et voit à leur confort; s'il est un invité, il s'efforce de contribuer au succès de la réception et, si nécessaire, il y apporte son concours. Il sait comment s'y prendre pour présenter les gens, de manière à ce que tous se sentent à l'aise. Il n'est pas avare de compliments, et il accepte gracieusement ceux qu'on lui fait. Par-dessus tout, il est toujours ponctuel, et il évite de faire une entrée remarquée qui attirerait sur lui l'attention de tous. Est-il en retard pour une raison hors de sa volonté, il en prévient son hôte. Il sait que rien ne mène plus sûrement à l'échec social que de quémander des invitations à des réceptions dans le seul but de se rapprocher des gens importants qui y seront présents. Il ne se sert jamais de rencontres purement sociales pour entamer une discussion d'affaires et il ne présente sa carte d'affaires que sur demande expresse.

Toutes les recommandations qui précèdent s'adressent aussi bien au jeune cadre qu'à tout nouvel employé ambitieux d'une entreprise.

• Évaluation et critique

Quand un directeur évalue l'un de ses employés, il s'abstient de favoritisme et le juge avec équité. Comme le processus d'évaluation peut s'avérer déplaisant pour l'employé concerné, il ne s'y adonne qu'avec délicatesse. Il mentionne, au début et à la fin de la rencontre, les qualités, les réussites et les apports de l'employé. Il réserve, le cas échéant, ses remarques négatives pour le milieu de l'entretien. L'évaluateur accorde à l'employé le temps nécessaire pour expliquer sa conduite, s'en excuser ou se défendre de ce qu'on lui reproche. Il explique à la personne évaluée les démarches jugées nécessaires pour améliorer son rendement et il lui fait quelques suggestions en ce sens. L'entretien se déroulera dans un climat de courtoisie et de franchise. Les employés parfaits sont une espèce aussi rare que les directeurs sans reproche.

Lorsqu'un membre du personnel est convoqué pour une évaluation, il prépare par écrit un relevé de ses qualités et de ses faiblesses et se montre pleinement disposé à corriger ses erreurs. Il laisse parler son supérieur et l'écoute attentivement. Il ne l'interrompt pas. Il ne proteste pas non plus. Il attend que son supérieur ait terminé. Il peut prendre quelques notes pour se remémorer les points qui méritent une réponse. Quand vient son tour de prendre la parole, il n'a pas l'air nerveux ni troublé. Il conserve son calme et s'exprime de manière cohérente. Il admet son erreur et promet que la chose ne se reproduira plus. À moins qu'elle ne soit parfaitement valable, il ne donne jamais une excuse pour justifier une bourde. En cas de désaccord ou de jugement injuste, il fait connaître son point de vue d'une voix calme et sans déroger à la bienséance. Il termine son intervention sur une note positive, montre qu'il sait accepter la critique, qu'il comprend les attentes de son supérieur et qu'il est déterminé à remédier à ses erreurs. Il demeure toujours courtois et il reconnaît la justesse et l'impartialité des remarques de l'évaluateur. Si personne n'est parfait, rien n'empêche chacun de donner le meilleur de lui-même.

Le comportement de l'employé / L'observance des règles de la politesse

Tout nouvel employé et tout jeune cadre qui en est à ses premières armes à un poste de direction constatera qu'il suscite la curiosité et même un peu de méfiance. Certains membres du personnel qui espéraient décrocher ce poste le percevront peut-être comme un rival et, pour cette raison, lui en voudront sur le moment. Mais le temps referme presque toujours les blessures, à la condition que le nouveau venu établisse de bonnes relations personnelles et qu'il fasse lentement son nid, sans brusquer personne. Tout nouveau venu s'efforcera d'écouter et d'apprendre plutôt que d'imposer ses vues. Il observera et posera des questions au lieu de chercher à monopoliser l'attention. Chaque employé s'efforcera d'être aimable avec tous, depuis le garçon de bureau et la réceptionniste jusqu'au jeune cadre et au patron. Ceux qui ne se montrent empressés qu'avec le patron ne sont jamais considérés comme des membres à part entière de l'équipe et restent des solitaires suspects aux yeux de tous. J'ai connu une employée de bureau d'une grande entreprise qui était tellement jalouse d'un nouveau venu nommé à un poste qu'elle convoitait qu'elle prit note de tous ses gestes et paroles et les communiqua au patron. Il ne fit jamais la moindre allusion à ses indiscrétions. Peu après qu'elle eut transmis ainsi d'autres rapports au patron, elle quitta soudain son emploi sans explication. Le nouveau venu fut hautement apprécié, au point qu'il occupe maintenant le poste de premier vice-président de cette entreprise.

Au bureau, mieux vaut ne pas porter de jugements sur ses collègues à moins de les connaître très bien. On se garde aussi

44

d'écouter les bavardages ou les propos malveillants sur ses compagnons de travail, et on ne répand ni ne répète jamais de rumeurs. Cela finit toujours par se retourner contre soi. Dès le premier jour, on s'attire la sympathie des secrétaires et des commis en les traitant avec considération et affabilité, sans toutefois tomber dans la familiarité ni se permettre le moindre flirt. On ne demande jamais l'impossible à quiconque. Et on remercie pour tout service rendu. Un travail bien fait mérite des éloges; dans le cas contraire, une critique s'impose, mais avec tact et professionnalisme. Soyez généreux avec les gens, et ils vous le rendront.

Une invitation à déjeuner offre une occasion agréable et informelle de mieux connaître ses collègues de travail et de se faire des amis dans un nouveau milieu. Cet investissement de temps et d'argent vaut son pesant d'or. Si vous procédez de cette manière pour demander assistance et conseil à un membre de votre équipe, vous obtiendrez à coup sûr son aide et sa coopération. L'arrogance ne produit jamais de résultat, mais la modestie ne rate jamais son effet. Depuis qu'Érasme, l'illustre humaniste et savant hollandais (1469-1536), faisait en ces mots la leçon au jeune prince dans son traité: «La modestie, par-dessus tout, sied au garçon...» (il entendait par là les hommes en général), rien n'a changé. Cinq siècles plus tard, les fondements de la civilité et des bonnes manières sont encore les mêmes, et ceux qui observent les règles de la politesse ont toujours de meilleures chances de réussir leur vie professionnelle et personnelle.

Le congédiement

La convocation d'un employé pour l'informer de son renvoi constitue l'une des tâches les plus délicates et les plus difficiles de toute personne occupant un poste de commande. La nouvelle paraîtra moins offensante si le supérieur immédiat se charge lui-même de la communiquer plutôt que de confier cette tâche peu agréable à l'un de ses adjoints. Si la personne congédiée appartient à son service, le directeur agira avec encore plus d'égards. Quand un employé a commis une faute grave, cette tâche prend l'allure d'une besogne comme les autres parce qu'il n'est pas nécessaire alors de mettre des gants blancs. Mais dans d'autres circonstances, particulièrement si la personne licenciée est d'un certain âge, on agira avec beaucoup de tact pour ne pas décourager l'intimé ni le pousser à la dépression. Certaines entreprises ont un régime de primes de séparation et retiennent les services d'une agence de placement pour aider la personne à se trouver un autre travail ou lui fournissent des lettres de recommandation. On ne peut guère faire plus que de rester en contact avec la personne remerciée de ses services, de s'informer de ses progrès dans sa quête d'emploi et de lui apporter son aide en la recommandant à des collègues attachés à d'autres sociétés.

Comment réagir quand on se fait congédier

Si l'on vous congédie, efforcez-vous de voir la situation d'un oeil optimiste. Cherchez vraiment un nouvel emploi et tentez d'obtenir si possible un poste supérieur à celui que vous avez perdu. Faites savoir à vos collègues que vous leur serez reconnaissant de vous communiquer la moindre information pouvant vous aider. Il est préférable de ne pas critiquer l'entreprise ni de vous plaindre de votre sort. Restez respectueux de vos supérieurs jusqu'au jour de votre départ, particulièrement si l'entreprise vous offre une prime de séparation ou d'autres avantages. Comportez-vous avec dignité et laissez ainsi un excellent souvenir à vos collègues de travail. L'impression que vous laisserez en partant pourrait avoir autant d'importance pour votre future carrière qu'une première impression chez un nouvel employeur. N'oubliez pas que les cadres d'entreprise se rencontrent lors de séminaires, de conférences, etc., et, à titre privé, dans leurs clubs sociaux et à l'occasion d'événements sportifs.

Un comportement contraire aux intérêts de l'entreprise

Aucun employé ne fermera les yeux sur des crimes commis contre l'entreprise qui l'emploie ou d'autres membres du personnel. On dénoncera, par exemple, le vol et le détournement de fonds, tout comme le harcèlement sexuel (aux dépens des deux sexes), même si on préférerait ne pas être mêlé à des agissements aussi répréhensibles et aux conséquences désagréables qui en découleront nécessairement. Il est inadmissible de ne pas réagir quand un individu adopte des comportements contraires aux meilleurs intérêts de sa compagnie. Ce n'est un secret pour personne que le sens de l'éthique au travail s'est beaucoup altéré. Cela est en partie imputable à l'inaction de l'entourage des contrevenants. Mais que peut-on faire? D'abord, donner (en privé) un avertissement sévère à l'auteur du crime, et, s'il persévère, rapporter son cas à la haute direction.

Le comportement à adopter en cas de critique injustifiée

Lorsqu'on vous critique injustement en présence de collègues, ou, pire encore, qu'on vous dénigre en présence du patron, apprenez d'abord et avant tout à maîtriser vos émotions. Comptez jusqu'à dix (ou à peu de chose près); retenez-vous d'échapper des paroles blessantes qui pourraient vous donner l'air d'avoir perdu tout jugement et que vous regretteriez plus tard. Pendant que vous comptez, vous aurez le temps de réfléchir à votre réponse. Cela vous aidera à vous calmer. Faites l'effort de prendre une voix plus grave et parlez lentement et calmement. Votre maîtrise de vous-même vous vaudra certainement le respect de vos pairs. Un psychologue me disait récemment: «Si on vous critique injustement devant votre supérieur, mieux vaut ne pas vous défendre. Cela vous mettrait dans une position inférieure. Dites plutôt une phrase du genre: ''Je ne peux laisser cette accusation sans réponse et j'en ai une, mais je préférerais vous en entretenir dans votre bureau, au moment que vous jugerez opportun, si vous n'y voyez pas d'objection.'' Vous vous donnez ainsi un net avantage sur votre détracteur.»

Il est aussi très important de garder une maîtrise totale de ses émotions quand on est attaqué injustement par un autre employé dans une réunion sociale. Certaines personnes prennent un malin plaisir à critiquer publiquement leurs collègues. On peut contrer les mots désobligeants prononcés en pareille circonstance par des phrases comme celle-ci: «Ce n'est certainement pas le lieu approprié pour une remarque du genre[1].» Vous pouvez faire observer à votre interlocuteur que vous êtes là pour vous amuser et que cette marque d'hostilité pourra blesser votre hôte et les innocents témoins de la scène. Vous pouvez aussi suggérer qu'à votre sens cette conversation aurait davantage sa place au bureau. Si une personne ivre commence à semer le trouble, il revient à l'hôte (et non aux invités) de voir à ce que l'indésirable soit éconduit, ne conduise pas sa voiture lui-même et rentre chez lui en toute sécurité. Les gens sous l'influence de l'alcool ou d'une drogue seront traités avec considération et en tenant compte de leur état au moment précis de l'incident. Une personne qui fait l'objet d'attaques incessantes, tant au travail que dans sa vie privée, s'efforcera de ne pas se donner des airs de victime. Dans son milieu professionnel, elle rapportera le cas à son supérieur; au cours d'une réception, elle attendra que l'hôte s'interpose. Et s'il ne se manifeste pas, elle quittera les lieux. L'affrontement direct n'est jamais une bonne solution.

Si on critique injustement une personne en votre présence —même au cours d'une réception —, intervenez en sa faveur dans la conversation. Prenez calmement la défense de la victime. Ne permettez pas qu'on dénigre un collègue en son absence. Ne vous associez pas aux rires ou aux remarques déloyales, et éloignez-vous du groupe. Il n'y a pas de meilleur

---

1. Ou, pour reprendre la réponse très pertinente de l'actuel vice-président américain Dan Quayle lorsque, au cours d'un débat télévisé pendant la campagne électorale de 1988, le sénateur Lloyd Bentsen, candidat démocrate à la vice-présidence, l'accusa de s'être comparé lui-même à J. F. Kennedy: «Cette remarque, sénateur, est déplacée.»

moyen de montrer vos couleurs. Et ne rapportez pas ces propos au collègue concerné, parce que les remarques désobligeantes sont souvent inspirées par la jalousie ou la frustration qu'on ressent devant la promotion, la réussite ou la chance de quelqu'un.

Les relations du jeune patron avec le personnel plus âgé

Une jeune personne qui occupe un poste de haute direction et qui a sous son autorité un ou plusieurs cadres plus âgés qu'elle fera preuve de tact et de sensibilité pour établir et maintenir d'excellents rapports avec eux. Elle se montrera consciente de la difficulté de la situation qui les oblige à rendre des comptes à un supérieur beaucoup plus jeune. Elle se dira impressionnée par leurs réalisations passées, leur expérience et leurs succès, et exprimera l'espoir qu'ils entretiendront d'excellents rapports avec elle. Elle fera clairement comprendre que, pour le poste auquel on l'a nommée, seules comptaient les qualifications, sans égard à l'âge, et qu'elle se sait capable de bien remplir ses fonctions. Si elle demande l'entière collaboration de chacun, elle aura de bonnes chances de l'obtenir.
(Voir aussi «Problèmes spécifiques de la femme cadre», dans la section 1 du présent chapitre.)

Courtoisie, civilité et politesse au bureau et en société

Les pages qui suivent traitent de circonstances qui vous sembleront familières. Mais toute personne désireuse qu'on lui reconnaisse un savoir-vivre en société et un savoir-faire irréprochables, ainsi que de bonnes manières en affaires, souhaitera peut-être se rafraîchir la mémoire sur les règles fondamentales de l'étiquette.

• Faire patienter un visiteur ou un collègue

Il est compréhensible qu'une personne à qui on a fixé un rendez-vous n'apprécie pas qu'on la fasse attendre, mais des circonstances incontrôlables peuvent malheureusement impo-ser des délais.

Quand un cadre fait attendre un autre cadre (ou toute autre personne) qui lui rend visite, il sera bien avisé, dans la mesure du possible, de l'accueillir personnellement, de s'excuser pour ce délai et d'en expliquer la raison. S'il se trouve dans l'im-possibilité de le faire, sa secrétaire présentera les excuses de son patron au visiteur, lui offrira un café ou une eau minérale, et mettra à sa disposition des revues ainsi qu'un téléphone s'il en a besoin. Dès que le visiteur constatera que son hôte et son personnel se montrent empressés et désolés du contretemps, son ressentiment s'en trouvera grandement atténué. Toute bonne secrétaire sait comment agir en pareille circonstance. Cela vaut aussi pour les appels téléphoniques: elle garde un oeil attentif aux boutons clignotants du téléphone et s'excuse si elle doit faire patienter en ligne un interlocuteur. S'il prévoit un délai de plus d'une demi-heure, le cadre expliquera lui-même à son visiteur les raisons de ce fâcheux contretemps, s'excusera et offrira à son invité la possibilité d'attendre encore ou de repor-ter leur rendez-vous à une date à sa convenance. (Mais on n'agira de la sorte qu'en des occasions extrêmement rares et tout à fait exceptionnelles.)

Les collègues méritent un traitement aussi courtois que le visiteur. Si un collègue se présente au bureau d'un de ses confrères alors que ce dernier est au téléphone, son hôte l'in-vitera d'un geste de la main à s'asseoir, lui dira: «Je suis avec vous dans une minute», et lui accordera toute son attention dès que possible.

• Accueil

Il n'y a pas de meilleur moyen de témoigner son respect à une personne que de l'accueillir avec courtoisie. Traitons donc avec autant de déférence nos invités à la maison que notre supérieur plus âgé ou un visiteur au bureau pour qui nous éprouvons de la considération et que nous respectons. Quiconque maîtrise l'art de l'accueil courtois dès le début de sa carrière sera plus tard reçu avec les mêmes attentions.

50

Pour savoir où et quand s'asseoir, on se laissera guider par des principes de respect, de vénération, de révérence ou de considération. La déférence est une considération courtoise à l'égard de ceux dont l'âge, le poste ou la compétence commande l'estime de tous. Toute jeune personne qui entre dans une pièce et s'installe à une place de son choix déçoit par son comportement ses aînés (ou supérieurs hiérarchiques), tant dans la vie privée qu'en affaires. Elle contrevient ainsi à une règle tacite de l'étiquette qui détermine l'endroit et le moment où chacun doit prendre place. Les jeunes gens ne sont pas censés s'asseoir avant que leurs aînés leur aient indiqué un siège ou se soient eux-mêmes assis. Non, cette règle de conduite n'a rien de démodé; elle est indiscutablement moderne. Tout jeune cadre (homme ou femme) aura appris, dans un bon cours sur les règles du savoir-vivre absolument irréprochable en affaires, qu'il doit attendre pour s'asseoir d'y être invité, que ce soit au bureau de la direction, lors d'une réunion dans la salle de conférences, à table dans un restaurant ou dans une maison privée, ou à la portière d'une limousine garée. Dès qu'on lui attribue un siège, il y prend place rapidement en disant «Merci». Il n'y a rien de plus frustrant que de se retrouver parmi des gens qui tardent à accepter une invitation à s'asseoir. Dans une réunion d'affaires, l'hôte de la rencontre désigne à chacun un siège autour de la table de conférence; l'hôte d'une réception privée en fait autant pour ses invités autour de la table à dîner ou dans son salon.

• Faut-il se lever ou demeurer assis?

Se lever pour saluer convenablement un visiteur est un geste de courtoisie; on lui fait ainsi un bon accueil et on l'honore. Un jeune cadre se lève pour témoigner son respect quand un cadre plus âgé et à un poste de commande entre dans son bureau. Il serait toutefois peu pratique qu'il se lève chaque fois qu'un cadre plus âgé entre dans son bureau uniquement pour lui dire un mot ou pour y chercher un dossier. Mais il quittera des yeux son travail pour signifier au visiteur qu'il est conscient de sa présence et qu'il est prêt à lui venir en aide si nécessaire. En pareil cas, on pourra s'en tenir aux règles fondamentales suivantes.

Une femme qui occupe un poste administratif se lève et s'avance vers son visiteur la main tendue pour échanger une poignée de main. Elle lui fait signe de s'asseoir, après quoi elle s'assoit à son tour. Un homme occupant un tel poste se comporterait de la même façon si une femme lui rendait visite dans son bureau. Les hommes et les femmes détenant un poste administratif se comportent de façon analogue si une personne de leur propre sexe se présente à leur bureau. Chacun se doit d'accompagner son visiteur jusqu'à l'ascenseur, ou tout au moins jusqu'à l'aire de réception.

- Prendre place dans une voiture privée ou une voiture de la société

(Voir aussi «Les voyages en limousine ou en voiture», dans la section 3 du chapitre II.)

Avant de prendre place dans la voiture de son patron, le jeune cadre ou tout autre employé demandera où il doit s'asseoir. Il évitera toujours de choisir lui-même sa place, à moins qu'on ne l'y invite pour des questions d'ordre pratique ou pour toute autre raison. Un jeune directeur qui laisse à des cadres supérieurs la banquette arrière de la voiture conduite par son patron et s'assoit à la place la meilleure et la plus confortable, soit à la droite du chauffeur, fait preuve d'indélicatesse, de muflerie et d'égoïsme. Ces défauts pourraient bien lui coûter son emploi.

Entre collègues et dans la vie quotidienne, il existe deux formules, l'une traditionnelle et l'autre pratique, qui sont communément en usage aujourd'hui. Selon la formule traditionnelle, l'homme correct ouvre et referme la portière pour la dame. De nos jours, les femmes peuvent ouvrir elles-mêmes les portières d'automobile, ou chacun peut les déverrouiller pour l'autre, ce qui s'avère souvent plus commode.

Lorsqu'un homme invite une femme à une sortie pour laquelle elle est en grande toilette, il ouvre la portière et aide sa compagne à s'asseoir, ainsi qu'à descendre, si nécessaire. Mais dans des occasions ordinaires, comme pour aller au bureau, au magasin, au supermarché, etc., la femme moderne ouvre elle-même la portière et descend de l'automobile sans aide.

Bien entendu, une jeune personne observera toujours les règles de la politesse et de la considération pour un aîné en lui offrant la meilleure place dans une voiture et, si nécessaire, en l'aidant à y monter.

• La préséance dans les ascenseurs

La politesse et le bon sens commandent qu'on ne refoule pas au fond d'un ascenseur les personnes qui voudraient en sortir, et, si nécessaire, qu'on s'avance un instant hors de la cabine pour leur laisser le passage. Les personnes qui se trouvent à l'arrière de l'ascenseur ne pourront le quitter si on ne leur en laisse pas la possibilité. Si tous les passagers quittent l'ascenseur au même étage, les personnes qui se trouvent à l'avant sortiront rapidement et se rangeront de côté de manière à ce que tous puissent quitter rapidement la cabine.

Traditionnellement, dans un ascenseur, un gentleman laisse toujours sortir d'abord la dame qui se trouve derrière lui, aussi peu pratique que soit cette solution. Puis vient le tour des hommes, qui se succèdent en fonction de leur rang et de leur statut social. Dans le protocole international, ces règles sont toujours rigoureusement observées. Au travail, celui ou celle qui se trouve près de la porte de la cabine d'un ascenseur en sortira toutefois le premier. Personne n'est tenu de rester en retrait et d'attendre que les passagers se trouvant derrière lui aient quitté la cabine. Mais si un jeune employé se trouve à bord d'un ascenseur en compagnie d'un seul cadre plus âgé ou du président de la compagnie, il sera bien avisé de le laisser d'abord sortir et d'appuyer sur le bouton de commande pour maintenir la porte ouverte.

On s'excusera toujours si on bouscule accidentellement un autre passager ou si on lui écrase le pied. Inutile de dire qu'il est impardonnable de fumer dans un ascenseur.

• Franchir les portes

Par le passé, l'étiquette stipulait que les femmes franchissaient toujours les portes les premières et qu'un homme distingué les leur tenait ouvertes, surtout s'il s'agissait de lourdes portes. Dans la vie privée, cette règle de conduite est encore suivie occasionnellement. Mais elle n'a plus cours en milieu de travail. L'efficacité et le sens commun commandent que la première personne, homme ou femme, qui parvient à une porte la tienne ouverte pour celle qui la suit de près. Il est extrêmement impoli de claquer une porte au nez de quelqu'un. Tout jeune cadre, homme ou femme, témoignera sa déférence à ses aînés en se rendant rapidement à la porte pour la leur ouvrir. L'hôte d'une réception privée ou d'affaires ouvrira toujours la porte à ses invités et, d'un geste de la main, les invitera à entrer. Les visiteurs masculins que leur hôte féminin invite à franchir une porte n'accepteront généralement pas de passer les premiers; ils garderont plutôt la porte ouverte pour la laisser passer d'abord, dans un geste de politesse. Elle acceptera de bonne grâce, en souriant et en disant «Merci». Dans le cas d'une porte battante ou à tambour, le cadre hôte précédera ses invités pour être le premier de l'autre côté, prêt à leur indiquer la direction à prendre dès leur entrée. Et tout homme qui sait d'expérience que telle porte battante ou à tambour est particulièrement lourde la franchira le premier en la poussant avec vigueur pour faciliter la tâche à ceux qui le suivent. Quiconque précède une personne très âgée ou un infirme avancera d'un pas plus lent dans une porte de ce genre pour s'assurer que celui qui le suit la franchira en toute sécurité.

L'étiquette aux portes est affaire de politesse, de respect et de sens pratique, même dans les transports en commun. Si le bon sens dicte à chacun de monter à bord d'une voiture de métro ou de train selon son ordre d'arrivée, l'étiquette commande toutefois de tenir la porte ouverte pour la personne qui suit.

• L'emploi du prénom

Personne n'aime qu'un individu qui n'y est pas autorisé l'appelle par son prénom. La familiarité engendre le mépris. Elle n'a pas sa place au travail. Il y a des situations où l'on peut commencer à appeler les gens par leur prénom, et il y en a d'autres où il n'est pas de mise de le faire. C'est le cas, par exemple, quand une réceptionniste ou une téléphoniste s'adresse à un correspondant sans le connaître. Cela vaut aussi pour les recherchistes des journaux et de la télévision qui sollicitent une entrevue au téléphone. Dans les milieux de travail très informels, l'usage du prénom va de soi. Mais aussi peu conventionnel que soit le climat du bureau, on ne se permettra pas d'appeler par leur prénom ses clients ou futurs clients et ses visiteurs, à moins d'y être autorisé par eux.

Les règles qui suivent valent aussi bien pour les lieux de travail où l'on s'en tient aux conventions que pour ceux où l'on se côtoie sans cérémonie:

- une personne plus jeune attendra que ses aînés l'y invitent pour les appeler par leur prénom;
- un cadre attendra qu'un cadre plus âgé l'y invite pour l'appeler par son prénom;
- si un cadre plus âgé appelle un plus jeune par son prénom, ce dernier ne se croira pas automatiquement autorisé à en faire autant.

C'est une question de respect, mais aussi de savoir-vivre. Il n'est jamais trop tard pour apprendre les règles de la bienséance.

• Le tutoiement

Ce précepte concernant l'utilisation des prénoms vaut aussi pour celle des pronoms «tu» et «toi», qu'on n'emploiera pour s'adresser à quelqu'un qu'après y avoir été autorisé. Tutoyer un étranger n'est pas seulement une marque d'irrespect, mais un comportement considéré comme inacceptable dans les relations internationales. Le tutoiement contrevient aux règles de la bienséance en société et nuit aux relations d'affaires.

Certains bureaux s'en tiennent à une atmosphère tout à fait dépourvue de formalités et où l'on utilise toujours le «tu». Cette coutume locale sous-entend un haut degré de familiarité qui engendre le manque de respect. Ne faites jamais usage du «tu» pour vous adresser à vos supérieurs ou aux visiteurs qui viennent de l'extérieur. Et ne tutoyez jamais qui que ce soit au téléphone, surtout si vous travaillez pour une entreprise qui entretient des relations internationales. Si, au Québec, on accepte assez facilement le tutoiement, il n'en est pas de même dans les autres pays francophones. Le «tu» est toujours vulgaire si on l'utilise pour s'adresser à des gens que l'on ne connaît pas très bien et qui ne nous ont pas priés de le faire. Dans les bureaux où règne une ambiance plus formelle, inutile de dire que le «vous» est employé en tout temps.

Si vous occupez un poste de secrétaire ou tout autre poste dans n'importe quel bureau et que votre patron s'adresse à vous par votre prénom et en vous tutoyant, vous êtes parfaitement en droit de lui dire: «Monsieur Un tel, auriez-vous l'obligeance de m'appeler Mademoiselle ou Madame Une telle.»

• Les trous de mémoire

Rien n'est plus humain que d'oublier les noms et, à ce titre, je dois avouer que je suis très humaine. Ma mémoire enregistre fidèlement les visages, mais pas toujours les noms. J'ai une mémoire purement visuelle. Malgré des efforts répétés, je dois m'en remettre à la bonne volonté des gens, pour qu'ils m'aident et me pardonnent lorsque je commets une bévue.

Si vous avez un trou de mémoire en présentant des gens, n'en faites pas un drame. Reconnaissez que la mémoire vous fait défaut. Cela arrive à tout le monde. La franchise est toujours la meilleure politique. Si vous admettez qu'un nom vous échappe, on vous le pardonnera généralement si vous avez affaire à des gens bien éduqués.

Il est important qu'un hôte d'une réception privée ou d'affaires s'occupe de chacun de ses invités et s'assure que rien ne leur manque. L'hôte qui agit au nom de sa société, que ce soit au bureau ou chez lui, s'efforcera de mettre à l'aise ses invités et les aidera à se détendre.

Ne faites jamais souffrir inutilement une personne qui essaie vainement de se rappeler votre nom pour vous présenter à une connaissance. Remédiez sans attendre à la situation. Présentez la main, déclinez votre nom, et la personne qu'on voulait vous présenter vous imitera. Il est important de s'entraider pour éviter à quiconque de se trouver dans l'embarras.

Une femme qui a gardé son nom de fille après son mariage s'assurera que les gens ne s'adressent pas à son mari par ce nom. Mademoiselle Brun a épousé Monsieur Dupré; elle présentera son époux aux gens qui le rencontrent pour la première fois en énonçant clairement son nom: «Voici mon mari, Paul Dupré.» Ni elle ni lui ne seraient heureux qu'on l'appelle Monsieur Brun. Il revient dans ce cas à la femme de clarifier la situation.

• L'accolade

Nous sommes un peuple plutôt démonstratif. Chez nous, les femmes embrassent les hommes et leurs amies sur les deux joues à chaque rencontre. Les hommes ne dédaignent pas l'accolade. Et certains adoptent la «manière américaine»: ils se donnent de grandes tapes dans le dos (ce qui n'est pas très élégant). En affaires, on ne se permet pas de tels gestes, tout spécialement lorsqu'on se trouve à l'étranger ou si des relations d'affaires venues d'outre-Atlantique nous rendent visite. Une ferme poignée de main et un sourire qui exprime le plaisir sincère et honnête de rencontrer son interlocuteur sont toujours tout aussi appréciés. On peut également serrer à deux mains la main tendue de son interlocuteur, en signe de vive affection, mais on ne posera ce geste qu'avec discernement.

• La poignée de main

Au pays, on échange plus souvent des poignées de main que chez nos voisins les Américains, mais moins souvent que dans d'autres pays. Une solide et franche poignée de main, ni trop ferme ni trop molle, reste la meilleure introduction entre deux personnes. Un homme ou une femme d'affaires qui donne une poignée de main bienveillante, accompagnée d'un sourire chaleureux, peut ainsi bien disposer son interlocuteur à son égard.

Quand est-il indiqué d'échanger une poignée de main?
• Lorsqu'on nous présente quelqu'un ou que nous quittons un lieu;

- lorsqu'un visiteur se présente au bureau;
- lorsque nous rencontrons hors du bureau un partenaire en affaires;
- lorsque nous entrons dans une pièce où nous accueillent des connaissances.

Visite à un autre bureau

Les gens qui se présentent aux bureaux d'une autre société auraient avantage à user de leurs plus belles manières, comme s'ils étaient en visite dans une maison privée. Que ce soit pour une rencontre entre cadres de diverses entreprises ou entre collègues d'un même bureau, les hommes comme les femmes se feront un point d'honneur d'arriver à l'heure convenue.

Déclinez distinctement votre nom, ainsi que celui de la compagnie que vous représentez et celui de la personne que vous venez voir. Présentez votre carte de visite à la réceptionniste pour éviter toute confusion. On vous indiquera un endroit où déposer votre manteau et on vous offrira un siège. Lorsque vous entrez dans le bureau de la personne que vous êtes venu rencontrer, tendez la main et donnez une solide poignée de main, puis prenez place sur la chaise qu'elle vous offre. Assoyez-vous dignement; ne vous laissez pas tomber lourdement sur la chaise. Ne fumez pas. Si plus d'une personne vous accueille, serrez d'abord la main de la plus âgée, de la plus importante ou de celle qui vous a donné rendez-vous. Puis donnez la main à toutes les autres personnes présentes. Si votre hôte a convoqué la réunion, il ouvrira sans doute la séance par quelques mots de bienvenue avant de passer à l'objet de la rencontre. Si vous avez vous-même organisé cette rencontre, procédez de la même manière. Demandez à votre hôte combien de temps il peut vous accorder et efforcez-vous de ne pas dépasser la limite fixée. Lorsque vient le moment de partir, levez-vous, serrez la main de votre hôte, remerciez-le du temps qu'il vous a accordé et sortez.

Votre personnalité

Les progrès constants de la technologie ont grandement déshumanisé les lieux de travail. Aujourd'hui plus que jamais, le monde des affaires reconnaît la nécessité de bonnes relations personnelles. Le sens de la communication a pris une grande importance. La manière dont nous nous adressons les uns aux autres — le ton de la voix, le choix des mots, le style et le contenu des échanges écrits — peut sceller ou ruiner des relations sociales et d'affaires.

• Voix et vocabulaire

«La pensée et la société prennent corps dans la langue», écrit Norbert Elias dans *Über den Prozess der Zivilisation*. En d'autres mots, notre façon de nous exprimer révèle notre personnalité et notre éducation. Qui se prétend de la bonne société sait choisir ses mots et les prononcer d'une voix claire et pondérée. La délicatesse du langage, le raffinement et un sens aigu des règles de la bienséance, ainsi que le souci de ne pas embarrasser ni provoquer, ne sont en dernière analyse que l'expression du respect que l'on porte à son entourage et à soi-même.

En France, aux XVIIe et XVIIIe siècles, les barrières entre les classes sociales étant moins marquées qu'ailleurs et les rapports entre elles étant ainsi plus fréquents, la langue de la cour a pu s'imposer graduellement à l'ensemble de la nation. Ce phénomène explique l'élégance de la langue française, sa finesse, et qu'elle soit devenue la langue par excellence de la diplomatie — en fait, la (l'une des) plus belle(s) langue(s) du monde.

Si l'on se sert de mots polis et choisis avec soin, si l'on pense aux conséquences que pourrait avoir une parole froissante *avant* de la prononcer, et si l'on s'oblige à compter jusqu'à dix au lieu d'échapper une réponse trop vive, cassante et irréfléchie, on pourra éviter des malentendus, et même, en définitive, certaines formes de violence. Sur un plan plus général, celui de la diplomatie, par exemple, et des relations internationales, on ne peut s'empêcher de constater que le langage civilisé et l'observation des règles «démodées» de la courtoisie auront transformé les rapports entre les superpuissances. L'État soviétique s'ouvre au monde extérieur et repense son économie (comme ses politiques).

Dans son milieu de travail, un cadre se donnera une voix et un vocabulaire appropriés à son statut et à son rang dans l'entreprise. Il aura une belle voix forte et chaude, et il s'exprimera sans accent ni expressions argotiques, ce qui témoignera de sa distinction et de sa vivacité d'esprit. Un vocabulaire étendu assure une belle élocution, facilite la conversation et aide à mieux communiquer. Ceux qui connaissent bien la langue française sont, en conséquence, des personnes très favorisées. Cette langue ne manque pas de beaux mots et les cadres qui savent en tirer avantage améliorent d'autant leur image. Un riche vocabulaire impressionne toujours et les personnes qui usent d'un langage recherché ont l'air distinguées. Elles font une belle et forte impression sur leurs interlocuteurs.

• Comportement

En société, on surveille son comportement, ses gestes et sa façon de traiter autrui. Cela s'impose dès la première poignée de main, lorsqu'on fait la connaissance d'une personne.

Le comportement de chacun révèle sa personnalité. Une personne autoritaire et agressive, qui pose des gestes vifs en parlant, agit en fait selon sa nature. On s'attend tout naturellement à ce qu'elle agisse ainsi et on l'accepte sans se poser de questions. Une personne timide et calme qui se comporterait de la même manière produirait une plus forte impression. Elle étonnerait et saisirait son entourage. Il est important de montrer de l'intérêt à la personne à qui on s'adresse, en la regardant et en évitant de laisser errer son regard. Si on s'écrase sur une chaise, jambes étendues, on donne l'impression d'être à demi endormi, indifférent, même si l'on porte en réalité attention à ce que dit son interlocuteur. Ce n'est pas alors le moment de jouer avec ses doigts, avec ses cheveux ou avec l'inévitable trombone. Pendant un échange debout, on se tient droit, jamais appuyé à quoi que ce soit, ni contre le lutrin si on s'adresse à un auditoire.

Les bonnes manières et le souci des bonnes manières aident à atteindre les objectifs qu'on se fixe. Les gens préfèrent les personnes qui savent bien se tenir, tant debout qu'assis, et qui regardent directement leurs interlocuteurs lorsqu'elles apportent un point de vue intéressant et enrichissant dans le cours d'un échange.

La conversation

Les conversations tiennent un rôle important dans notre vie, tant privée que professionnelle. Dans les communications entre cadres, elles sont d'une importance capitale. Le cadre qui maîtrise l'art de la conversation constitue un atout pour son employeur, parce que cette qualité favorise les bonnes relations d'affaires et, du même coup, les profits. Dans une tractation entre gens d'affaires, la conversation englobe les négociations, au sens étroit du mot, qui se font dans un langage plus simple et plus neutre. La conversation prend place au début et à la fin des négociations.

Une conversation réussie ressemble à une oeuvre d'art et exige de celui qui la pratique qu'il sache combiner plusieurs ingrédients essentiels:
• le désir sincère de plaire;
• le sens de l'humour;
• la capacité de faire sourire son interlocuteur;
• la capacité de faire rire son interlocuteur et de rire de soi.

La maîtrise de tous ces éléments fournit un excellent outil de travail en affaires.

Un fin causeur:
• fait preuve d'une intelligence certaine;

61

- est poli et s'intéresse vraiment à ses interlocuteurs;
- est bien informé et aborde un vaste éventail de sujets; celui qui ne parle que de travail est très ennuyeux;
- se montre intéressé au travail de ses interlocuteurs, mais sans indiscrétion;
- peut entretenir de sujets aussi divers que les expositions, l'opéra, le théâtre, le ballet, sans oublier les vins et les mets raffinés; il lit les journaux, les revues, et se tient au fait des nouvelles parutions littéraires; bref, il ne parle pas que de son travail;
- se met au diapason de la personne à laquelle il s'adresse, en changeant rapidement de sujet si nécessaire;
- ne porte de jugements qu'en s'appuyant sur son expérience et ses connaissances, et jamais sur de simples opinions et conjectures;
- ne prétend pas être un expert en toutes matières et n'exagère pas ses connaissances;
- est modeste et ne cherche pas à paraître plus important qu'il ne l'est; prétendre posséder plus d'expérience, plus de connaissances et plus d'influence en société qu'on n'en a réellement est encore plus condamnable que de s'habiller avec trop de recherche; comme le dit un proverbe allemand, une personne bien née a plus de qualités qu'elle ne le laisse deviner;
- charme ses interlocuteurs en ne leur posant que des questions auxquelles ils peuvent répondre;
- regarde la personne à qui il s'adresse — le regard est toujours important;
- ne corrige jamais la grammaire ni la prononciation de ses interlocuteurs, et se rappelle que les personnes qui communiquent constamment dans une langue étrangère commettent inévitablement des erreurs; un causeur courtois qui parle couramment plusieurs langues adoptera immédiatement celle de ses interlocuteurs s'il constate que ces derniers ne sont pas à l'aise dans la sienne; cela s'appelle avoir le sens des affaires;
- sait qu'il est extrêmement impoli d'interrompre quelqu'un et s'excuse s'il commet involontairement cette erreur;

- accepte de bonne grâce les compliments; les refuser trahit un manque de courtoisie;
- est prodigue de compliments, sincères et sans exagération;
- dans un groupe, s'adresse à tous les participants et n'exclut personne de la conversation;
- au cours d'une longue conversation à plusieurs, regarde successivement chacune des personnes et ne s'adresse jamais qu'à une seule d'entre elles, ni ne se restreint à un sujet qui ne concerne qu'un membre du groupe;
- sait faire en sorte qu'une personne timide se sente acceptée et à l'aise;
- s'empresse de meubler un silence gênant; il peut alors avoir un mot drôle ou aborder simplement un autre sujet pour orienter la conversation dans une nouvelle direction.

Un fin causeur n'aborde pas les questions suivantes:
- les ennuis de santé — les siens comme ceux des autres;
- les sujets controversés comme les options politiques, les questions religieuses, la législation linguistique, la légalisation de l'avortement, les manipulations génétiques, les armes nucléaires, les actions de l'organisation écologique Greenpeace, la protection des animaux et leur utilisation en laboratoire, la sauvegarde des animaux à fourrure, le sida; rien n'interdit à quiconque de s'engager dans de telles causes et de les soutenir financièrement, mais il vaut mieux se garder d'en discuter dans le cadre de réunions sociales;
- l'argent et le prix de chaque chose dans la maison, depuis la voiture jusqu'à la garde-robe; combien coûte le champagne, le caviar, et combien sont précieux les plats qu'on utilise pour servir les invités; le revenu d'un individu ou sa fortune ne regarde personne d'autre que lui, et ces propos bassement matérialistes rendent mal à l'aise tous les invités;
- la mort, ou tout autre événement malheureux — à moins que la personne concernée n'aborde elle-même le sujet, auquel cas on lui prête poliment une oreille attentive ou compatissante et on l'écoute aussi longtemps qu'elle éprouve le besoin d'en parler;

- les sujets de goût douteux; les blagues de vestiaire ont peu de succès dans la bonne société entre gens de même sexe, et sont très déplacées en présence de l'autre sexe;
- les cancans, particulièrement ceux qui peuvent gravement compromettre la carrière d'un invité; au lieu d'écouter passivement débiter des calomnies, un cadre se portera à la défense de la personne visée; une phrase aussi simple que «Je ne pense pas que vous soyez juste» suffira; qui se porte à la défense d'un collègue fait preuve de qualités de chef.

En dirigeant l'attention du groupe sur un autre sujet, on peut désamorcer les commérages et sauver la situation.

On doit également éviter, dans une conversation avec une seule personne, d'aborder des sujets trop personnels, comme:
- la religion d'un individu, son appartenance à un parti politique;
- l'origine ethnique d'une personne (les gens détestent être qualifiés d'immigrants);
- une maladie grave qui nous affecte ou affecte une autre personne (à moins, bien entendu, d'être de ses amis et d'avoir avec elle une conversation de nature personnelle, sans aucun lien avec les affaires);
- son congédiement ou celui d'un collègue;
- l'obésité d'une personne et ce qu'elle tente pour y remédier;
- l'âge d'une personne — surtout si elle a visiblement près de quarante ans;
- la perruque ou le postiche d'une personne, ses cheveux teints ou sa chirurgie faciale;
- sa vie sexuelle ou celle d'autrui;
- son homosexualité ou celle d'une autre personne;
- la protection contre les maladies transmises sexuellement;
- l'avortement.

- Conversation entre jeunes cadres et cadres supérieurs

La plupart des jeunes cadres appréhendent les conversations seul à seul avec le grand patron. Ils sont ainsi souvent très mal à l'aise lorsqu'ils accompagnent seuls un supérieur dans la limousine ou l'avion privé de la compagnie ou qu'ils se retrouvent seuls en sa compagnie au bureau. En pareille circonstance, la personne la plus jeune attendra qu'on s'adresse à elle, portera attention aux questions que son supérieur lui posera et au moment qu'il choisira pour le faire. Elle n'engagera jamais de son propre chef une conversation. Le cadre supérieur préfère peut-être ne pas parler. Mais dès qu'il adresse une question à son jeune compagnon, ce dernier y répondra sans détour et en toute sincérité. Si le supérieur désire poursuivre la conversation, il le signifiera en posant d'autres questions. Le jeune cadre saisira alors l'occasion qui lui est donnée d'aborder des sujets qui autrement ne seraient jamais portés à l'attention de la direction. Bien entendu, il usera de réserve et n'en profitera pas pour se vanter ni pour faire valoir ses seuls intérêts. Si le supérieur souhaite s'entretenir de sujets anodins, la jeune personne répondra à ce voeu par quelques histoires drôles ou des nouvelles intéressantes. Mais si on lui pose des questions précises sur ce qui se passe au bureau, ses réponses seront honnêtes et impartiales.

• L'art d'écouter

Savoir écouter une personne dont les propos n'intéressent pas est un art. On fera donc appel à son plus grand sens diplomatique pour ne pas succomber à cette forme d'impolitesse la plus répandue dans nos sociétés: ne pas écouter son interlocuteur. En affaires, on considère comme une faute grave de ne pas accorder toute son attention aux propos d'un supérieur, parce que d'importants indices et nuances peuvent alors échapper au subalterne. De lourdes pertes sont parfois directement imputables à l'inattention, qui a pu conduire à mal interpréter des détails importants. Par ses questions et son résumé des principaux points de la discussion, une personne qui n'a pas écouté vraiment se trahit elle-même. N'oubliez jamais qu'écouter c'est apprendre.

• Écouter aux portes / indiscrétions

Qui écoute aux portes commet une indiscrétion, contrevient au code de l'éthique et à la règle d'or de la probité. Mieux vaut aussi ne pas prêter l'oreille à des personnes qui abordent des questions délicates nous concernant ou concernant l'entreprise qui nous emploie, si elles ignorent qui nous sommes. Nous interviendrons alors immédiatement, calmement et poliment. Nous leur révélerons notre identité et notre fonction dans la société dont ils s'entretiennent, et leur demanderons de bien vouloir baisser la voix ou changer de sujet. Nous leur ferons observer qu'il est très embarrassant d'entendre leur conversation. Nous veillerons à interrompre toute discussion que nous ne sommes pas censés entendre. Dans des situations de ce genre, le sens de la probité la plus rigoureuse aura préséance sur toute autre considération. Chacun nous en sera d'ailleurs reconnaissant.

Les manières au téléphone

La façon dont on y traite les appels téléphoniques en dit beaucoup sur une entreprise. La voix qui répond au téléphone est en quelque sorte la carte de visite d'une société. Une bonne téléphoniste a la voix chaleureuse, agréable, empressée, assurée et, par-dessus tout, accueillante. La personne qui appelle a aussi sa part de responsabilité dans ce premier contact. Elle n'oubliera jamais qu'elle s'adresse à un être humain, même si elle veut lui faire part d'une plainte ou de son mécontentement. Elle s'exprimera clairement, livrera son message et sera brève. Il est difficile pour la personne qui répond au téléphone de garder ses bonnes manières si son correspondant se montre déraisonnable et discourtois.

• Comment répondre à un appel téléphonique au bureau

Tout dépend du genre de bureau et des affaires que l'on y effectue. Une secrétaire médicale dans un bureau de médecin doit avoir à l'égard des appels une approche différente de celle de la secrétaire d'une agence de publicité ou d'une grande société commerciale. On doit d'abord tenir compte du genre d'affaires dont il s'agit et de l'image que souhaite donner la société ou le patron pour lequel on travaille. On dit, par exemple:

«Le bureau de Monsieur Brun, bonjour.»

«Louise Drouin à l'appareil. Puis-je parler à Monsieur Brun?»

«De quelle entreprise, s'il vous plaît?»

«Je suis la directrice des relations publiques de la société XYZ.»

«Oh, je vois. Ne quittez pas. Je vais voir si je peux vous passer Monsieur Brun. Un moment, s'il vous plaît.»

Lorsqu'une personne occupant un poste administratif répond elle-même au téléphone, que cela arrive seulement occasionnellement ou toujours, elle répond en se nommant:

«Bernard Dubois à l'appareil», ou «Doris Baudoin à l'appareil».

On entend des hommes qui répondent au téléphone en disant: «Monsieur Dubois à l'appareil», et des femmes qui disent: «Madame Baudoin à l'appareil.» Ou bien qui laissent un message comme: «Dites à Monsieur Drouin que Monsieur Dubois (ou Madame Baudoin) a téléphoné.» Ce n'est pas correct. On ne se désigne pas par un titre tel que Monsieur ou Madame. On donne son prénom et son nom de famille. (Cela s'applique aussi aux appels personnels.)

• *L'usage du «tu» et du prénom* est une question qui revient toujours. Le tutoiement et l'utilisation du prénom dans le monde des affaires, surtout dans les relations avec les personnes étrangères ou vivant à l'étranger, dégagent une impression de familiarité non voulue. Les mêmes directives s'appliquent pour les communications téléphoniques faites au bureau. Elles sont encore plus pertinentes dans ce dernier cas puisque le téléphone est généralement l'instrument du premier contact avec les gens de l'extérieur et, de ce fait, sert à créer la première impression au sujet d'une entreprise. Les premières impressions sont primordiales. Les réceptionnistes et téléphonistes devraient recevoir la consigne de ne jamais utiliser le prénom d'un interlocuteur et de ne jamais le tutoyer. L'image projetée par le tutoiement est néfaste et nuisible dans le lieu de travail.

(Voir aussi «Courtoisie, civilité et politesse au bureau et en société», dans la section 2 du présent chapitre.)

• Faut-il filtrer les appels?

À cette question, il n'y a qu'une seule réponse: «Jamais.» Un cadre supérieur ne fait filtrer ses appels qu'en cas d'absolue nécessité, et le jeune cadre qui n'appartient pas encore à la très haute direction ne songera même pas à le faire. Il s'agit toujours là d'une expérience désagréable pour la personne qui appelle, car elle se sent humiliée d'être considérée comme peu importante, et aussi pour la secrétaire qui traite avec elle. Filtrer les appels exige du tact, et le cadre communiquera donc à l'employé qui en est chargé des instructions très précises sur le langage qu'il souhaite lui voir adopter dans ce cas.

Le maintien en attente semble devenu un mal nécessaire dans nos sociétés superactives, mais cette pratique est vraiment ennuyeuse. Elle s'avère même intolérable lorsque celui qui place l'appel doit supporter une musique d'ambiance des plus mielleuses. On passe certes plus de temps en attente au bout du fil lorsqu'on communique avec des services gouvernementaux, des rayons de grand magasin, des bureaux de société de transport aérien, mais on n'aime pas être traité de la sorte lorsqu'on place un appel important à un bureau.

Les clients, actuels ou potentiels, seront traités avec gentillesse et attention. Si vous êtes au téléphone et qu'un correspondant cherche à vous joindre sur une autre ligne, excusez-vous auprès de votre premier interlocuteur et dites-lui que vous lui revenez à l'instant, puis maintenez-le en attente et répondez au deuxième appel. Prévenez ce nouvel interlocuteur que vous le reprendrez en ligne sans tarder, puis revenez à votre premier interlocuteur et complétez votre conversation. Si cela ne peut se faire rapidement, excusez-vous une nouvelle fois auprès de votre interlocuteur, priez-le encore d'attendre et reprenez le deuxième appel. Excusez-vous auprès de ce deuxième correspondant de le faire attendre, et offrez-lui de le rappeler dans quelques minutes s'il veut bien vous donner son nom et son numéro de téléphone. S'il préfère attendre, tenez-le au fait des développements. Si vous constatez que le premier appel se prolonge, reprenez en ligne le deuxième interlocuteur pour l'informer régulièrement de la situation. Il vous fera alors savoir s'il vous rappellera plus tard ou s'il attendra que vous le rappeliez. Il va sans dire que cet appel sera retourné à très brève échéance.

On se souviendra surtout de ne jamais laisser quelqu'un en attente sans le reprendre régulièrement en ligne pour s'informer de ses intentions et s'excuser de le faire ainsi patienter. Une phrase aussi simple que «Je suis vraiment désolé de vous faire attendre» produira un effet lénifiant. Par leur tact, leur courtoisie, leur raffinement et leur vivacité d'esprit lorsqu'elles répondent au téléphone, les réceptionnistes jouent souvent un rôle capital dans le succès des entreprises qui les emploient. La façon dont une secrétaire traite les correspondants au téléphone influence directement, dans un sens positif ou négatif, la conversation qui s'ensuivra entre son patron et la personne qui cherche à le joindre.

La formation d'une bonne secrétaire comprend les préceptes suivants:

- répondre au téléphone dès la première sonnerie;
- ne jamais laisser une personne en attente plus de quelques secondes sans la reprendre en ligne;
- aider son supérieur à retourner ses appels en lui en remettant la liste complète et en n'omettant aucun détail pertinent;
- laisser savoir au correspondant quand son patron sera de retour et ne jamais se contenter de lui dire: «Je suis désolée, mais Monsieur Brun est en voyage.»

On évite aussi de placer des appels personnels depuis le bureau, à moins d'une extrême urgence. On monopoliserait ainsi la ligne et on laisserait également une mauvaise impression aux visiteurs présents dans le bureau.

En cas d'appel, par souci d'efficacité, on notera les détails suivants:

- le nom de la personne qui appelle; si le nom est étranger, demander qu'on le répète et qu'on l'épèle;
- le numéro de téléphone, le poste et le code régional;
- le nom de l'entreprise pour laquelle travaille le correspondant;
- la date et l'heure de l'appel;
- si l'appel est urgent, la mention «rappeler sans tarder».

Et l'on apposera son nom et l'initiale de son prénom.

Le transfert des appels entre collègues est l'une des conséquences de la sophistication de notre milieu de travail. Mais les instruments électroniques les plus perfectionnés ne dispensent pas de la politesse. Transférer un appel sans en prévenir le correspondant est très incorrect. Si celui qui appelle ne connaît pas la personne aux soins de laquelle vous le confiez, ayez la prévenance de lui indiquer son nom, son titre et sa fonction au sein de votre entreprise, et d'informer votre collègue des motifs de l'appel.

On se gardera de placer des appels d'affaires à domicile à moins qu'il ne s'agisse de questions très urgentes et très importantes. Quant aux appels intercontinentaux, on les fera, dans la mesure du possible, en tenant compte du décalage horaire et en choisissant des moments qui correspondent aux heures de bureau dans le pays du correspondant. Tout employé d'une société, depuis le cadre supérieur jusqu'au plus jeune commis, a besoin de repos pour refaire ses forces avant d'entreprendre une nouvelle journée, ou, le week-end, pour se préparer à affronter une nouvelle semaine de travail souvent harassant. Les supérieurs qui ne laissent pas leurs collaborateurs jouir de leurs temps libres en famille et avec leurs amis, ou se détendre en s'adonnant à leurs lectures et passe-temps favoris, et qui les importunent pour un rien en leur téléphonant le jour ou, pire encore, tard le soir, auraient avantage à repenser leur emploi du temps pendant les heures de bureau. Un organigramme bien conçu leur éviterait, ainsi qu'à leurs employés, des interventions inutiles et ennuyeuses durant les heures de loisir.

Le répondeur automatique, cet atroce appareil, est devenu une nécessité dans notre monde moderne, bien qu'il soit frustrant et exaspérant de s'adresser à une machine plutôt qu'à un être humain. Je soutiens qu'un répondeur automatique n'a pas sa place dans une maison privée, à moins que le même numéro de téléphone serve aussi à des fins de travail. Les journalistes, par exemple, ont nécessairement besoin d'un appareil semblable pour accomplir adéquatement leur travail.

Quelques recommandations peuvent aider à transformer ce mal nécessaire en un outil inestimable:

- rédigez par écrit votre message et répétez-le avant de l'enregistrer;
- que votre message soit agréable à écouter et, à cette fin, adoptez un ton de voix chaleureux;
- n'essayez pas d'être amusant ou d'épater, car vous raterez votre effet de toute façon;
- n'enregistrez pas de la musique d'ambiance pour créer un fond sonore;
- allez droit au but et soyez simple;
- pour le message comme tel, donnez votre nom (et celui de votre entreprise) et dites ce qui suit: «Veuillez laisser votre nom (celui de votre société) et votre numéro de téléphone après le timbre. Je vous rappellerez dès que possible. Merci.»

Si vous optez plutôt pour le service d'appels et la voix humaine, n'oubliez pas que ce service ne sera profitable que dans la mesure où vous y laisserez d'excellentes instructions. Ceux qui répondent aux appels sont des êtres humains et, à ce titre, ils commettent parfois des erreurs. Pendant les heures d'affaires, leurs lignes sont souvent surchargées et celui qui place un appel doit supporter de trop longues attentes, sans compter que les messages ne sont pas toujours notés avec toute la précision souhaitable. Ne vous en prenez pas au personnel de ce service. Cela ne servirait à rien puisque l'erreur aura déjà été commise. Mieux vaut s'efforcer de régler le problème calmement.

Si, au fil des ans, j'ai été très satisfaite de ce genre de service, c'est pour avoir entretenu des relations plus personnelles avec ceux qui l'opéraient; je m'adressais à eux par leurs noms, je reconnaissais l'importance de leur travail pour la bonne marche de mes affaires, et je n'oubliais pas de leur offrir de petits présents dans le temps de Noël. Je considère un bon service d'appels comme une meilleure solution pour la maison privée que le répondeur automatique. Il me semble plus civilisé de parler à une oreille humaine qu'à une machine. La bonne société s'interdit d'apporter sa caution à la déshumanisation provoquée par les progrès technologiques qui détériorent peu à peu les relations humaines.

La rédaction des lettres d'affaires

Toute lettre d'affaires doit avoir un aspect professionnel. On accordera beaucoup de soin à sa préparation, pour donner une idée favorable de son auteur et de l'entreprise qu'il représente. Les fautes d'orthographe, y compris les banales fautes de frappe, laissent une impression indélébile sur le destinataire. C'est comme si on lui présentait une carte d'affaires truffée de coquilles. Dans nos sociétés modernes, souvent multi-lingues, les cadres supérieurs qui traitent couramment dans deux ou plusieurs langues ont souvent des doutes sur l'ortho-graphe des mots. Dans ce cas, la parfaite secrétaire devient pour eux l'alliée la plus inestimable. Votre secrétaire ou l'un de vos proches collaborateurs vérifiera donc systématiquement vos lettres, notes de service, etc., même celles rédigées à la main. Les lettres d'affaires doivent être précises, aller direc-tement au but et éviter toute possibilité de malentendu. Le nom de leur destinataire doit être orthographié sans fautes et accom-pagné de son titre exact.

Un ton trop familier, l'usage du prénom ou du pronom «tu» peuvent mal engager des pourparlers ou ruiner une relation d'affaires déjà établie, particulièrement si l'on s'adresse à des citoyens de pays étrangers qui tiennent pour disgracieuses certaines de nos coutumes. En cas de doute, on mettra plus de forme dans les communications verbales et écrites.

Il est absolument indispensable d'éviter les tournures banales ou stéréotypées du genre «Suite à notre entretien téléphonique d'hier». Cette formule est d'ailleurs incorrecte et parfaitement inutile. On ira plutôt directement à l'essentiel. Une lettre ne comportera pas de clichés; elle témoignera plutôt d'un franc désir de communication entre deux individus. Le style d'une lettre dépendra à la fois de la personnalité et du rang de celui qui l'écrit comme de celui à qui elle est adressée.

Si votre signature est illisible et que votre nom et titre n'apparaissent pas dans l'en-tête du papier utilisé, assurez-vous qu'ils figurent, dactylographiés, sous votre signature. Veillez aussi à ce que le destinataire n'ait aucun doute sur le sexe de son correspondant si votre prénom porte à confusion; vous vous éviterez ainsi l'embarras d'être appelé Madame ou Mademoiselle si vous êtes un homme, ou l'inverse.

On doit signer ses lettres. On l'oublie souvent et cela dénote une grave négligence. Quand un cadre ne peut signer lui-même une lettre, le ou la signataire doit y apposer ses initiales avec la mention «Signé en l'absence de ...»

Le protocole qui détermine le signataire d'une lettre requiert quelque attention. En cette matière, on s'en remettra aux recommandations suivantes:

- les jeunes cadres signent les lettres adressées à des personnes qui sont plus ou moins leurs pairs;
- les lettres des jeunes cadres adressées à du personnel de haute direction qui n'est pas de leur bureau devraient porter la signature d'une personne de plus haut rang qui travaille au même projet, c'est-à-dire une personne d'un rang comparable à celui du destinataire;
- après un premier échange de lettres concernant un projet défini, le jeune cadre signera lui-même ses lettres à un cadre supérieur à l'emploi d'une autre entreprise; toutefois, le cadre de rang plus élevé qui reçoit la lettre aura été préalablement prévenu que le jeune cadre assume l'entière responsabilité du projet.

L'une des très importantes règles du savoir-vivre exige qu'on réponde promptement à tout le courrier reçu. Cela inclut le courrier du patron en son absence. En conséquence, on recommande à une secrétaire ou à un adjoint de:

- accuser réception de tout le courrier d'un cadre;

- donner immédiatement suite à tout le courrier auquel ils sont autorisés à donner suite;
- expliquer le délai imposé si une réponse requiert l'attention personnelle du cadre;
- ne prendre aucun engagement dans les réponses adressées si le cadre s'est absenté pour cause de maladie.

La forme et le contenu d'une lettre d'affaires sont de la plus haute importance. La lettre devra être prévenante, franche, simple et livrée sur-le-champ. On devra choisir la formule d'appel la plus appropriée:
- pour les femmes, on utilise «Madame» lorsqu'on ignore si la personne en question est mariée ou célibataire; si l'on sait qu'elle n'est pas mariée, on utilise quand même «Madame» dès qu'elle a près de quarante ans;
- dans un premier échange de lettres: «Monsieur» ou «Madame»;
- dans une lettre adressée à une entreprise, sans destinataire précis: «Messieurs»;
- après qu'on a établi une relation d'affaires: «Cher Monsieur» ou «Chère Madame»;
- certains ouvrages sur l'étiquette considèrent comme un geste de familiarité qu'une personne plus jeune s'adresse à une aînée en l'appelant «Chère Madame». Je ne vois rien de répréhensible à la formule d'appel «Chère Madame» dans la mesure où l'auteur de la lettre conserve un ton respectueux; cette formule me semble même, au contraire, plutôt attentionnée.

On écrit aussi: «Monsieur le Directeur»
«Madame la Directrice» (usage canadien)
«Madame le Directeur» (usage français)
«Monsieur le Président»
«Madame la Présidente» (usage canadien)
«Madame le Président» (usage français).

(Pour plus de détails, voir «Titres administratifs et professionnels», dans la section 2 du chapitre II.)

Le corps de la lettre sera composé avec le plus grand soin et le plus grand souci d'efficacité. Si vous écrivez à une personne qui ne vous connaît pas nécessairement, présentez-vous et explïquez le motif de votre lettre. Passez ensuite directement au sujet. Chacun des points essentiels de la lettre constituera un paragraphe. Dans chaque paragraphe, vous ne développerez qu'une idée, un argument ou un problème en peu de mots. Personne n'a le temps de lire des lettres interminables. La fin de la lettre répondra à certains critères spécifiques.

On choisira avec soin la formule de politesse qui termine une lettre d'affaires. Si la formule d'appel est très importante pour produire une bonne première impression sur le destinataire, la formule de politesse ne l'est pas moins pour l'image qu'on lui laisse de soi-même et de son entreprise.

- La formule la plus courante et la plus neutre se lit comme suit: «Veuillez agréer, cher Monsieur, l'expression de mes sentiments distingués»;
- on prendra soin de répéter fidèlement la formule d'appel dans la formule de politesse qui clôt la lettre; on n'utilise pas l'expression «très cher Monsieur» si on a eu recours à une formule plus simple au début;
- on utilise aujourd'hui de préférence l'impératif «Veuillez» plutôt que l'expression «Je vous prie de croire»;
- l'expression «salutations distinguées» reste acceptable dans la plupart des cas, mais on n'en usera pas systématiquement;
- on peut donner plus de poids à une requête en ayant recours, avant la formule de politesse, aux expressions suivantes: «Dans l'attente de votre réponse...» ou «En vous remerciant par avance de l'attention que vous voudrez bien porter à ce dossier...»;
- on réserve l'expression «sentiments amicaux» aux amis; «sentiments cordiaux», aux connaissances; et on n'utilise que pour ses amis les plus proches les formules «Avec mes amitiés» et «Bien amicalement».

Les lettres de références ou de recommandation comprennent toujours:
- le nom complet de la personne recommandée;
- son titre et son adresse au travail;
- son adresse personnelle;
- ses qualités professionnelles;

- son curriculum vitae;
- la mention de son incorruptibilité (si le détail a sa pertinence).

Une personne polie ne néglige pas, même aujourd'hui, *les accusés de réception et les lettres de remerciement*. Un mot de remerciement au téléphone — pour un cadeau, une invitation ou une faveur reçue — ne suffit pas. Dans la vie privée, le mot de remerciement est écrit à la main; en affaires, on peut le dactylographier. Quant à l'accusé de réception, il se conforme aux règles suivantes:
- est écrit sur du beau papier fin et adressé dans une enve-
  loppe de même qualité;
- est bref, reconnaissant, aimable et sans platitudes;
- s'ouvre et se termine par les mots «Merci beaucoup», qu'on
  ne répète qu'une fois dans le corps de la lettre.

Si on vous a invité à déjeuner, même dans le but de traiter des affaires avec vous, envoyez un mot de remerciement: la politesse l'exige. À notre époque d'égalité entre les sexes, le mari comme l'épouse fait parvenir un mot de remerciement. Si l'épouse n'était pas présente, il revient à l'époux d'adresser seul ses remerciements. Lorsque les deux membres du couple étaient présents, l'un ou l'autre écrira à l'hôte ou à l'hôtesse pour le/la remercier en son nom et en celui de son conjoint. Il est important que le mot soit écrit et envoyé dans les deux jours qui suivent la réception.

Certains trouveront fastidieux tous ces détails et d'autres en contesteront la pertinence. Mais l'auteur de ce livre n'invente rien, s'en remettant simplement aux règles que s'impose elle-même la société; les gens qui la composent se veulent plus polis les uns avec les autres que dans les précédentes décennies, et c'est là un signe fort encourageant!

Les lettres difficiles

- Condoléances et sympathies

Une bonne lettre du genre comporte l'expression de senti-ments de tristesse, un éloge du disparu et une offre d'assistance

76

aux personnes en deuil. On l'écrit à la main à l'encre noire, sur un très fin papier blanc sans en-tête. On ne se permet de la dactylographier que si son écriture est totalement illisible; même tapée à la machine, une lettre vaut tout de même mieux que le silence.

Lettre de condoléances à une relation d'affaires
«C'est avec une profonde émotion que nous apprenons le deuil qui vous frappe. Nous nous associons à tous ceux qui partagent votre douleur.
«Permettez-nous de vous exprimer nos sincères condoléances.
«N'hésitez pas à communiquer avec nous si nous pouvons vous être utiles.»
ou
«La nouvelle du malheur qui vous frappe nous bouleverse.
«Nous connaissons les liens très étroits qui vous unissaient à (nom de la personne disparue), un être apprécié de tous.
«Permettez-nous de vous exprimer toute notre sympathie et nos condoléances respectueuses.
«N'hésitez pas à communiquer avec nous si nous pouvons vous être utiles.»

Télégramme à une relation d'affaires résidant à l'extérieur
«Bouleversés par la triste nouvelle.
«Respectueuses sympathies.»
ou
«Sommes de tout coeur avec vous.
«Sincères condoléances.»
Assister aux funérailles ou envoyer des fleurs ne dispense pas d'un mot de condoléances; une lettre ou un mot, même bref, devra tout de même être adressé.
On peut faire livrer des fleurs au salon funéraire, à l'église ou au cimetière, selon les désirs de la famille. Les fleurs parvenues au salon funéraire accompagnent généralement le cortège jusqu'au cimetière.
Joignez une carte blanche écrite à l'encre noire. Vous pouvez inscrire simplement votre nom: «Joanna Dupont», ou écrire:

«Sincères condoléances de Joanna Dupont.» Veillez à inscrire votre nom et votre adresse au dos de l'enveloppe, afin que la famille puisse vous adresser un mot de gratitude pour l'expression de votre sympathie.

On ne fait jamais livrer de fleurs aux funérailles d'une personne de religion orthodoxe juive. En cas de doute, on peut toujours s'adresser à la personne qui répond au téléphone dans la maison du défunt et lui demander s'il est bienséant d'envoyer des fleurs.

Dans bien des cas, les avis de décès publiés dans les journaux s'accompagnent des mots suivants: «Au lieu d'envoyer des fleurs, on pourra faire parvenir ses dons à …» Ceux qui auraient l'intention d'envoyer des fleurs sont ainsi invités plutôt à contribuer, pour une somme équivalente, à l'oeuvre de charité mentionnée.

• Excuses

Présenter ses excuses à une personne qu'on a offensée, embarrassée ou incommodée sera toujours une tâche pénible. On serait alors plutôt tenté d'oublier l'incident, mais, ce faisant, on ajouterait l'injure à l'insulte. Il vaut mieux exprimer ses regrets sincères et regagner ainsi l'estime de la personne offensée, qu'on pourrait autrement perdre à jamais. On pourra s'inspirer de la lettre suivante:

«Voici sans doute la lettre la plus difficile qu'il m'ait été donné d'écrire de toute ma vie, parce que je n'ai jamais autant erré que lorsque … (ce que vous avez dit ou fait). Mon geste (ou mot) était répréhensible, déplacé et inadmissible

«Mais j'en appelle à votre indulgence, en espérant que vous me pardonnerez et que vous ne me tiendrez pas rigueur de ma conduite lamentable. Je m'engage à ne plus jamais commettre d'erreur aussi grave.»

• Lettre de retraite

Lorsqu'une personne prend sa retraite, l'étiquette requiert un échange de lettres qui pourra en confondre plusieurs:

- une lettre du retraité à son supérieur, pour exprimer son attachement à l'entreprise, évoquer les moments inoubliables passés à son service et sa tristesse de devoir la quitter;
- une lettre du supérieur au retraité, pour lui exprimer la peine que ressent tout le personnel à l'idée de se séparer d'un employé aussi estimé et d'une personne aussi merveilleuse;
- une lettre du retraité à son successeur, pour lui transmettre ses voeux de succès et de bonheur;
- des lettres des amis personnels du retraité, qui lui souhaitent ainsi bonne chance dans sa nouvelle vie;
- des lettres de remerciement du retraité à tous ceux qui lui ont écrit ou lui ont offert un présent.

4. L'HABILLEMENT

Dans ses célèbres *Colloques*, Érasme écrit que le vêtement est en quelque sorte le corps du corps, parce que, selon lui, on peut en déduire l'état d'âme de chacun. Quatre siècles plus tard, les humains sont plus que jamais préoccupés par l'image d'eux que leurs vêtements et leur apparence extérieure projettent, par la première impression qu'ils font sur leurs congénères, tant dans leur vie sociale que professionnelle. L'image que l'on donne de soi est l'expression de son identité, de son état d'âme. L'amélioration et la dégradation de l'image que chacun projette ne sont pas indépendantes de sa volonté. Toutefois, l'image que les autres se font de lui ne repose pas uniquement sur les seules apparences, mais sur plusieurs qualités plus fondamentales et intimement liées: la politesse, la considération, le savoir-vivre, sans oublier les connaissances et les compétences professionnelles. On ne peut entretenir dans l'esprit de son entourage une excellente première impression, une image irréprochable qu'on leur a laissée, si l'on n'a rien d'autre à offrir par la suite qu'une apparence extérieure très soignée.

On ne saurait donner de meilleur exemple que celui-ci pour illustrer comment le choix de vêtements appropriés ou inappropriés peut influencer l'image d'un individu. Un couturier renommé a vu en Gordon Gekko le maraudeur industriel type — brutal, arrogant, infatigable et avide — interprété par Michael Douglas dans le film *Wall Street* d'Oliver Stone. Sa garde-robe, son allure générale livre la quintessence même du vêtement de l'homme de pouvoir. Les hommes qui s'identifient à ce personnage et qui incarnent le pouvoir sont attirés par le courant de la mode qui préconise le port de la chemise de couleur aux rayures horizontales, avec des bretelles et une cravate peut-être de même couleur mais de motifs différents, la pochette disposée avec une négligence étudiée, et le complet trois-pièces rayé à veste croisée. Ils adorent les chemises rose et bleu clair à col et manchettes blancs, et ne portent pour tout bijou qu'une montre en or dix-huit carats. Ce qu'il y a d'intéressant dans cette allure quelque peu affectée, c'est qu'en adoucissant les angles de l'image d'homme brutal, arrogant, infatigable et avide par une personnalité plus avenante, on obtient la tenue idéale pour les hauts dirigeants d'entreprise qui ont fort bien réussi mais qui n'en restent pas moins modestes. Le banal complet traditionnel et sans fantaisie de l'homme d'affaires prend ainsi facilement une allure plus moderne et plus séduisante.

Comment se vêtir au bureau

(Pour plus de détails, voir la section 3 du chapitre II, ainsi que la section 2 du chapitre III.)

Quiconque travaille dans un milieu d'affaires, depuis le membre du personnel de rang inférieur jusqu'au membre du conseil d'administration, veillera à maîtriser l'art de bien se vêtir. Il s'agit en effet d'un art, qu'on peut apprendre. En un sens, chaque domaine des affaires a son propre code du vêtement. À l'intérieur de ce cadre établi, chacun peut faire preuve de créativité s'il le désire, pourvu qu'il respecte le code imposé par son milieu de travail.

L'allure d'un cadre est plus importante dans certains milieux d'affaires que dans d'autres. Un avocat, un banquier ou un cadre de grande société s'habille de façon plus conservatrice que la personne qui travaille dans le milieu des créateurs, comme dans les agences de publicité et dans d'autres domaines liés aux arts. Mais peu importe où l'on travaille (même si l'on est travailleur autonome), on s'efforcera de laisser une impression de mise soignée, de propreté et d'élégance. Seul un millionnaire excentrique peut se permettre de n'accorder aucune attention à ce genre de détail, bien que son comportement puisse paraître inconsidéré et irrespectueux à ceux qui l'entourent.

Il n'est pas facile pour le jeune cadre de savoir d'instinct comment se vêtir, mais il (elle) pourra apprendre en se fiant à son sens de l'observation et à son expérience personnelle. Les revues les plus réputées, comme *Vogue*, *Bazaar*, *Town and Country*, *Elle*, *Homme*, etc., lui fourniront un excellent outil d'apprentissage. (Mais ne prenez pas exemple sur ce qu'on voit à la télévision.) Si la plupart des vêtements illustrés dans ces revues ne sont pas disponibles chez nous et, dans bien des cas, ne sont pas à la portée de toutes les bourses, ils donnent d'excellentes idées sur la façon d'harmoniser vêtements et accessoires. Mais attention! N'imitez pas et ne copiez pas servilement toutes les idées proposées dans chaque revue de mode; trouvez plutôt le style qui convient vraiment à votre personnalité et à votre rang dans le monde des affaires. Il faut allier mode et style personnel pour refléter fidèlement sa personnalité. À cette fin, on tiendra aussi compte de son âge, de sa taille et de son poids, comme de son teint, de la couleur de ses yeux et de ses cheveux. On s'examinera donc d'abord très attentivement et impitoyablement dans de grandes glaces articulées et on prendra note de ses atouts et de ses défauts physiques avant de déterminer le style qui conviendra le mieux.

Pour se vêtir correctement, on peut aussi avoir recours:
- à des stylistes à l'emploi des excellents magasins à rayons et des meilleures boutiques;
- à des stylistes pigistes (au tarif horaire), qui accompagnent leurs clients dans les magasins pour les conseiller;
- à un(e) excellent(e) ami(e) particulièrement doué(e) de flair, qui sait quels genres de vêtements ont la faveur du

moment dans le monde des affaires, et dont tout le monde admire la fière allure.

Ne succombez surtout pas à la tentation d'acheter un trop grand nombre d'articles de moins bonne qualité pour le seul plaisir d'avoir chaque jour de la semaine un vêtement différent à porter.

Achetez plutôt des vêtements qui s'agencent facilement: des ensembles composés de jupes, de pantalons et de blouses que vous pourrez combiner. Chaque pièce achetée sera de la meilleure qualité que vous pouvez vous offrir.

Ce qui se porte au bureau et ce qui n'y a pas sa place
- Tout homme devrait savoir qu'il est aussi malséant de porter des chaussettes blanches avec un complet milleraies que de porter son couteau à sa bouche. L'un est aussi inacceptable que l'autre. Il est peut-être exagéré d'accorder tant d'importance à des détails aussi banals en apparence, mais il n'en reste pas moins que ceux qui n'observent pas le code vestimentaire réduisent leurs chances d'avancement.
- Les parfums ne sont pas de mise au bureau. Les femmes s'appliqueront plutôt discrètement une eau de Cologne de très bonne qualité et que leur entourage remarquera à peine. En tout temps, les hommes utiliseront (parcimonieusement) une excellente lotion après-rasage. Les parfums peuvent gêner le travail au bureau, surtout si chaque employée y porte une fragrance différente. Certaines personnes peuvent d'ailleurs y être allergiques ou les trouver trop aguichants.
- Les hommes comme les femmes éviteront les vêtements trop ajustés.
- Les hommes et les femmes qui portent des espadrilles au bureau font injure à leur supérieur de même qu'aux clients actuels et potentiels, ainsi qu'à leurs hôtes s'ils se présentent ainsi chaussés à une réception.
- On ne porte pas de vêtements plus recherchés que son supérieur et on ne se vante pas de posséder une création unique d'un couturier si son supérieur s'habille plus

simplement. Je n'oublierai jamais le jour où un candidat à un poste s'est présenté à une entrevue d'embauche avec un manteau et un chapeau de vison; il n'a évidemment pas décroché l'emploi.

- Au bureau, les femmes ne portent pas de tissus qui conviennent plutôt aux robes du soir: satin, brocard, lamé or ou argent, etc.

- À ma succursale bancaire, un jeune caissier, par ailleurs très courtois, m'a un jour répondu dans un accoutrement de propriétaire de ranch: chapeau mou, bottes de cowboy, cravate lacet et grosse boucle de ceinture. J'aurais juré qu'il sortait tout droit d'une arène. Il n'y avait là rien de mal, mais sa tenue n'était certes pas indiquée pour un employé de banque à qui les clients confient leurs économies.

- Les chaussures et sacs à main d'été, tant pour les femmes que pour les hommes, ne sont de saison que de juin à septembre.

- Un homme qui désire porter des bijoux se bornera généralement à son alliance (s'il est marié) et/ou à une chevalière ou encore à un écu armorial. L'anneau nuptial se porte à l'annulaire de la main gauche, et la chevalière (ou l'écu armorial), à l'auriculaire de la main droite. On évitera d'avoir plus d'une bague à chaque main. Les employés masculins qui aiment les gourmettes et les chaînettes en or au cou inspirent de la gêne à leurs supérieurs (à moins qu'elles ne soient discrètement dissimulées sous la chemise). Ces bijoux ne sont de mise que dans des entreprises de style flamboyant ou hors du service, si on y tient absolument. En fait, les bijoux d'un homme qui sait s'habiller ne se remarquent pas; il ne porte que des pièces de grande qualité et qui ne font pas de cliquetis: une bonne montre, des boutons de manchette sur des poignets de chemise et, pour la tenue de soirée, des boutons de plastron appareillés à ses boutons de manchette de chemise du soir.

- En ce qui a trait aux bijoux, les femmes doivent faire preuve de réserve. La règle d'or: ne jamais en porter trop à la fois. Leurs bijoux ne feront aucun cliquetis, que ce soit au bureau ou lorsqu'elles assistent à des séminaires, particulièrement si elles prennent place dans la première rangée alors qu'un conférencier s'adresse à l'auditoire. (J'en ai moi-même été victime et je dois dire que cela a distrait et gêné la conférencière que je suis à mes heures.) Les pendeloques ne se portent qu'en soirée; elles ne conviennent absolument pas au bureau. Les bijoux en or ne s'harmonisent pas toujours avec les objets précieux en argent, à moins qu'ils ne soient de style contemporain et artistiquement conçus pour créer un effet de couleurs et de textures. Choisissez une bonne montre qui soit aussi bien de mise le soir que le jour. Le sautoir (collier) de perles et les boucles d'oreille assortis sont appropriés en toutes circonstances et connaissent une nouvelle vogue, mais le sautoir n'a pas sa place sur les gros tricots d'allure sport. Les femmes réserveront le port des diamants aux événements du soir, exception faite des diamants à leur alliance, à leur bague de fiançailles et à des dormeuses discrètes. Plusieurs créations de bon goût sont maintenant disponibles et certaines portent même la signature de couturiers réputés. Si elle est composée d'un matière semi-précieuse et s'harmonise bien avec la toilette, une pièce saisissante peut contribuer à donner une allure plus attrayante et contemporaine, tandis qu'un trop grand nombre de bijoux ruine automatiquement l'image qu'on souhaitait projeter.

Les règles de l'étiquette et le veston
- On ne détache les boutons d'une veste croisée que lorsqu'on s'assoit.
- Les hommes ne portent de chemise à manches courtes que sous un veston. Ce genre de chemise n'a sa place qu'en privé. Les hommes qui enlèvent souvent leur veston pour travailler opteront plutôt pour les chemises à manches longues, qu'ils rouleront jusqu'au coude en période de canicule.

- Au bureau, les hommes qui enlèvent leur veston et les femmes qui enlèvent leur jaquette pour travailler les remettent dès qu'entre un supérieur ou un client, et les gardent tant que le visiteur est présent, par simple déférence. Le tableau qui suit a pour but de suggérer des façons de se vêtir à quiconque travaille dans un milieu plutôt respectueux des règles du décorum.

La garde-robe masculine

Complet	Chemise	Cravate	Pochette	Occasion
Marine	Bleu pâle	Motif combiné rouge vin/marine	Rouge vin	Affaires
	Jaune pâle	Rayures jaune pâle/ marine/rouges	Rouge	Affaires
Gris	Gris pâle	Motif combiné gris/jaune pâle	Jaune pâle	Affaires
	Rose avec col et poignets blancs	Rose foncé	Motif rose/ blanc	Occasions spéciales
Marine mille-raies (*pinstripe*)	Blanche	Rouge vin	Blanche	Affaires
Taupe	Rayures taupe/blanches	Brune	Blanche	Affaires
Blazer marine pantalon en flanelle grise	Bleu pâle avec col et poignets blancs	Jaune pâle	Blanche	Occasions spéciales
	Rayures bleues blanches	Rouge vin	Blanche	Occasions spéciales

Chaussettes

- Les chaussettes blanches ne se portent qu'en été, pour accompagner un complet blanc et des espadrilles, des chaussures sport ou des mocassins, dans les moments de loisir.
- Les chaussettes noires, marine ou gris anthracite se portent avec des complets d'affaires de couleur assortie.
- Les chaussettes brunes s'harmonisent avec des complets bruns ou kaki.
- Les chaussettes de couleurs vives ou à motifs ne se portent qu'aux heures de loisir.

- Les chaussettes de tissu très fin ou de soie noire se portent avec une tenue de soirée (smoking ou cravate noire et frac ou cravate blanche).

Chaussures

Les cadres bien habillés choisissent traditionnellement les souliers lacés (richelieus). On juge maintenant acceptable le port des mocassins de cuir avec la plupart des costumes d'homme d'affaires, sauf les tenues très formelles comme le classique complet trois-pièces. On n'apprécie guère le style bottillon dans certains milieux d'affaires, bien qu'il soit très pratique sous notre climat. On ne porte qu'avec circonspection les chaussures de couleur; elles ne sont pas de mise dans plusieurs entreprises. Les chaussures seront toujours de très bonne qualité et bien entretenues, ressemelées et pourvues de nouveaux talons si nécessaire, cirées et polies chaque jour.

La garde-robe féminine

Le tableau qui suit a pour but de conseiller les femmes sur la façon de se vêtir dans les circonstances les plus variées.
Un chapeau peut donner un air très élégant à une femme qui sait bien le choisir et qui sait comment le porter. Les chapeaux seront toujours assortis au manteau et à la robe ou à l'ensemble porté sous le manteau. Au bureau, on l'enlève, mais on le garde lorsqu'on rend visite à un client ou futur client à l'extérieur du bureau.

Toute femme a besoin de plus d'un sac à main pour le bureau, les loisirs et les sorties. On ne dépose pas les sacs à main sur le bureau, sur la table de conférence ou sur une table où l'on prend un repas. Enfin, on les nettoie régulièrement pour les garder en bon état.

Vêtements	Occasion	Chaussures	Bas	Points à retenir
Robe ou jupe de longueur raisonnable	Affaires	Escarpins classiques	Diaphanes, d'une couleur assortie aux chaussures; en été, blancs ou blanc cassé avec des escarpins noirs	Les chaussures de couleur sont pour l'été seulement; de même que celles à bouts ouverts et le cuir verni. Le suède est uniquement pour l'automne et l'hiver; les chaussettes avec souliers à talons sont réservées aux adolescentes.
Jupe mi-jambe ou pantalon large	Affaires Détente	Chaussures à talons plats ou semi-hauts bottes	Semi-opaques ou de couleur assortie aux chaussures et aux bottes	L'ourlet du vêtement doit couvrir le haut de la botte. Les chaussures ne doivent pas être trop délicates.
Jupe courte, robe, pantalon ou short	Détente	Souliers plats ou sandales	Talon et bout invisibles avec les sandales; diaphanes blancs ou rose pâle avec chaussures rouges ou noires à talons plats; en hiver, opaques ou en tricot	Ne portez de chaussettes qu'avec les espadrilles.
Pantalon long	Affaires Détente	Bottes à talons mi-hauts ou hauts; sandales; mocassins — souliers genre sport	Semi-opaques; en tricot ou diaphanes dans une couleur assortie aux chaussures	Évitez les escarpins habillés et les sandales à talons hauts.
Pantalon fuseau	Détente	Bottes recouvrant le pantalon; souliers plats	Invisibles avec les sandales; diaphanes au genou avec les souliers plats; diaphanes ou opaques au genou avec les bottes	Pas de pantalons moulants

L'apparence extérieure

La propreté est la base d'une apparence soignée. Tout homme et toute femme doit prendre un bain ou une douche chaque jour et avoir les cheveux propres, bien coupés, brossés et peignés. On n'oubliera pas de se nettoyer le visage, le cou et les oreilles. On appliquera aussi un désodorisant et on changera quotidiennement de sous-vêtements. On ne porte pas de vêtement maculé ou auquel manque un bouton, même en le remplaçant par une épingle de sûreté. Toute femme garde un mouchoir propre dans son sac à main et tout homme en glisse un dans sa poche. On peut se servir de papier mouchoir en privé, mais jamais en public. Quiconque utilise un papier mouchoir en public altère son image de personne impeccable. On aura aussi les mains propres, les ongles immaculés et bien taillés, des chaussures étincelantes qu'en hiver on débarrasse quotidiennement de leurs affreuses taches blanches provoquées par le sel.

- *Les hommes* doivent être fraîchement rasés, s'appliquer une lotion après-rasage et, le cas échéant, se tailler régulièrement la barbe et/ou la moustache. Ils doivent porter une chemise propre dont le col et les manchettes ou poignets ne sont pas élimés. Leur cravate sera sans tache et bien nouée; leurs chaussettes, propres et toujours bien en place. Le spectacle disgracieux d'une bande de peau blanche et poilue entre le haut des chaussettes et le bas d'un pantalon ne rehausse certainement pas une allure recherchée. On songera aussi à remplacer, le moment venu, les lacets des souliers.
- *Les femmes* doivent se maquiller soigneusement, se redessiner de beaux sourcils si elles les épilent, et vernir discrètement leurs ongles. Si elles portent la cravate ou l'écharpe, elles veilleront à ce qu'elle soit sans tache et fraîchement repassée. On ne laisse jamais dépasser une bretelle ou un jupon; on ne porte jamais de bas ravalés et on aligne parfaitement leurs coutures.

Une femme ne se coiffera jamais en public et ne portera pas la main à sa coiffure. Ce geste répété peut provoquer le dédain.

Elle ne se maquillera pas non plus en public. Si elle utilise un parfum dans la vie privée, elle ne se l'appliquera qu'en privé; se parfumer est un geste aussi intime que se coiffer.

Les cosmétiques améliorent l'apparence extérieure d'une femme. Au bureau, elle en usera toutefois avec modération. Son maquillage au bureau différera sensiblement de celui qu'elle porte le soir et pendant ses moments de loisir. Les détails qui attirent l'attention, comme les fards luisants pour les yeux, les rimmels gras et les faux cils, les poudres brillantes, etc., ne conviennent absolument pas au bureau.

Avant de prendre part à une réunion, à un déjeuner d'affaires ou à un dîner où l'on servira des boissons, les femmes songeront à s'éponger les lèvres. Rien n'est plus disgracieux qu'un cercle rouge et gras laissé sur un verre, une tasse ou une serviette de table. Si l'on éponge le rouge à l'aide d'un papier mouchoir avant son arrivée, il restera plus sûrement en place.

La couleur du vernis à ongles s'harmonisera avec celle du rouge, à moins qu'on utilise le type incolore et transparent. Les ongles longs et pointus, tout comme les faux ongles effroyablement longs, n'ont pas leur place au bureau: ils sont absolument hors de mise. Les ongles sales, rongés ou le vernis écaillé laissent une très forte impression négative.

Avant de porter le pantalon au bureau, une femme tiendra compte de son milieu de travail et de la façon dont ses collègues masculins pourraient réagir, car certains hommes ne se sentent pas à l'aise d'évoluer parmi des femmes en pantalons. On recommande aux femmes de ne pas porter le pantalon lorsqu'elles se présentent à une entrevue d'embauche; on leur conseille plutôt d'attendre et d'aborder le sujet avec les autres employées, après leur entrée en service. Certaines entreprises adoptent un code vestimentaire très strict et pourraient ne pas apprécier le port du pantalon. D'ailleurs, toutes les femmes n'ont pas fière allure dans cette tenue. On ne portera que des pantalons de coupe parfaite et d'excellente qualité, et on choisira avec soin le haut qui convient le mieux. Par-dessus tout, seules celles qui ont une belle silhouette se permettront le port du pantalon.

La candidature

Il existe plusieurs manières de se trouver un travail:
- en répondant à une annonce d'offre d'emploi;
- par l'entremise d'agences spécialisées;
- en offrant spontanément ses services à des employeurs;
- par l'intermédaire d'associés en affaires;
- en s'adressant à des connaissances membres d'organismes sociaux ou de clubs privés, à d'anciens confrères de classe ou professeurs, etc.

Celui qui ne s'en remet qu'à l'un de ces moyens limite beaucoup ses chances de trouver un emploi. Si l'on n'utilise pas toutes les ressources disponibles, on risque de prolonger sa quête.

Qui se cherche un emploi répondra à toutes les offres, même celles qui ne l'intéressent pas. L'obtention d'un poste peut toujours servir à se faire une place dans une entreprise et à y entamer plus tard des démarches pour décrocher l'emploi auquel on songeait depuis le début. Plus on a d'offres d'emploi, mieux on est outillé. Si un employeur potentiel apprend qu'une autre entreprise vous a fait une offre, il pourra être tenté d'augmenter la mise. Pour regagner confiance en soi, rien de mieux que plusieurs offres d'emploi.

Comment répondre à une annonce d'offre d'emploi

- Répondre dans les deux semaines qui suivent la publication de l'annonce, mais attendre quelques jours pour éviter que son curriculum vitae ne se perde sous une avalanche de réponses.
- Toujours faire mention de l'annonce au haut de sa lettre de présentation plutôt que dans la première phrase. L'expression usuelle «En réponse à votre annonce...» pèche par manque d'originalité.

90

- Si le nom de la personne responsable de ce dossier particulier chez l'employeur potentiel n'est pas mentionné dans l'annonce, on utilisera dans la lettre de présentation la simple formule d'appel «Messieurs». Bien que la formule «Madame, Monsieur» puisse être plus indiquée, au cas où des femmes n'apprécieraient pas qu'on les assimile à un titre masculin, elle n'en laisse pas moins la désagréable impression d'une lettre type.
- La lettre de présentation doit toujours être concise. Mieux vaut éviter qu'elle se prolonge sur un deuxième feuillet. Pour qu'elle constitue un outil efficace, on la dactylographiera après l'avoir soigneusement rédigée, en s'assurant qu'elle ne comporte aucune faute d'orthographe.

Le curriculum vitae

La rédaction du curriculum vitae requiert une présentation, une technique et un style particuliers qui n'ont absolument rien à voir avec l'étiquette, au sens littéral du mot. Comme les détails de nature technique y tiennent une très grande importance et que le curriculum vitae doit être soigneusement conçu et dactylographié (ou, mieux encore, produit à l'aide d'un traitement de texte), les experts recommandent fortement que l'on confie cette tâche à un spécialiste en la matière. On considère cette dépense comme un sage investissement. N'oubliez pas que votre curriculum vitae est votre première carte de visite.

Comment briguer un poste

Les bonnes manières d'un candidat influencent grandement la réception qu'on accordera à sa requête. Elles sont capitales.

La première impression que vous faites, votre apparence, l'expression de votre visage, votre regard, votre tenue, la manière de vous asseoir, de disposer vos mains, vos jambes, l'aplomb avec lequel vous traversez une pièce, tous ces détails sont immédiatement notés et serviront de critères pour déterminer quel genre de personne vous êtes. Votre élocution lors d'une conversation, le timbre, l'intensité et le ton de votre voix sont des facteurs additionnels qui révèlent votre personnalité et votre rang social, c'est-à-dire la manière dont vous avez été élevé et la façon dont vous vivez.

«Vous n'avez que quatre minutes pour créer une bonne impression», déclare Janet G. Elsea, auteur du livre *The Four-Minute Sell,* dont le titre pourrait se traduire ainsi: «Comment se faire valoir en quatre minutes». Elle poursuit en ces termes: «Les employeurs ont tendance à prendre une décision surtout en fonction des premières impressions, non en s'appuyant sur des curriculum vitae ou des lettres de références. Ils ont l'habitude de déterminer leur choix au cours des cinq premières minutes d'entretien avec un candidat.»

Plusieurs experts considèrent que la tenue d'une personne compte pour la moitié du message total capté dans les premières minutes de l'entretien. Des études démontrent que l'attention de tout individu est immédiatement attirée par ce qu'il voit: un comportement bien élevé, aimable, et une tenue soignée. Ensuite, les gens se concentrent sur ce qu'ils entendent. Ne parlez pas trop fort, trop vite ou trop lentement. «Ce qui compte le moins est ce que vous dites», poursuit Janet Elsea. «Si vous ne produisez pas une impression visuelle et auditive favorable, les personnes auxquelles vous vous adressez n'écouteront pas les paroles que vous prononcez.»

L'entrevue

Ne gâchez pas votre entrevue d'embauche en vous y présentant en retard. Il faut être à l'heure et même arriver quelques minutes plus tôt pour pouvoir se présenter à la réception, retirer son manteau et se détendre un peu avant de faire face au recruteur. Il est important de bien faire valoir ses compétences.

Soyez poli, attentif, et montrez que vous avez le désir sincère de travailler. Si vous êtes débutant, vous devez commencer par le début. Si vous venez de terminer vos études et que vous vous présentez à une entrevue, la personne qui vous reçoit ne s'attend pas à un curriculum vitae de trois pages. Quel intérêt pourrait-elle avoir à le lire, sachant que vous sortez tout juste de l'école? Au lieu d'attacher trop d'importance au contenu d'un curriculum vitae habilement rédigé, il vaudrait mieux adopter une attitude de la vieille école qui peut encore produire de merveilleux résultats, surtout à notre époque où les jeunes ne semblent plus vouloir commencer au bas de l'échelle et apporter leur concours pour le seul privilège d'apprendre. «Il s'agit encore là de la seule véritable attitude qui compte», disent des spécialistes en ce domaine.

Vous devez savoir qu'une entrevue ne se résume pas en une simple formule; il n'y a pas de règles absolues ni de recette garantissant la réussite. Cette entrevue se déroule entre deux êtres humains dont chacun a ses propres sentiments et aspirations. Vous devez accepter au départ que les entrevues peuvent être subjectives et que certaines personnes qui évaluent les candidats peuvent se faire une opinion uniquement fondée sur le simple fait qu'elles aiment ou non la façon dont vous êtes coiffé. Je ne dis pas que c'est juste, mais c'est ce qui se passe parfois.

Sachez être détendu tout en vous comportant de la façon la plus parfaite. Vous vous trouverez ainsi à mettre en valeur les aspects marquants de votre personnalité dans des circonstances stressantes. Il va sans dire, également, que vos aptitudes professionnelles doivent être d'un caractère irréfutable.

Pour ce qui est de votre habillement, il est préférable de vous en tenir à une tenue classique, à moins peut-être qu'il s'agisse d'un emploi lié au domaine des arts ou du spectacle. Efforcez-vous d'avoir ce que l'on appelle le physique de l'emploi. Un coup d'oeil rapide dans un miroir où vous pourrez vous voir de la tête aux pieds avant de partir de chez vous pour vous rendre à cette entrevue vous permettra de constater les atouts sur lesquels plusieurs employeurs se guident pour accorder ou non un emploi.

Lorsque vous vous trouverez face à face avec cette personne toute-puissante dont le verdict décidera de votre emploi futur, vous feriez bien de ne pas vous croiser les jambes (ce conseil s'adresse autant aux hommes qu'aux femmes), et de ne pas fumer, même si l'on vous offre une cigarette. Répondez poliment: « Non, merci. » Faites de même si l'on vous offre une tasse de café. Vous n'êtes pas allé là pour une pause café. N'interrompez jamais le recruteur lorsqu'il vous parle, mais répondez avec courtoisie aux questions qu'il vous pose. Efforcez-vous de sourire. Les femmes devraient éviter de porter des jupes trop courtes, des décolletés plongeants, des chandails moulants, des bijoux voyants, un maquillage excessif, des parfums et des coiffures extravagantes. Il est préférable de porter une jupe plutôt que des pantalons, et, en de telles circonstances, les hommes comme les femmes devraient s'abstenir de porter des souliers de tennis, des jeans et des t-shirts. Vous serez toujours en mesure de vous renseigner sur les critères de tenue vestimentaire formelle ou informelle à votre endroit de travail lorsque vous aurez obtenu l'emploi.

N'oubliez pas de regarder directement le recruteur; c'est là un point crucial. Les plus éminents spécialistes en communication s'accordent pour dire qu'on doit regarder directement dans les yeux durant environ cinq secondes au tout début de l'entretien la personne qui fait passer l'entrevue, si l'on veut qu'elle puisse nous reconnaître.

Les questions posées pendant une entrevue d'embauche comportent souvent des pièges, et les réponses qu'on doit leur donner ne sont pas toujours évidentes. James Challenger, un conseiller en recrutement de personnel, a dressé une liste des questions les plus cruciales posées au cours d'une entrevue d'embauche et suggère les réponses suivantes.

1. *Parlez-moi de vous.*

En réalité, le recruteur cherche ainsi à savoir ce que vous pouvez faire pour son entreprise. En réponse, énumérez avec précision vos réalisations dans votre dernier emploi (ou aux études).

2. *À quoi réussissez-vous moins bien?*

Il ne faut jamais répondre à cette question. Ne dites rien de négatif à votre propos.

3. *Que pensez-vous de votre dernier patron?*

Ne dites jamais du mal de quelque personne pour qui vous avez travaillé; dites-en plutôt du bien.

4. *Quel genre d'emploi vous conviendrait le mieux?*
   Décrivez le poste que vous briguez. Même si vous ne
   vous y intéressez pas vraiment. Il sera toujours temps de
   retirer votre candidature si vous le désirez. Mais gardez
   à l'esprit que vous pourriez ainsi vous entrouvrir une
   porte et obtenir ensuite plus facilement le genre de travail
   qui vous plairait vraiment.

Ne ratez pas votre entrevue

- Ne vous faites pas valoir avec trop d'enthousiasme. Vous
  pourriez trop parler et empêcher votre interlocuteur de
  placer un mot.
- Ne vous présentez jamais en tenue trop ordinaire ou
  débraillée.
- Ne parlez pas continuellement de vos responsabilités à
  votre dernier emploi. Les entreprises veulent entendre
  parler de résultats, de réalisations, pas de responsabilités.
- Si l'entrevue a lieu au restaurant, ayez des manières irréprochables. Pour plusieurs employeurs potentiels, l'entrevue au restaurant constitue l'outil idéal pour mieux
  connaître vos qualités en société. Ne fumez pas à table,
  à moins que le recruteur (qui est aussi votre hôte) ne vous
  y autorise ou ne vous y invite s'il est lui-même fumeur.
- Ne jouez pas avec vos aliments ou boissons; n'esquissez
  pas de geste si vous tenez à la main un couteau, une fourchette ou une cuillère, et ne portez pas votre couteau à la
  bouche.
- Ne parlez ni ne buvez jamais la bouche pleine. Faites
  preuve de mesure dans le choix des plats: ne choisissez
  ni le plus cher ni le plus économique au menu. Tenez-
  vous-en à des mets du même prix que ceux choisis par
  votre hôte. Mais ne vous croyez pas obligé pour autant
  de prendre la même chose. Soignez vos manières à table
  et restez calme et détendu. Si vous commettez un impair,
  souriez et excusez-vous. L'erreur est humaine. Si vous

êtes courtois et poli avec votre hôte et le remerciez à la fin du repas, vous ferez sur lui bonne impression.

- Ne brûlez pas les étapes au cours de cette première entrevue en demandant trop de précisions sur les vacances, le salaire, les pauses, etc. Vous aurez tout le loisir d'aborder ces questions plus tard, après que l'entreprise aura clairement exprimé son désir de retenir vos services.
- N'ayez pas l'air de rechercher un emploi sans problèmes. Vous commettriez ainsi une erreur impardonnable.

Après l'entrevue

Si vous tenez à laisser une bonne impression durable, écrivez un mot de remerciement après l'entrevue. Tapez cette lettre sur du papier blanc sans en-tête et d'excellente qualité, et glissez-la dans une enveloppe assortie.

Monsieur (ou Madame),
Je vous remercie de votre accueil lors de l'entrevue que vous avez bien voulu m'accorder le .... dernier. Je profite de l'occasion pour réitérer mon intérêt pour l'obtention du poste de .... au sein de votre organisme. J'espère que ma candidature sera prise en considération et je demeure à votre disposition pour discuter les conditions d'une future collaboration, à votre convenance.
Veuillez agréer, Monsieur (ou Madame), l'expression de mes sentiments distingués.

Comment réussir dans le monde des affaires

Il y a des gens qui font une excellente impression, obtiennent un emploi plein de promesses, et qui, malgré tout, n'arrivent jamais à accéder à un échelon supérieur. Ils peuvent avoir toute l'intelligence et la créativité nécessaires, mais ils échouent parce qu'ils négligent des détails pourtant fort importants. Il est

primordial de savoir bien s'habiller, d'avoir une bonne élocution, d'adopter une attitude positive, de respecter les échéances
pour la remise d'un projet, de faire preuve de précision, de
témoigner de la bienveillance à tous ses collègues et de faire
la distinction entre arrivisme et initiative. L'arrivisme est un
défaut déplorable car il implique une recherche de son propre
avancement au détriment des autres, tandis que l'initiative est
la motivation et la poursuite de ses ambitions en vue d'atteindre
un objectif de groupe.

Vous devriez également posséder certaines notions fondamentales de psychologie pour comprendre ce qui motive les
autres et vous adapter à la politique du bureau.

Chacun a besoin d'appui pour triompher de la concurrence
féroce qui prévaut de nos jours. Vous devriez chercher un
guide ou un protecteur, qui vous aiderait par ses conseils, ses
louanges et ses encouragements.

Vous devriez éviter le commérage, l'absentéisme, le manque
de propreté, la tendance à parler de votre vie privée et à divul-
guer des confidences qui vous ont été faites. Évitez aussi d'avoir
des conversations téléphoniques personnelles, de perdre du
temps, d'emprunter de l'argent, d'employer un langage grossier, et soyez très prudent en ce qui concerne le tutoiement.

Observez, apprenez et, par-dessus tout, soyez poli. N'hésitez pas à utiliser les mots clés «s'il vous plaît» lorsque vous
requérez de l'aide et «merci» lorsqu'une personne vous a rendu
service, et apportez votre assistance à qui vous la demande.
Les petites attentions sont essentielles pour vivre en harmonie
avec ceux qui nous entourent.

II

Le protocole des affaires

1. RÉUNIONS, CONFÉRENCES ET COLLOQUES

Définition du protocole des affaires

En général, les gens associent le mot «protocole» au monde de la diplomatie, au cérémonial et au formalisme des banquets et des soirées officielles, aux uniformes à galons cousus de médailles. Ce formalisme, que certains ont de la difficulté à accepter parce qu'il leur semble artificiel, a pourtant sa raison d'être.

En politique comme dans la vie d'affaires moderne, on s'efforce tout particulièrement d'adopter une conduite qui ne blessera, n'embarrassera ni ne ridiculisera jamais — volontairement ou non — quiconque assiste à une réunion publique ou professionnelle, nationale ou internationale. Tous ceux qui frayent avec de hauts dignitaires des mondes diplomatique, politique et d'affaires se font un devoir de connaître et d'observer à la lettre les règles du protocole.

Sur le plan pratique, le protocole des affaires recouvre un domaine très vaste, de l'organisation de soirées fastueuses, de séminaires et de conférences, à la disposition appropriée des drapeaux pour une réception dans une salle de bal d'hôtel. Faire un succès d'une soirée dans une maison privée où les invités sont des relations d'affaires est plus exigeant que de simplement servir du champagne et du caviar à l'heure du cocktail.

Le protocole des affaires concerne tout individu à l'emploi d'une entreprise, de la réceptionniste au membre du conseil d'administration; l'image d'une entreprise dépend en effet autant de leurs bonnes manières et de leur civilité que de leur doigté et de leur compétence en affaires. Tout cadre sera conscient qu'il représente en quelque sorte sa société, au travail comme à ses heures de loisir.

Les réunions entre cadres d'une même entreprise

Lors d'une réunion entre membres d'une même entreprise, on s'efforcera de se comporter comme en société, même si l'on est naturellement porté à faire plus d'efforts en ce sens lors des rencontres qui ont lieu hors du bureau. Une réunion sera d'autant plus féconde qu'elle sera marquée par les bonnes manières de ses participants, leur souci d'efficacité et le leadership de son président; elle sera stérile et s'avérera une perte de temps si ses participants s'y montrent désagréables, indisciplinés, et contreviennent aux règles de l'étiquette professionnelle.

On convoque des réunions de bureau pour toutes sortes de raisons, mais on les organisera toujours aussi soigneusement que des rencontres plus importantes tenues à l'extérieur, afin qu'elles soient réussies et fructueuses.

Le président d'assemblée ou organisateur d'une réunion
- se rappellera qu'il vaut mieux tenir une réunion le matin, alors que la plupart des personnes sont au meilleur de leur forme;
- ne convoque pas une réunion un vendredi après-midi, quand tous ne songent qu'à partir pour le week-end;
- ne convoque pas une réunion la veille d'un jour férié (pour les mêmes raisons);
- annonce à l'avance la tenue de la réunion, surtout aux participants qui habitent à l'extérieur;
- invite tous ceux directement concernés par le sujet à l'ordre du jour, ainsi que ceux d'autres services de l'entreprise — ou de l'extérieur — dont l'expertise pourrait être utile;

- fait distribuer d'avance aux invités l'ordre du jour et tous les documents pertinents, parce qu'ils auront besoin de temps pour se préparer et réfléchir aux sujets désignés;
- décide seul du délai qu'il accordera aux retardataires avant d'ouvrir la réunion;
- présente tous les nouveaux venus au groupe et tous les membres du groupe à ces derniers en déclinant leurs prénoms, noms, titres et responsabilités;
- fournit à chaque membre du groupe et à tous les nouveaux venus l'occasion de faire valoir leurs connaissances et de prendre part à la discussion;
- prend note des tensions et en discute avec les personnes concernées après la réunion;
- repousse rapidement et avec courtoisie les expressions d'hostilité dirigées contre lui;
- élimine les pertes de temps en coupant court aux bavardages; aucune réunion n'excédera le temps prévu;
- traite les non-fumeurs avec considération et dispose la salle de conférences en conséquence;
- veille à ce que la salle de conférences soit confortable et à ce que rien n'y manque (blocs-notes, stylos, pichets d'eau glacée, etc.);
- après la réunion, rend hommage à toutes les personnes qui ont participé à son organisation et contribué à sa réussite et les en remercie.

Les participants observent les règles de conduite suivantes:
- ils arrivent à l'heure (mieux encore, quelques minutes plus tôt);
- ils se présentent eux-mêmes à toutes les personnes présentes dans la salle; s'ils sont de l'extérieur, ils expliquent le motif de leur présence, immédiatement après s'être présentés;
- ils restent debout jusqu'à ce qu'on leur désigne un siège;
- ils ne s'assoient aux côtés du président que s'ils y sont invités;
- ils savent que les sièges à la droite et à la gauche du président sont toujours réservés à ses invités d'honneur et/ou à ses pairs;

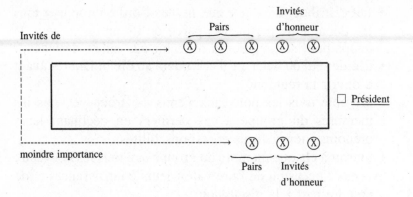

- ils se tiennent bien droits sur leur chaise, et ne s'y affalent pas;
- si le début de la réunion retarde, ils conversent avec l'une ou l'autre des personnes assises à leurs côtés, mais s'entretiennent du sujet même de la réunion plutôt que d'affaires courantes sujettes à controverse;
- ils n'entament pas de conversation avec une personne qui, de toute évidence, étudie ses notes;
- ils se sont bien préparés à la réunion en revoyant leurs dossiers;
- ils n'utilisent jamais un appareil d'enregistrement sans y être autorisés;
- ils prennent des notes pour la discussion qui suivra la présentation;
- ils n'interrompent jamais personne;
- ils savent que, lors de grandes réunions formelles, il est recommandé de ne lever la main qu'à demi pour signaler son intention de prendre la parole à l'animateur ou au président d'assemblée, qui leur donnera ensuite l'autorisation d'émettre leurs commentaires au moment opportun;
- ils ne monopolisent jamais une discussion (ni une conversation);
- ils maîtrisent leurs émotions, particulièrement s'ils sont en total désaccord avec l'opinion exprimée; certaines expressions du visage sont très offensantes;
- ils n'expriment leur opinion qu'après la réunion si on ne les a pas invités à élaborer davantage;

- ils utilisent le pronom «nous» plutôt que le «je» s'ils sont membres d'une équipe; le pronom «je» donne l'impression d'écarter du revers de la main l'apport des collaborateurs à un projet;
- ils soignent la préparation de leur exposé, qu'ils livrent d'une voix claire et posée;
- ils ne fument pas s'il est interdit de fumer; si la cigarette est permise, ils ne s'y adonnent qu'après avoir obtenu l'assentiment de toutes les personnes présentes à la réunion;
- ils ne mâchent jamais de gomme;
- ils ne boivent jamais à l'aide d'une paille glissée dans une cannette d'eau gazeuse; si on leur en offre, ils versent plutôt la boisson dans un verre;
- les femmes s'épongent les lèvres pour essuyer le surplus de rouge avant la réunion et éviter ainsi qu'il ne laisse des traces sur les verres ou les tasses; elles ne déposent pas leur sac sur la table de conférence;
- ils remercient le président après l'assemblée;
- ils félicitent ceux qui ont présenté de bons exposés.

Les réunions du conseil d'administration

Les réunions du conseil d'administration sont une activité de la plus haute importance pour tout directeur général. Le conseil d'administration se compose des directeurs de l'entreprise et de ses administrateurs. Le directeur général rend des comptes aux actionnaires par l'entremise de ce conseil. Les réunions du conseil ont lieu une à quatre fois l'an dans les petites entreprises et peuvent être mensuelles dans les plus grandes sociétés. Les directeurs généraux sont les chefs de file de l'entreprise; leurs réunions sont donc les plus prestigieuses et les plus importantes au sein d'une compagnie. Les administrateurs, qui sont souvent des patrons d'autres sociétés, des avocats, des comptables, des spécialistes de la finance, de la technologie, de la mise en marché ou des relations publiques, etc., ont pour mission de communiquer à la haute direction l'impression véritable que le grand public et les actionnaires se font de l'entreprise. Siéger au conseil d'administration représente un honneur, un défi, et s'accompagne souvent d'une rémunération.

Comme les directeurs d'une entreprise occupent des postes de premier plan, ils porteront une attention toute particulière à leurs manières. La considération est une composante essentielle des bonnes manières et une qualité importante chez un directeur, qui saura en témoigner à tout son personnel administratif, car celui-ci lui transmet l'information nécessaire à son travail, voit à l'organisation de son bureau et veille à lui rendre plus agréables les réunions du conseil et autres rencontres. Il n'oubliera jamais de remercier son personnel pour ses efforts. Les administrateurs prendront la peine de visiter à l'occasion les bureaux de l'entreprise, d'y rencontrer les employés et peut-être même de partager une tasse de café avec eux à la cafétéria ou d'offrir de petits cadeaux de Noël aux secrétaires du bureau de la direction. Les petites attentions rendent la vie plus agréable.

Tous les participants à une réunion s'y prépareront avec soin et s'assureront de connaître et de comprendre les détails de chaque dossier. Ils n'hésiteront pas à poser des questions, à offrir des suggestions et à faire connaître leur désaccord, le cas échéant. Et, bien entendu, ils se rafraîchiront la mémoire sur les bonnes manières qui s'imposent en pareille circonstance (telles qu'énumérées au début du présent chapitre).

On adressera à chaque administrateur, une semaine avant la réunion du conseil, l'information pertinente:

- l'ordre du jour de la réunion;
- la date, l'heure et le lieu de la rencontre;
- toute la documentation afférente;
- les rapports financiers, qui sont de la plus haute importance;
- le procès-verbal de la réunion précédente;
- les comptes rendus des réunions des différents comités;
- copie de tous les rapports qui seront déposés (comme les budgets, les politiques de l'entreprise, les dispositions réglementaires, etc.).

Les réunions à l'extérieur du bureau

Les réunions exceptionnelles se tiendront dans des salles de premier ordre. Le désir d'économiser se solde souvent par une perte de temps et d'argent. La tenue d'une réunion hors de la ville, dans un centre de congrès ou un hôtel, compense généralement les problèmes d'organisation et la dépense, parce que le changement de décor et d'ambiance suscite de nouvelles idées et que, si les participants sont bien traités, la réunion prendra l'allure d'une sortie que priseront fort tous les membres du conseil. Les petites attentions — un panier de fruits frais ou des fleurs, une petite boîte de chocolats (même si aujourd'hui tout le monde semble suivre une diète: c'est la pensée qui compte), quelques revues ou le journal du jour dans la langue maternelle de l'invité déposés dans chacune des chambres — font toute la différence et assurent la réussite d'une rencontre avant même qu'elle n'ait commencé. Lors d'un voyage à Genève, en Suisse, où j'assistais à une réunion d'affaires organisée par la maison Piaget, j'ai trouvé dans ma chambre d'hôtel un joli bouquet de fleurs fraîches et une énorme boîte de chocolats reproduisant le dessin de leurs célèbres montres, le tout accompagné d'un chaleureux mot de bienvenue; une autre fois, alors que je donnais des séminaires pour La Baie, à Winnipeg, on avait déposé dans ma chambre mon horaire complet pour les cinq jours à venir, dactylographié avec goût et glissé dans un panier de fruits. Des gestes de gentillesse comme ceux-là font démarrer du bon pied n'importe quelle réunion.

La secrétaire d'un directeur général ou l'adjoint à l'administration peut sans aucun doute s'occuper de préparer les petites réunions tenues au siège social de l'entreprise ou même à l'extérieur, mais celles qui, par leur envergure, exigent plus d'organisation devraient être confiées aux soins de professionnels. Les agences qui se spécialisent dans l'organisation générale de telles réunions — ce qui comprend les réservations d'hôtel et de billets d'avion, l'établissement d'un programme complet, sans oublier les activités des conjoints, le banquet et les divertissements; le choix des menus, des fleurs et autres éléments de décoration; les dispositions pour que soit fourni à leurs clients tout le soutien bureautique nécessaire, etc. — valent sans contredit le déboursé. Certaines entreprises ont à leur service un employé permanent qui planifie les réunions de leur personnel et que l'on désigne parfois sous le titre de coordonnateur des événements spéciaux; il a la responsabilité de tous les séminaires, réunions, conférences et soirées de divertissement prévus par l'entreprise, tant sur le plan national qu'international. Tout comme l'organisateur professionnel d'une agence, cet employé aura des manières irréprochables et soignera surtout l'image que souhaite projeter l'entreprise qui l'emploie. Il traitera le moindre détail avec la plus grande attention, particulièrement pour les rencontres internationales, où les règles compliquées du protocole doivent toujours être respectées à la lettre. On dresse alors avec le plus grand soin le plan de table et l'on présente les uns aux autres les représentants de gouvernements et les hommes d'affaires en donnant leurs noms et titres avec exactitude. Si une entreprise dépense des milliers de dollars pour améliorer son image publique, ceux à qui elle confie la planification de ses réunions, conférences et séminaires sont en fait responsables de la projection de cette image.

Jean-Paul de Lavison, président de JPDL Multi-management, une société qui a son siège social à Montréal et se spécialise dans la planification des congrès et rencontres nationaux et internationaux, me dit avoir constaté, au cours de la dernière décennie, une nette tendance à soigner davantage la présentation de ces événements et à leur donner un caractère plus prestigieux. Les rencontres de ce type gagnent en raffinement; on y investit plus de temps, plus d'énergie, plus d'efforts et plus d'argent. Le rythme effréné et la pression auxquels sont soumis les hommes d'affaires ne cessent de s'accélérer et de s'accroître; les entreprises ont moins de temps pour organiser leurs réunions spéciales et font donc plus souvent appel aux services de professionnels pour la planification d'événements importants comme des conférences, des conventions ou des congrès qui auront une grande répercussion. Les rencontres, les séminaires et les congrès prennent de plus en plus d'importance, ils rapportent davantage en argent et en publicité, et leur organisateur doit non seulement projeter l'image de l'entreprise mais également transmettre le message et l'objectif de l'événement. (Notons que l'Association of Meeting Planners International, qui a son siège social à Dallas, au Texas, tient chaque année un congrès pour ses membres, un «congrès d'organisateurs de congrès», pourrait-on dire.)

L'un des ingrédients les plus nouveaux des grands congrès est ce qu'on appelle la «pause de ressourcement» (*power break*); il s'agit d'une pause santé pendant laquelle ont lieu des activités sportives; ce moment de détente est fort apprécié des cadres parce qu'il les garde en forme et leur permet de lier connaissance entre eux. Les réunions et conférences ne se tiennent plus désormais uniquement en ville, dans les grands centres de congrès; on en organise aussi dans des lieux de villégiature, sur des paquebots, des navires nolisés ou des yachts privés.

Les bonnes manières aux réunions à l'extérieur

Par le soin qu'elle porte à l'organisation de ses réunions, conférences et séminaires et par le choix du lieu où elle les tient, une entreprise montre qu'elle a de la classe; ceux qui y assistent font preuve de bonne éducation par la façon dont ils se conduisent et par leur observance des règles officielles et tacites de l'étiquette. Est-il besoin de mentionner qu'on s'interdira en pareille occasion l'abus d'alcool et l'usage de substances illégales (dont la marijuana), regrettables fléaux qui ternissent pourtant de plus en plus les réceptions? Ces comportements inexcusables font injure aux hôtes de l'événement; ils peuvent même porter atteinte à la réputation de la personne ou des personnes concernées, ainsi qu'à la propriété d'autrui, et nuire au succès de l'événement, à ses objectifs et à sa portée.

Une réunion sera une réussite dans la mesure où y concourront trois aspects de l'étiquette:

1) le savoir-vivre de l'entreprise, qui planifie et produit un événement agréable à tous points de vue;

2) le savoir-vivre des participants, qui adoptent un comportement irréprochable;
3) le savoir-vivre de l'institution d'hébergement, qui se traduit par le professionnalisme et le savoir-faire de son personnel de direction.

En résumé, le succès complet d'une réunion d'envergure dépend de l'atmosphère créée par ses organisateurs, de l'élégance polie de tous ses participants, et du professionnalisme, de l'efficacité, de la créativité et de la disponibilité de tous ceux qui ont charge de la préparation et de la réalisation de l'événement.

Le comportement du conjoint

Lorsqu'une réunion dure plusieurs jours et que les conjoints y sont conviés, la société qui la parraine prévoit pour eux des activités spéciales. Un bon conférencier traitant d'un sujet qui intéresse à la fois les conjoints féminins et masculins devient alors un atout. Mon expérience comme conférencière à de nombreux congrès et réunions m'a convaincue que les hommes et les femmes apprécient les sujets instructifs présentés avec humour et vivacité. Les conférences sur les arts, les antiquités, l'histoire des manières à table, les vins, les jardins historiques, les fleurs rares, etc., quand elles sont bien documentées et illustrées avec bonheur, sont à des années-lumière des «activités pour la petite femme au foyer», insipides et condescendantes, qu'on offrait autrefois.

Si on met à l'horaire un défilé de mode pendant le déjeuner, il doit être extrêmement bien organisé, et exécuté d'une façon professionnelle. Il doit être bref et se dérouler rapidement, rythmé par une musique enjouée. Les conjoints auront à coeur d'assister au plus grand nombre d'activités possible aux côtés de leur partenaire; cela vaut tout particulièrement si ce dernier est l'orateur invité ou un conférencier de marque. On apprécie généralement que les conjoints comprennent bien les rouages de l'entreprise et lui manifestent leur solidarité. Les conjoints qui ne se mêlent pas aux invités nuisent aux meilleurs intérêts de la société. Qu'ils participent donc avec enthousiasme à ces activités et se montrent intéressés aux réunions et congrès de leur partenaire — faute de quoi ils seraient mieux avisés de rester à la maison.

Dans notre société moderne et libérale, le conjoint n'est plus nécessairement marié au cadre qui participe à la réunion. Celui-ci peut souhaiter y venir avec une personne qui partage sa vie. Bien qu'il n'y ait pas lieu d'exercer de la discrimination à l'égard des couples non mariés, chacun de leurs membres devra tout de même surveiller ses gestes en public. Les collègues et les supérieurs ne verront sans doute aucune objection à ce qu'ils partagent la même chambre, mais l'épouse du président du conseil d'administration pourrait s'en offusquer. Dans ce cas, ils auraient avantage à réserver des chambres séparées pour couper court aux bavardages, souvent source d'humiliations. Cette règle de conduite n'a rien d'hypocrite; elle s'inspire plutôt d'un sain instinct de conservation.

Conférenciers et animateurs

Le succès d'une réunion ou d'un congrès dépend en grande partie du choix judicieux du conférencier. On traitera celui-ci avec une attention toute spéciale et selon les règles des bonnes manières. Les gens qui approchent un conférencier de marque seront au fait de ses compétences et de sa renommée. Plus un conférencier est connu, plus son cachet est élevé. Il est extrêmement impoli d'entamer des démarches auprès d'un conférencier dont on sait que le cachet est hors de portée des moyens des organisateurs. Et c'est lui faire injure que de chercher à négocier son cachet et de lui dire avec étonnement: «Quoi? Seulement pour une petite heure?» Les conférenciers sont rémunérés pour leur savoir — acquis souvent au prix de nombreuses années d'études ou d'expérience dans un domaine particulier —, pour la préparation de leur discours, pour leur sens exceptionnel de la communication et pour le temps qu'exigera leur transport. Ils consacrent très souvent beaucoup d'efforts au projet en question et méritent pleinement le cachet qu'ils jugent approprié pour leurs services. Si les organisateurs ne disposent pas des sommes nécessaires pour retenir les services d'un conférencier, qu'ils le lui fassent savoir avec délicatesse et lui expriment leurs regrets avant de s'adresser à un autre dont le cachet est à la mesure de leurs moyens.

La personne chargée de présenter un conférencier à son auditoire devra avoir étudié soigneusement son curriculum vitae et elle fera brièvement état de ses études, de son expérience, de ses réalisations et d'autres détails pertinents et intéressants. Elle devra pouvoir prononcer son nom comme il faut et mentionner ses titres (le cas échéant). Quand le conférencier aura terminé son exposé, quelqu'un se chargera de l'en complimenter officiellement et de le remercier pour sa contribution au succès de la réunion.

Le conférencier qui vient de l'extérieur de la ville trouvera dans sa chambre un mot de bienvenue et un horaire complet des activités de la rencontre de même que tous les détails concernant son engagement, sans oublier un petit cadeau de bienvenue: un panier de fruits ou des fleurs, par exemple. On offre aussi souvent aux conférenciers renommés, tout comme aux autres personnes de marque, une bouteille de champagne dans un panier rempli de petites friandises. On s'assurera toutefois au préalable que le destinataire d'une boisson alcoolisée n'en réprouve pas l'usage, pour quelque raison que ce soit. Un manque d'information peut parfois conduire à des «erreurs fatales».

Il est de bon ton d'offrir au conférencier un cadeau souvenir après qu'il a accompli son travail. Il s'agira d'un présent de qualité, qui ne soit ni de mauvais goût ni d'un goût douteux, et pas trop lourd, surtout si le conférencier vient de l'extérieur. Un très beau stylographe, orné du logo de l'entreprise hôte, mais discret et stylisé, un agenda relié plein cuir, une plaque souvenir, etc., sont toujours appréciés. Si le conférencier s'est produit gratuitement, le cadeau sera de plus grande valeur et reflétera l'importance de sa contribution; en pareil cas, un petit calendrier sans valeur ou un stylographe ne saurait suffire.

On paiera le conférencier sans tarder. S'il n'est pas représenté par un agent, on lui remettra un chèque dans une enveloppe, à un moment approprié, après son exposé; s'il est représenté par un agent, on fera immédiatement parvenir le chèque à celui-ci, qui retiendra sa part avant de remettre au conférencier son dû. Le directeur général de l'entreprise lui exprimera immédiatement par lettre sa reconnaissance. Il est de bon ton de le remercier aussi par écrit pour sa présentation, de lui faire savoir à quel point on l'a apprécié et de le féliciter pour son bon travail.

Tout conférencier ainsi traité sera ravi d'avoir fait affaire avec l'entreprise concernée et les organisateurs de l'événement.

Selon Monsieur de Lavison, «la première prise de contact avec un conférencier de marque devrait avoir lieu six mois avant la conférence et sa confirmation être annoncée trois mois avant l'événement». Les cachets exorbitants exigés par certains conférenciers américains, comme Oliver North, frisent le ridicule; un conférencier de première classe (mis à part les personnalités et hommes publics haut placés) peut demander en moyenne 1 500$ ou 2 000$ par conférence. On recommande de faire appel au meilleur conférencier possible, qui illustrera son propos à l'aide de diapositives ou d'autres moyens audiovisuels attrayants pour assurer une présentation soignée et vivante. Si les organisateurs tentent d'économiser, tous ceux qui assisteront à la conférence se diront: «J'aurais pu faire mieux.»

La suite d'accueil / Le salon des invités de marque

Il faut prévoir suffisamment d'espace de rangement et de porte-manteaux, de même que des porte-parapluies et un endroit où déposer les couvre-chaussures en hiver. On mettra aussi suffisamment de téléphones à la disposition des participants ainsi qu'un tableau où ils pourront afficher des messages. La suite d'accueil sera nettoyée régulièrement; on accordera une attention toute spéciale à la salle de bains.

Rita Ouimet, directrice d'une grande maison de foires publiques et une amie personnelle, a toujours particulièrement veillé au confort et à la beauté de la suite d'accueil pendant son mandat de plusieurs années à la direction de la Foire internationale de la Fourrure de Montréal (la deuxième en importance dans le monde). Elle avait coutume de dire que le salon des invités de marque était «la vitrine de la foire». Elle le décorait donc de bouquets de fleurs fraîches, de pommes rouges et vertes disposées dans des compotiers de verre, de tasses ou de gobelets et de serviettes de table assorties, et y offrait des casse-croûte appétissants et savoureux. Pas de croustilles ni de craquelins, ni arachides, ni maïs soufflé, ni tout autre aliment riche en gras et en calories. Des arbustes de belle dimension — toujours vivants, jamais synthétiques, et jamais non plus de paniers de fleurs artificielles — occupaient des espaces stratégiques, dissimulaient les coins sombres et donnaient à la suite un air d'oasis estival de détente, malgré notre climat toujours aussi imprévisible.

Rafraîchissements pour la suite d'accueil
Jus de fruits, eau minérale, eaux gazeuses (sans sucre)
Vin rouge et/ou blanc (si désiré)
Café, thé
Crème, lait à faible teneur en gras, lait en poudre
Sucre, édulcorant artificiel
Plateaux de fromages et plats de petits hors-d'oeuvre
Légumes crus (et trempettes)
Fruits frais
Muffins, croissants et gâteaux secs miniatures.

Boissons et nourriture

Aux cocktails, les organisateurs avisés prévoient des bars où les invités trouvent des boissons qui ont à la fois fière allure et bon goût, mais à très faible teneur en alcool, et qu'on sert dans des verres attrayants avec des serviettes à cocktail aux couleurs vives. On éloigne ainsi les invités des boissons fortement alcoolisées. Je recommande toujours le service d'un vin blanc (de bonne qualité) dans de petits verres à vin, agrémenté d'une fraise ou d'une feuille de menthe fraîche. On dispose avec art sur le bar les verres déjà remplis pour produire un très bel effet de couleurs et attirer l'attention de çeux qui commandent généralement plutôt un scotch ou un Martini.

Aux réunions, la nourriture est le plus souvent fade, banale et trop riche en calories. Quiconque est las du poulet baignant dans une sauce grasse sera reconnaissant à l'organisateur ou au planificateur de réunion qui aura suggéré au chef un nouveau plat savoureux et artistiquement présenté, à faible teneur en calories et en cholestérol. Dès que le directeur du service des banquets ou le traiteur affirme que, «pour un groupe de l'importance du vôtre, on sert généralement...», vous devez lui répondre que votre groupe insiste pour obtenir un traitement spécial et différent de ce qui est coutumier. Mais il est important de proposer alors des solutions de rechange. Certains organisateurs sont même allés jusqu'à proposer de nouvelles idées de menus et de recettes, bien longtemps avant la rencontre, à des chefs de grande renommée, pour leur laisser le temps d'en faire l'essai tout à leur aise, de les améliorer ou de les modifier pour les adapter à leurs goûts personnels. Tout bon chef apprécie les suggestions inédites. La variété, la saveur et la qualité nutritive vous guideront dans le choix du menu pour vos réunions, conférences et séminaires.

Fleurs et documentation pour les invités de marque

Le langage des fleurs est un langage très spécial. Tout le monde les aime; aujourd'hui, même le macho admet qu'il respire avec plaisir le parfum des fleurs. Les fleurs sont belles; elles transforment la pièce la plus déprimante en un palais et ensoleillent un jour de pluie. «Il n'y a pas d'attention plus délicate et plus aimable que de disposer des fleurs dans la chambre de chaque invité de marque», affirme Rita Ouimet. «Mais, poursuit-elle, il faut connaître les goûts de chacun et, bien sûr, s'assurer qu'il n'y est pas allergique.» Elle tient une liste détaillée des préférences de chacun. Cet invité est-il friand de sucreries ou vaut-il mieux lui offrir des fruits ou d'autres friandises en plus des fleurs? Préfère-t-il le vin ou le champagne, et dans quelle langue rédigera-t-on la carte d'accompagnement?

Bien entendu, on s'en tiendra aux limites imposées par son budget. Pour économiser, on pourra demander au fleuriste d'utiliser plus d'une fois les mêmes pièces florales, ou de faire de nouveaux arrangements avec des fleurs encore fraîches. On l'informera d'ailleurs des couleurs utilisées pour le décor de chaque salle. Ces pièces florales seront basses, spécialement celles disposées sur l'estrade d'honneur, pour que l'auditoire puisse voir aisément les invités qui y prennent place. Les plantes hautes et les arbres fleuris en pots sont idéaux pour dissimuler les coins disgracieux et on peut facilement en trouver en location. Ils transforment une salle monotone en un lieu agréable qui évoque un jardin.

On n'envoie jamais de bouquet de corsage à une conférencière. On lui fait plutôt parvenir des fleurs chez elle ou à son hôtel si elle est de l'extérieur.

Même si on distribue des trousses d'information à tous les participants au moment de leur inscription à la réunion, on en laisse souvent une copie supplémentaire dans la chambre des invités de marque. Si les conjoints assistent aussi à la réunion, on prévoira deux trousses d'information par couple.

- La trousse d'information

Elle comprend:
- la liste des participants, suivie de leur adresse personnelle complète, de leur numéro de téléphone et du numéro de leur chambre d'hôtel;
- l'horaire complet de la réunion;
- le nom des conférenciers, le titre de leur exposé et leur curriculum vitae;
- une carte qui aidera les participants à mieux s'orienter dans les lieux où se tiennent les diverses activités;
- des précisions concernant la tenue appropriée pour chacun des événements;
- des directives quant à l'heure où l'on devra libérer la chambre, le jour du départ;

- des informations sur les moyens de transport;
- tous les détails pertinents en cas d'urgence, y compris des adresses d'hôpitaux et des noms de médecins, etc.;
- des renseignements sur les installations sportives, les pistes de jogging, un YMCA ou des centres de conditionnement physique;
- une liste des bons restaurants, des théâtres, des cinémas, des musées, des galeries d'art, des attractions touristiques, des sites et monuments historiques, etc.;
- une liste des boutiques et des magasins élégants;
- une liste des lieux de culte.

Les cartes d'identification

- Les participants auront toujours le choix entre une carte épinglée et une carte autocollante.
- On inscrit de préférence les titres professionnels plutôt que Mme, Mlle ou M.
- On porte de préférence sa carte d'identification à hauteur d'épaule pour que ses interlocuteurs la lisent plus facilement.
- Si le port de la carte à la ceinture donne à une personne une allure plus chic, il n'en oblige pas moins ses interlocuteurs à lui demander son nom. Or, la carte a justement pour but d'éliminer cet embarras.
- Lorsque les participants proviennent de villes et d'entreprises différentes, on n'oubliera pas d'inscrire aussi ces détails sous leur nom.

Les remerciements

Tous ceux qui ont pris part à l'organisation de l'événement et qui y ont fait du bon travail méritent une lettre de remerciement, qui équivaut en fait à une lettre de recommandation. Les recommandations de ce genre peuvent signifier pour ceux qui les reçoivent une promotion plus rapide et une plus grande sécurité d'emploi. Si vos remerciements parviennent sans tarder au propriétaire et au personnel de l'hôtel, du centre de congrès ou de toute autre institution où vous avez tenu votre réunion, on vous y accueillera avec enthousiasme et empressement à votre prochaine visite. Remerciez et complimentez le propriétaire des lieux, mais n'hésitez pas non plus à lui exprimer, si nécessaire, des critiques constructives ou à attirer son attention sur le comportement de certains employés, le cas échéant. Le destinataire de votre lettre a besoin de ces renseignements pour mieux faire son travail et s'assurer que plus d'entreprises reviendront chez lui. On ne peut rendre un meilleur service à un gérant d'hôtel ou de centre de congrès que de lui adresser une critique franche et honnête.

2. L'ÉTIQUETTE DES ÉCHANGES VERBAUX ET ÉCRITS

L'importance de l'usage correct des titres

S'adresser correctement aux autres est une affaire d'étiquette. Pour les entreprises, cependant, il s'agit plus que d'une simple question de courtoisie: elles se doivent de donner d'elles-mêmes une image d'excellence et de raffinement. Les bonnes relations d'affaires dépendent plus qu'on ne le pense du respect et de la considération qu'on accorde aux autres et de leur réaction à la façon dont on s'adresse à eux, que ce soit verbalement ou par écrit. Certaines entreprises traitent ce sujet avec trop de légèreté et mésusent des titres et des formules d'appel. Trop souvent, en écrivant les noms de personnes qui comportent une particule, on commet des fautes dont on s'excuse en prétendant que l'emploi de la majuscule ou de la minuscule ne saurait faire la moindre différence. Il en existe pourtant une énorme, particulièrement aux yeux des Européens, qui ne prennent pas à la légère les erreurs qui déparent leurs noms et leurs titres.

Toute entreprise compte parmi ses correspondants des ministres, des ambassadeurs, des membres du clergé, et veillera à s'adresser à eux dans les formes requises. En cas de doute, on téléphonera au bureau du destinataire de la lettre et on demandera à sa secrétaire en quels termes on devrait s'adresser à cette personne, même s'il faut pour cela placer un appel interurbain. Faire excellente impression vaut bien une petite dépense.

Il est inexcusable d'adresser du courrier à «Dionne» ou «Lynn Dionne». Quand une lettre lui arrive sans titre ni prénom, son destinataire se sent à bon droit offensé. L'auteur de la lettre choisira donc le titre approprié, soit «Madame» ou «Mademoiselle Lynn Dionne». Il ne vous en coûtera qu'un petit effort pour ajouter un titre devant le nom d'une personne, que ce soit Monsieur, Madame, Mademoiselle ou quelque titre professionnel.

Les pages qui suivent ont été écrites à partir de ma propre expérience dans l'exercice de diverses fonctions liées à mon travail, et de renseignements extraits de divers ouvrages — dont mon *Livre de l'étiquette* (Éditions de l'Homme, 1986), le *Manuel pratique de protocole* (de Jean Serres, Éditions de l'Arquebuse), *Debrett's Correct Form* (Futura Publications, 1984) — ou fournis par le Bureau du protocole du gouverneur général, à Ottawa, et par le Secrétariat d'État.

Titres administratifs et professionnels

La formule d'appel est rigoureuse dans la correspondance administrative et, vis-à-vis de certains ordres professionnels, elle exige un plus grand formalisme. Les exemples qui suivent répondent à l'usage européen, particulièrement l'usage français. (Pour l'usage canadien, voir plus loin.)

Au gouverneur général: Monsieur le Gouverneur général
Madame le Gouverneur général

Au président: Monsieur le Président
Madame le Président
(Seule la femme d'un président peut être appelée «présidente».)

Aux ambassadeurs:	Monsieur l'Ambassadeur Madame l'Ambassadeur (Seule la femme d'un ambassadeur peut être appelée «ambassadrice».)
Aux ministres:	Monsieur le Ministre Madame le Ministre
Aux sénateurs:	Monsieur le Sénateur Madame le Sénateur
Aux députés:	Monsieur le Député Madame le Député
Aux conseillers généraux:	Monsieur le Conseiller général Madame le Conseiller général
Aux maires:	Monsieur le Maire Madame le Maire
Aux adjoints au maire:	Monsieur l'Adjoint Madame l'Adjointe
Aux conseillers municipaux:	Monsieur le Conseiller Madame le Conseiller
Aux avocats:	Maître, Mon cher maître, Cher maître; entre collègues: Cher collègue (Les femmes n'apprécient pas cette formule d'appel très masculine, et nous assisterons sans doute bientôt à des changements importants dans ce domaine.)
Aux professeurs:	Monsieur le Professeur Monsieur *ou* Madame le Professeur Madame

Aux médecins:	Docteur *ou* Docteur (nom de famille) Docteur *ou* Docteur (nom de famille)

Membres des forces armées

Au Canada:	Les grades sont mentionnés pour les membres des forces armées; exemple: Général Beauvais, Colonel McBride.
En France:	Les maréchaux sont appelés «Monsieur le Maréchal» par les hommes et les femmes; les hommes, sauf s'ils ont un rang supérieur, font précéder le grade du pronom possessif, comme dans le service: «Mon général», «Mon colonel», mais les femmes disent: «Général», «Colonel».
En Grande-Bretagne:	À partir du rang de capitaine, le grade est mentionné dans la conversation, que l'officier soit en activité ou à la retraite; il est suivi du nom de famille.
Aux États-Unis:	On appelle tous les officiers par leur grade, sans mentionner leur patronyme, sauf en cas de nécessité.

Personnalités publiques au Canada:

   Remarque: Au Canada, de grandes personnalités féminines — ministres, sous-ministres, etc. — préfèrent maintenant qu'on utilise, pour s'adresser à elles, la formule d'appel «Madame la Ministre» plutôt que «Madame le Ministre». Une exception toutefois: «Madame le Gouverneur général», qui insiste pour qu'on maintienne l'article masculin. Quoi qu'il en soit, l'usage en cette matière reste encore flottant et, en cas de doute, veuillez communiquer avec le Secrétariat d'État, à Ottawa.

Gouverneur général

Adresse	Son Excellence le (la) très honorable X
	Résidence du gouverneur général
	1, Promenade Sussex
	Ottawa K1A 0A1
Appel	Monsieur (Madame) le Gouverneur général
Traitement	Votre Excellence
Courtoisie	Veuillez agréer, Monsieur (Madame) le Gouverneur général, l'assurance de ma très haute considération

Lieutenant-gouverneur

Adresse	L'Honorable
Appel	Monsieur le Lieutenant-Gouverneur
Traitement	Votre Honneur
Courtoisie	Veuillez agréer, Monsieur le Lieutenant-Gouverneur, l'assurance…

Ambassadeur

Adresse	Son Excellence
Appel	Monsieur l'Ambassadeur
Traitement	Vous
Courtoisie	Veuillez agréer, Monsieur l'Ambassadeur, les assurances de ma respectueuse considération (moins formelle: Veuillez agréer, Monsieur l'Ambassadeur, l'expression de ma considération distinguée)

Premier ministre du Canada
Adresse   *Le Très Honorable*
Appel   *Monsieur le Premier Ministre*
Traitement   *Vous*
Courtoisie   *Je vous prie d'agréer, Monsieur
                     le Premier Ministre, l'assu-
                     rance...*

Premier ministre du Québec
Adresse   L'Honorable (prénom, nom de
                     famille)
                     Premier de la Province de Québec
Appel   Monsieur le Premier Ministre

Tous les ministres
Adresse   L'Honorable (prénom, nom de
                     famille)
                     Ministre d'État (Jeunesse) par
                     exemple
                     Usage français: Son Excellence
                     Monsieur (prénom, nom de
                     famille), Ministre... Lorsqu'on
                     s'adresse à un ministre à l'étran-
                     ger ou à un ministre étranger en
                     visite au pays, le titre de courtoi-
                     sie est toujours «Excellence».

Appel   Monsieur le Ministre
Courtoisie   Veuillez agréer, Monsieur le
                     Ministre, les assurances de ma très
                     haute considération (moins
                     formelle: ...les assurances de ma
                     respectueuse considération
                     ou: ...les assurances de mon
                     respect)

Les sous-ministres
Adresse   Monsieur ou Madame (prénom,
                     nom de famille) (On emploie très

rarement Mademoiselle), Sous-Ministre…

Appel   Monsieur (Madame) le Sous-Ministre

Courtoisie   Veuillez agréer, Monsieur le Sous-Ministre, les assurances de mon respect

Maire
Adresse   Son Honneur le Maire
Appel   Monsieur le Maire

Aux États-Unis: Le titre d'Excellence n'est usité que dans la correspondance destinée à de hautes personnalités étrangères: chefs d'État, ministres, ambassadeurs. Une personne ayant la fonction d'ambassadeur sans être chef de mission peut, dans la pratique américaine, voir figurer son titre à la formule de réclame dans les termes suivants: Monsieur l'Ambassadeur X. Dans ce cas, la formule d'appel est: «Monsieur l'Ambassadeur», mais le titre d'Excellence ou d'Honorable lui est conservé.

Seuls les souverains et les chefs d'État écrivent directement au Saint-Père, mais, par contre, vous avez peut-être besoin de vous adresser par écrit aux cardinaux. On emploie comme formule d'appel: «Monsieur le Cardinal», et dans le corps de la lettre: «Votre Éminence». La formule de courtoisie: «Veuillez agréer, Monsieur le Cardinal (ou Votre Éminence), les assurances de ma plus haute considération (ma très respectueuse considération)».

La formule de réclame: Son Éminence le Cardinal X, Archevêque (ou Évêque) de…

Une circulaire du Vatican attribue aux évêques le titre d'Excellence.

En Allemagne, on dit: *Bischöfliche Gnade*; en Angleterre: *His Grace*.

Archevêques, évêques résidents

Appel	Monsieur l'Archevêque (ou l'Évêque) ou Monseigneur
Traitement	Vous
Courtoisie	Agréez, Monsieur l'Archevêque, les assurances de... (Pour les évêques, la formule doit être d'un degré inférieur à celle employée pour les archevêques)
Adresse	Son Excellence Monseigneur... Archevêque (ou Évêque) de...

Évêques titulaires

Il faut user de la formule employée pour les évêques, mais en les appelant simplement «Monseigneur», ce qui est, pour un évêque, moins honorifique que «Monsieur l'Évêque», et en utilisant la réclame «Son Excellence Monseigneur X, Évêque de..., auxiliaire de son Éminence le Cardinal X, Archevêque de...» (réf.: Jean Serres, *Manuel pratique de protocole*).

Les religieuses

On écrit aux religieuses, comme à toutes les femmes, même aux reines, sans leur donner aucun titre, même si elles sont supérieures ou supérieures générales:

Appel	Madame
Traitement	Vous
Courtoisie	Je vous prie d'agréer, Madame, l'hommage de mon profond respect
Adresse	Madame la Supérieure générale des Filles de la Charité

Les présentations

En société comme en affaires, présenter des gens est l'une des tâches les plus importantes. Beaucoup de gens ne savent pas se présenter ni présenter leurs connaissances comme il se doit. Mais même si l'on oublie les noms, même si l'on ne se sent pas du tout à l'aise en public, on s'efforcera toujours de faire de son mieux. Il est maladroit de laisser les gens dans l'embarras, sans rien faire.

Les présentations en affaires
- On présente une plus jeune personne *à* une personne plus âgée.
- On présente un pair de sa société *à* un pair d'une autre société.
- On présente un citoyen *à* un personnage politique.
- On présente un jeune cadre *à* un cadre supérieur.
- On présente un collègue *à* un client ou client potentiel.

On s'efforcera toujours de bien identifier les personnes que l'on présente. On dira, par exemple:

«M. Dupont, j'aimerais vous présenter mon mari, Paul Dexter. Paul, voici M. Jean-Guy Dupont, président de notre société.»

«M. et Mme Bergeron, j'aimerais vous présenter un de mes collègues de la société..., Pierre Dubuc. M. Dubuc, voici M. et Mme Bergeron, de bons amis de longue date.»

Les présentations dans la vie privée
- On présente un homme *à* une femme, en allant de la plus vénérable ou de la plus âgée à la plus jeune.
- On présente un homme *à* un homme plus âgé ou plus important.
- On présente un homme *à* son égal, sans ordre de préférence, mais en nommant l'un puis l'autre.
- On présente une femme *à* une femme plus âgée, plus importante, ou à une personnalité masculine ou féminine, telle que:
  - un membre d'une famille royale
  - le gouverneur général
  - le Premier ministre
  - le Premier ministre d'une province
  - un chef d'État étranger
- On présente tout le monde *à* une personnalité religieuse.

C'est toujours la personne qui connaît tout le monde qui se charge de faire les présentations.

Lorsqu'un étranger s'approche de votre groupe et que vous êtes la seule personne à le connaître, il vous revient de le présenter. Il est très impoli d'abandonner une personne à elle-même sans la présenter comme il se doit, parce qu'elle se sentira alors importune et qu'il est très difficile de se sortir soi-même d'une situation aussi embarrassante. La personne qui connaît l'individu en question interrompra sa conversation avec le groupe, se dirigera vers le nouveau venu, l'accueillera personnellement et le présentera aux autres membres du groupe:

«Lynn, comme c'est bon de te voir! J'aimerais te présenter à mes collègues Suzanne Dorval, Jean-Claude d'Orléans et Richard Brun. Voici Lynn Bergeron, une compagne de classe, maintenant vice-présidente de la société…»

Lorsque vous présentez une personne à un groupe, assurez-vous d'ajouter quelques informations à son sujet, afin de faciliter son inclusion dans la conversation.

Les titres employés dans les présentations

Quand on présente les unes aux autres des personnes de même statut, il n'est pas nécessaire d'utiliser leurs titres, à moins de présenter:
- une personne plus âgée;
- un professionnel;
- une personne de haut rang.

«Docteur Brun (ou Jean-Guy, s'il s'agit d'un ami), j'aimerais vous présenter Suzanne Dorval, vice-présidente de notre société. Suzanne, voici le docteur Jean-Guy Brun.»

On veillera toujours à prononcer les noms des gens correctement, et, si nécessaire, à dire leurs fonctions avec exactitude. Si on ignore le prénom d'une personne, on ne la présente que par son nom de famille, sans oublier de mentionner son titre personnel — Monsieur, Madame ou Mademoiselle — ou professionnel.

Au Canada comme en France, en Allemagne, aux États-Unis et dans plusieurs autres pays, la poignée de main est quasi obligatoire et constitue un contact important entre deux personnes. Si vous êtes assis au moment de la présentation, levez-vous toujours lorsque la personne s'approche de vous pour vous serrer la main. Vous n'êtes toutefois pas tenu de donner une poignée de main à chacun de vos collègues lorsque vous vous trouvez dans un groupe nombreux. (Pour plus de détails, voir «Courtoisie, civilité et politesse au bureau et en société», dans la section 2 du chapitre I.)

Les échanges avec des relations d'affaires à l'étranger

Comme une grande partie des relations d'affaires avec l'étranger s'effectue verbalement et par écrit, on doit étudier le protocole de chaque pays avec lequel on fait affaire. Nous, les Canadiens, n'accordons peut-être pas beaucoup d'importance à la façon dont on s'adresse à nous, par écrit ou verbalement, ou à la façon dont on nous présente, mais il n'en est généralement pas de même pour les gens des autres pays, particulièrement lorsqu'ils ont acquis un titre professionnel par plusieurs années d'études et d'expérience.

Dans certains pays, surtout en Allemagne, en Italie et en Scandinavie, les cadres sont fiers du titre qui précède leur nom et signale leur niveau d'instruction et/ou leur profession.

En Allemagne et dans plusieurs pays nordiques, on appelle plus souvent le patron par son titre professionnel que par son nom:
- *Herr Direktor*   est un titre prestigieux
  Frau Direktor   pour un cadre supérieur
  au moment des présentations, on dira:
  Herr (Frau) Direktor Meier

- *Herr Doktor*
  Frau Doktor
  au moment des présentations, on dira:
  Herr (Frau) Doktor Koch

- *Herr Rechtsanwalt* (avocat)
  Frau Rechtsanwältin
  au moment des présentations, on dira:

Herr Rechtsanwalt Klein
Frau Rechtsanwältin Klein

En Italie, quiconque a obtenu un diplôme devient immédiatement:
- *Dottore*
Dottoressa
au moment des présentations, on dira:
Dottore (Dottoressa) Costello

Aux États-Unis, les femmes mariées prennent le nom de baptême de leur époux, comme en Angleterre; on dira donc, par exemple: *Mrs. John Henry Smith*. Une femme divorcée conserve le nom de son ex-époux, précédé toutefois de son nom de jeune fille; elle signera, par exemple: *Mrs. Howard Edwards*. Dans une lettre qu'on lui adresse, on emploiera la formule d'appel *Dear Mrs. Edwards*, et on la présentera de la même façon. On désigne une femme célibataire et on s'adresse à elle de la façon suivante: *Miss Mary Jones*. Quant aux femmes qui travaillent sous leur nom de jeune fille, on s'adressera à elle par ce nom. Cela ne s'applique pas lorsqu'elles accompagnent à l'étranger leur époux en fonctions officielles ni lorsqu'elles l'accompagnent en voyage d'affaires qui ne concernent que lui, ce qui occasionne souvent aux représentants officiels du pays hôte des maux de tête en matière de protocole.

Partout aux États-Unis, on emploie généralement le titre *Mr.* Le titre de courtoisie *Esquire* figure souvent après un nom d'homme, spécialement d'un avocat ou d'un notaire. On l'utilise habituellement sous sa forme abrégée, *Esq.*, comme en Angleterre, et on l'emploie ordinairement dans la correspondance sociale, mais pas dans les milieux d'affaires. Au Département d'État, on réserve ce titre, non abrégé, aux fonctionnaires du service diplomatique. On y appelle généralement *Dr.*, sinon *Mr.*, un professeur détenteur d'un doctorat. Certains jugent démodée l'appellation de *Professor*.

Que ce soit verbalement ou dans la formule d'appel d'une lettre, on s'adresse à un médecin par son titre de *Doctor*. Sur une enveloppe qui lui est adressée, on écrit: *John K. Smith, M.D.*

Dans sa correspondance avec une société britannique, on s'adressera, dans la mesure du possible, à un individu de ladite société; on utilisera alors ou son nom ou sa charge, par exemple: *The Chairman* (Le Président du conseil d'administration), *The Managing Director* (L'Administrateur gérant), *The Manager* (Le Directeur), *The Secretary* (Le Secrétaire).

Lorsqu'une société s'adresse à une autre société, elle remplacera parfois l'habituel *Dear Sirs* (Chers Messieurs) par la formule *Gentlemen* (Messieurs). Un individu adopte aussi parfois cette formule d'appel lorsqu'il écrit à un organisme ou à un groupe.

Les milieux d'affaires n'utilisent habituellement pas l'expression *Mesdames*, ni dans la formule d'appel ni sur l'enveloppe. On s'adresse de préférence à l'individu: *Dear Madame* ou *Dear Mrs. Jones*. Certaines professions, comme les professions juridiques, utilisent le titre *Messrs*. (On ne l'emploie généralement pas aux États-Unis ni au Canada.) On en réserve l'usage aux entreprises qui portent le nom d'un individu. On ne s'en servira donc pas dans sa correspondance avec:
- une entreprise dite «limitée» (ltée);
- une entreprise qui ne fait pas affaire sous un nom de famille ou dont le nom de famille ne constitue pas le nom complet;
- une entreprise dont le nom comprend un titre;
- une entreprise qui porte le nom d'une femme.

Les entreprises qui font beaucoup d'affaires avec la Grande-Bretagne devront bien connaître et comprendre le protocole rigoureusement prescrit pour les relations avec la Couronne, le Parlement et les pairs. Nous faisons preuve d'insouciance en cette matière et je me rappelle les discussions orageuses qui ont eu lieu au sujet de certains détails du protocole lorsque je travaillais à la formation des hôtesses et des chefs du service du protocole pour les Jeux Olympiques de Montréal. Je crois que nous devrions nous conformer aux usages des Britanniques lorsque nous nous trouvons dans leur pays et lorsqu'ils nous rendent visite pour affaires. La courtoisie élémentaire et le souci des bonnes relations d'affaires nous le commandent. Il est impossible de décrire ici en détail le comportement que doit adopter un homme ou une femme d'affaires lorsqu'il ou elle s'entretient avec des fonctionnaires britanniques ou des pairs, se présente à eux ou leur écrit, mais je crois que, dans le cadre d'un voyage d'affaires en Angleterre, nous devrions nous comporter comme les Britanniques et respecter leur admiration pour la famille royale même si nous ne sommes pas partisans de la monarchie. Tout homme d'affaires avisé qui traite souvent avec la Grande-Bretagne devrait aussi, selon moi, étudier soigneusement le *Debrett's Correct Form — Social and Professional Etiquette. Precedence and Protocol*, recueil colligé et publié sous la direction de Patrick Montague-Smith (réédition 1984). (Pour plus de détails, voir la section 3 du présent chapitre.)

Titres officiels / Sur les cartons de table		
	Vous leur dites	Sur les cartons de table
Gouverneur général	Monsieur (Madame) le Gouverneur général	Le Gouverneur général du Canada
Lieutenant-gouverneur	Lieutenant-Gouverneur	Le Lieutenant-Gouverneur du Canada
Premier ministre du Canada	Monsieur (Madame) le Premier Ministre	Le Premier Ministre du Canada
Premier ministre du Québec	Premier (nom de famille)	Le Premier du Québec
Ministres	Monsieur (Madame) le Ministre	L'Honorable (prénom, nom de famille) *formel:* Son Excellence le Ministre des Affaires étrangères
Sous-ministres	Monsieur (Madame) le Sous-Ministre *ou* Monsieur, Madame	Monsieur (prénom, nom de famille) Madame (prénom, nom de famille)
Sénateurs	Monsieur (Madame) le Sénateur	L'Honorable (prénom, nom de famille)
Ambassadeurs	Monsieur (Madame) l'Ambassadeur	Son Excellence l'Ambassadeur de... *ou moins formel:* Son Excellence l'Ambassadeur (nom de famille)
Maires	Monsieur (Madame) le Maire	Le Maire de (ville)

Titres officiels / Sur les cartons de table		
	Vous leur dites	Sur les cartons de table
Avocats	Maître	Maître (nom de famille) *ou* Monsieur (Madame) (nom de famille)
Recteur d'université	Monsieur (Madame) le Recteur	Recteur (nom de famille)
Doyen de faculté	Monsieur (Madame) le Doyen	Doyen (nom de famille)
Professeur de faculté	Monsieur (Madame)	Professeur *ou* Monsieur Madame (nom de famille)
Médecin	Docteur	Docteur (nom de famille)
Évêque	Monseigneur ou Excellence	Monseigneur (prénom, nom de famille)
Curé	Monsieur le Curé	Père (prénom)
Religieuse	Ma soeur	Soeur (prénom) *ou* nom religieux
Supérieure	Madame la Supérieure *ou* Madame *ou* Ma mère	Mère (prénom) *ou* nom religieux
Baron, baronne	Monsieur le Baron Madame la Baronne	Baron de (nom de famille) Baronne de (nom de famille)
Marquis, marquise	)	)
Comte, comtesse	) idem	) idem
Vicomte, vicomtesse	)	)

USAGE FRANÇAIS

Président de la République française	Monsieur le Président	Le Président de la République française
Premier ministre de la République française	Monsieur le Premier Ministre	Le Premier Ministre de la République française
Ministre des Affaires étrangères de la République française	Monsieur le Ministre	Le Ministre des Affaires étrangères de la République française

USAGE AMÉRICAIN

Ambassadeur américain hors des É. U.	Ambassadeur (nom de famille)	Ambassadeur (nom de famille)
Sénateur américain	Sénateur *ou* Sénateur (nom de famille)	Sénateur (nom de famille)
Maire	Maire (nom de famille)	Le Maire de (ville)
Juge	Juge (nom de famille)	Juge (nom de famille)

(Pour plus de détails, voir «Les cartons de table», dans la section 1 du chapitre III.)

La carte d'affaires

La vogue des cartes de crédit a pour ainsi dire favorisé la standardisation des cartes d'affaires. Le format américain de 5 cm sur 9 cm s'est imposé dans la plupart des pays européens et nord-américains. Une carte d'affaires d'excellente qualité, bien conçue et dont le texte a été choisi avec soin constitue un outil personnel important pour les communications entre cadres; c'est l'image que vous laissez derrière vous pour qu'on ait de vous un bon souvenir, de sorte qu'on voudra recommuniquer avec vous.

Le texte:
Nom
Titre
Nom et logo de l'entreprise
Adresse d'affaires
Numéro de téléphone
Numéro de télex (le cas échéant)
Adresses des succursales (le cas échéant)

Les personnes qui travaillent aussi bien chez elles qu'au bureau indiqueront leur numéro de téléphone personnel et celui du bureau.

La présentation:
• N'inscrivez pas les titres M., Mme et Mlle sur votre carte, à moins d'avoir un prénom qui prête à confusion, comme Claude ou Dominique.
• Utilisez simplement votre prénom et votre nom ou votre titre professionnel, comme M.D. ou Ph.D.
• Si on vous connaît davantage sous un surnom ou un pseudonyme, ajoutez-le à votre nom officiel: Lynn (Dottie) Dubois, Vice-Présidente.

(Pour l'échange des cartes d'affaires à l'étranger, voir la section 5 du présent chapitre.)

L'étiquette des cartes d'affaires

Il importe de savoir quand et comment présenter sa carte d'affaires. Il est toujours malséant de presser quelqu'un d'accepter sa carte d'affaires, surtout s'il s'agit d'un supérieur ou d'une personne occupant un poste de direction. Mieux vaut attendre qu'il ou elle la demande. Ne présentez donc pas votre carte, dans les premiers moments d'une conversation, à des gens que vous rencontrez par hasard à bord d'un avion ou dans un restaurant, et ne la distribuez pas à tous les membres d'un groupe nombreux. Vous auriez ainsi l'air de vouloir vendre quelque marchandise. On apporte des cartes avec soi à des événements sociaux, mais on ne les sort pas pendant un repas ou un cocktail. Dans des réunions sociales ou d'affaires, on fera aussi preuve de discrétion et on attendra, pour remettre sa carte à quelqu'un, que cette personne nous la demande, ce qui se produit la plupart du temps à la fin de la rencontre, ou, au moins, après le repas. On ne tend jamais une carte maculée, froissée ou caduque, c'est-à-dire dont certains renseignements ne sont plus exacts. Il vaut mieux alors ne pas offrir de carte.

Autre détail important de l'étiquette des cartes d'affaires: savoir quand et comment personnaliser sa carte. Cette coutume essentiellement américaine semble s'être largement répandue au Canada. Elle consiste à biffer son nom et à inscrire un mot personnel au verso de la carte (à condition qu'il y ait de l'espace) ou au recto en y ajoutant ses initiales. Si vous êtes un proche de la personne à qui vous destinez votre carte, vous pouvez évidemment n'utiliser que votre prénom. Si vous joignez votre carte d'affaires à un cadeau ou à des fleurs que vous envoyez, glissez-la dans une enveloppe. En pareil cas, les bonnes manières permettent l'usage des cartes d'affaires personnalisées, mais je préfère de loin la carte de correspondance.

Quand on se présente à une réunion convoquée d'avance, on peut échanger les cartes d'affaires dès le début de la rencontre. On n'offrira cependant qu'une seule fois sa carte à la même personne, à moins d'avoir changé d'employeur. Dans ce cas, on présentera sa nouvelle carte à ses relations d'affaires à la première occasion.

3. LES VOYAGES D'AFFAIRES (voir aussi la section 5 du présent chapitre)

L'étiquette à bord d'un avion de la société

On ne vous invitera sans doute pas tous les jours à voyager à bord d'un avion privé en compagnie de personnes de marque d'une société pour vous rendre à une réunion. Mais lorsque cela se produit, il est bon de connaître et d'observer les règles de l'étiquette à bord d'un appareil. D'abord et avant tout, soyez à l'heure; dans ce cas, cela veut dire d'arriver tôt. Les avions privés qui ratent leur fenêtre d'envol doivent attendre jusqu'à ce que la tour de contrôle leur donne une nouvelle autorisation de décoller. Et cela peut parfois prendre beaucoup de temps, à cause de la circulation très intense dans tous les aéroports. Je n'ai pas oublié les longues heures d'attente que j'ai dû supporter à une époque où je faisais assez régulièrement la navette entre Casablanca, Paris et Francfort à bord d'un avion privé. Cela se passait pourtant voilà plusieurs années déjà, à une époque où les aéroports n'étaient pas aussi encombrés qu'aujourd'hui. Pour monter à bord de l'appareil, les invités attendront que leur hôte arrive et qu'il leur désigne un siège. Personne ne doit choisir soi-même son siège. À bord des avions privés, l'espace est réduit, et il en va de même pour les rafraî-chissements. Acceptez ce qu'on vous offre et n'embarrassez pas votre hôte en demandant une boisson particulière. Vous devrez aussi transporter vous-même vos bagages, parce qu'il n'y aura pas de porteurs. Vous limiterez donc vos bagages personnels au minimum. Ne salissez pas l'avion; mangez et buvez en veillant à ne rien renverser. Ne fumez pas! Soyez gentil et respectueux à l'égard de l'équipage. Remerciez-le après l'atterrissage et félicitez-le pour un vol sans turbulence.

Certains vols sont agités, particulièrement à bord de petits appareils. Le pilote n'y est pour rien et vous vous ferez un devoir de souligner sa superbe compétence après l'atterrissage. Ne laissez jamais, au grand jamais, de pourboire aux membres de l'équipage. Mais si vous voyagez plusieurs fois par année avec le même équipage, offrez-leur un cadeau dans le temps de Noël: un livre d'art, des fleurs, un panier de fruits ou d'autres friandises, une boîte de sucreries très recherchées, etc. N'oubliez pas d'écrire un mot de remerciement au cadre qui vous a permis d'obtenir une place à bord de l'appareil et faites encore l'éloge de l'équipage et de sa compétence. Ce comportement vous vaudra le plaisir de voyager souvent à bord de cet appareil.

Le comportement du jeune membre d'un conseil d'administration à l'égard de ses aînés

Une personne moins expérimentée doit toujours faire preuve de serviabilité et de tact à l'égard d'un aîné, surtout si celui-ci est membre du conseil d'administration de l'entreprise. Ce n'est pas là seulement une question de bonnes manières, mais une nécessité pour qui veut gravir des échelons au sein d'une entreprise ou même simplement y assurer sa survie. En conséquence, tout jeune cadre doit:
- apporter son aide en s'occupant de détails d'ordre pratique comme les dispositions nécessaires pour le transport, la préparation de tous les aspects logistiques du voyage, la réservation et le paiement de la note à l'hôtel;
- s'occuper des pourboires;
- être discret et prudent avant d'engager une conversation: son supérieur désire peut-être compléter un travail et ne pas être importuné;
- laisser son aîné lui signifier quand il peut lui adresser la parole; le jeune cadre saura profiter de cette occasion qui lui est offerte d'apprendre quelques leçons importantes et de faire valoir quelques bonnes idées personnelles.

(Pour plus de détails, voir «La conversation», dans la section 3 du chapitre I.)

Les voyages en limousine ou en voiture

Une jeune personne, qu'elle soit de sexe masculin ou féminin, demandera toujours où elle peut s'asseoir, tant dans la vie privée que lorsqu'elle prend place dans une voiture ou limousine de l'entreprise en compagnie d'un membre de la haute direction. Il est toujours impoli de prendre le meilleur siège. Un jeune employé ou cadre en second saura qu'il occupera d'office la place la plus inconfortable dans une voiture lors d'un voyage en compagnie de cadres ou de membres du personnel plus âgés. Il s'agit généralement des strapontins et du centre de la banquette arrière d'une limousine. En réalité, le siège à la droite du chauffeur est très confortable, mais la personne qui l'occupe ne peut prendre part à la conversation qui se déroule à l'arrière, ce qui constitue un inconvénient majeur en certaines occasions. On offrira toujours le siège à la droite du chauffeur aux gens qui ont de très longues jambes, qu'ils soient jeunes ou âgés, directeurs de longue date ou nouvellement en poste.
(Pour plus de détails, voir «Courtoisie, civilité et politesse au bureau et en société», dans la section 2 du chapitre I.)

Dans les limousines allongées, où les deux banquettes sont placées face à face, la meilleure place est sur la banquette arrière à droite, face à la direction de marche. Les autres places se répartissent suivant le schéma 1 ci-dessous:

Schéma 1

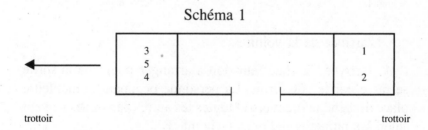

trottoir   trottoir

• Le départ de la voiture

Au départ, l'avant de la voiture doit être tourné vers la gauche, le côté gauche de la voiture le long du trottoir. La personne occupant la meilleure place monte d'abord, suivie

137

de celle qui occupe la deuxième place. Les trois autres personnes suivent selon les numéros indiqués (schéma 1).

Schéma 2

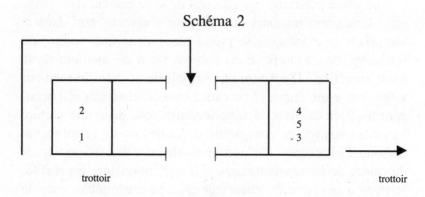

Si les accès ne permettent pas à la voiture d'être tournée vers la gauche, les personnes montant dans la voiture après la personne occupant la première place doivent entrer par la porte de gauche, afin d'éviter de passer devant elle (schéma 2).

Schéma 3

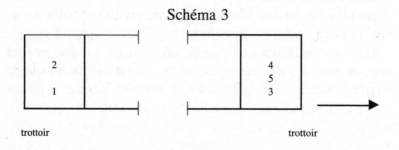

• L'arrivée de la voiture

À l'arrivée, le chauffeur doit s'arranger pour que la sortie se fasse par le côté droit. La personne occupant la meilleure place descend la première et toutes les autres personnes suivent selon les numéros indiqués (schéma 3).

Dans le protocole des réceptions internationales, on observe rigoureusement les règles qui précèdent en ce qui concerne l'étiquette à bord des limousines. Dans le protocole des affaires, elles constituent plutôt pour les cadres des indications en vue d'un comportement irréprochable.

Secrétaires des deux sexes en compagnie du patron

Les hommes et les femmes qui voyagent ensemble, quel que soit le rang de chacun, signeront pour eux-mêmes le registre de l'hôtel où ils descendent. On évitera des malentendus et les contrariétés qui en résulteraient si on avise clairement le gérant de la réception que tous les messages destinés à M. Brun devront être transmis à Mlle Dubois, sa secrétaire, si on ne peut le joindre; et que ceux destinés à Mlle Dubois pourront être communiqués à M. Brun, son patron, ou simplement remis au commis de la réception. Les hommes et les femmes qui voyagent ensemble, qu'ils soient secrétaires, patrons ou associés, devront avoir le sens de l'humour pour surmonter les difficultés qui ne manqueront pas de surgir. Voici quelques recommandations:

• Le patron, quel que soit son sexe, prend toutes les décisions. Bien entendu, le cadre ou employé de rang inférieur peut se permettre quelques suggestions et un patron avisé y prêtera une oreille attentive.

• Mieux vaut ignorer les allusions à caractère sexuel quand elles sont faites par un tiers. Si quelqu'un se permet des remarques déplacées devant un homme qui voyage avec une femme, ce dernier veillera rapidement à y mettre fin et la femme signifiera clairement qu'elle ne voyage que pour affaires.

• Le meilleur endroit où un homme et une femme puissent travailler ensemble est le bureau du client ou client potentiel auquel ils rendent visite, ou les bureaux de leur succursale. Ils peuvent aussi travailler dans une salle de l'hôtel ouverte au public ou dans la chambre du patron. Dans ce dernier cas, le patron (homme ou femme) veillera à se vêtir convenablement et à ce que sa chambre soit bien rangée quand son ou sa secrétaire ou associé(e) s'y présentera pour travailler. Les cadres louent généralement une suite à l'hôtel, ce qui semble la meilleure solution dans tous les cas.

• Au cours d'un voyage d'affaires, on respecte un certain protocole en ce qui concerne les notes de repas et de consommations. L'entreprise remboursera quiconque paie l'addition. Quand un supérieur (homme ou femme) voyage avec un cadre ou employé subalterne, on s'attend normalement à ce que le premier paie la note. Toutefois, la personne de rang inférieur pourra dire, à l'occasion: «Permettez-moi de vous l'offrir», s'il ne s'agit que d'une consommation ou d'un repas léger. Les voyageurs de même rang partageront les dépenses et régleront l'addition à tour de rôle.

• Comme les hommes, les femmes transportent leurs bagages. Les hommes peuvent leur prêter main-forte pour les plus grosses valises, mais les femmes se débrouilleront seules — elles sont maintenant les égales des hommes — et se serviront d'une voiturette à bagages dans les aéroports ou voyageront avec des valises munies de roulettes. Une femme qui se débat avec de lourds bagages met dans l'embarras son ou ses compagnons de voyage.

La femme d'affaires qui voyage seule

Une femme qui voyage seule pour affaires n'est plus tenue de passer toutes ses soirées dans sa chambre d'hôtel; elle peut parfaitement boire un verre au bar de l'hôtel et dîner dans un bon restaurant, si son apparence et son comportement sont ceux d'une professionnelle. Elle choisira avec soin les endroits où elle prendra une consommation ou un repas, se montrera sûre d'elle-même et aura des manières irréprochables. Les femmes n'ont plus à transporter avec elles un attaché-case pouvant leur servir de rempart, ni à se cacher derrière des dossiers ou un livre. Si elle projette l'image d'une femme d'affaires conservatrice, marche la tête haute, garde une expression agréable et sereine, et demande au maître d'hôtel: «Une table pour une personne, s'il vous plaît», elle ne s'attirera aucun ennui et commandera le respect de tous les employés d'un bon restaurant, autant que celui des personnes attablées. Elle peut à son aise commander un verre, des plats de choix et du vin, se détendre et jouir de sa soirée. De nos jours, une femme peut même prendre un verre seule dans un bar sans être importunée, si elle sait bien se tenir. Je lui recommande toutefois de prendre place à une table plutôt que de s'asseoir sur un tabouret au comptoir, et de rester à l'hôtel plutôt que de s'aventurer seule dans une ville étrangère.

Si un maître d'hôtel fait preuve de discrimination à l'égard d'une femme seule en lui offrant une table en Sibérie, ce qui signifie dans la section la plus désagréable d'un restaurant, près des cuisines, qu'elle lui demande gentiment mais fermement de lui désigner une autre table. On peut s'éviter cette situation déplaisante en réservant d'avance pour les premières heures de la soirée, alors que les restaurants sont moins occupés.

Si un étranger que vous n'y avez pas invité s'assoit à votre table, ne cédez pas à la panique. Appelez le serveur et demandez-lui d'offrir une autre table à ce mufle. S'il se fait insistant, appelez le gérant de l'établissement. Bien entendu, une femme peut répondre par l'affirmative à la requête d'un gentilhomme raffiné qui lui demande la permission de se joindre à elle, si elle apprécie sa compagnie. Elle peut aussi accepter qu'il lui offre un verre, mais elle insistera pour payer la deuxième tournée. Le troisième verre est toujours risqué. Si l'homme l'invite à dîner, elle lui fera clairement entendre, de même qu'au serveur, qu'elle tient à régler elle-même la note de son repas et ne reviendra pas sur sa décision. Une femme évitera toujours de se placer dans une situation qui la rendrait redevable à un homme.

Pour sa propre sécurité, mieux vaut qu'elle ne quitte pas l'hôtel ou le restaurant en compagnie d'un étranger pour se rendre à un bar et y prendre un verre. Cela pourrait s'avérer dangereux. Mais si elle règle elle-même sa note, adopte l'allure et le comportement d'une femme en voyage d'affaires pour sa société, tout le monde comprendra qu'elle n'est pas du genre à se laisser séduire.

Le savoir-faire des femmes

Si leur entreprise en a les moyens, les femmes que de fréquentes réunions obligent à voyager régulièrement auraient avantage à retenir une suite à l'hôtel, au lieu d'une simple chambre. Cela leur permettra de tenir des réunions dans leur suite plutôt que dans des halls d'hôtel, des bars et des restaurants. La présence d'un lit dans une pièce peut créer une impression de trop grande intimité et, de ce fait, les mettre dans l'embarras. Elles n'offriront toutefois jamais de boissons alcoolisées dans leur suite, mais se sentiront libres d'en accepter au bar de l'hôtel après qu'elles auront conclu l'affaire qui les occupait. Dans leur suite, pendant la réunion, elles tiennent le rôle d'hôte, comme elles le feraient dans leur maison, et elles veillent au confort de leurs invités. Elles offrent quelques petites bouchées, du café, du thé ou de l'eau minérale pendant la pause, peut-être même un petit panier de fruits frais découpés en bouchées. Les femmes avisées qui voyagent beaucoup se montrent particulièrement attentionnées à l'égard des employés de l'hôtel, donnent un bon pourboire au concierge, saluent le gérant de l'hôtel et n'oublient pas le maître d'hôtel qui leur a offert une bonne table (elles lui remettent un billet de cinq ou dix dollars, soigneusement plié, quand elles quittent la salle à manger, après le repas). Qui laisse un pourboire royal s'assure un service royal. Une attitude agressive et autoritaire dessert les femmes, mais un sourire aimable, un «s'il vous plaît», un «merci» et, si nécessaire, une doléance adressée fermement mais poliment à la bonne personne produisent toujours le résultat escompté.

Les commis voyageurs en quête d'une salle de montre

Les commis voyageurs, hommes ou femmes, ont parfois besoin d'une salle de montre, dans leurs déplacements. On réglera aisément ce problème en louant une deuxième chambre à l'hôtel où on loge. Mais on peut aussi louer une suite et se servir alors du salon comme salle de montre. La plupart des suites ont deux portes d'entrée, de sorte que les clients potentiels n'auront pas à traverser la pièce qui sert à des fins personnelles. En fait, la suite est encore plus appropriée qu'une deuxième chambre d'hôtel, même si le lit de cette dernière peut se transformer en canapé.

4. LES CADEAUX D'AFFAIRES

La philosophie du cadeau d'affaires

Les cadeaux de bureau sont un moyen de dire: «Merci, j'apprécie ce que vous faites.» Au bureau, les occasions d'offrir des cadeaux ne manquent pas: les jours de fête, les anniversaires de naissance, les fiançailles, les noces, les naissances, la semaine des Secrétaires, etc. Mais il existe aussi des cadeaux d'affaires au vrai sens du mot: des présents offerts aux clients, actuels ou potentiels, aux importantes relations d'affaires, à ceux qui prennent leur retraite et aux collègues à l'étranger. (Voir aussi «Les échanges de cadeaux», dans la section 5 du présent chapitre.) Faire un cadeau, n'importe quel cadeau, est un art; cela est encore plus vrai des cadeaux d'affaires. On offre un cadeau pour plaire à son destinataire, pour le remercier d'un service rendu, pour créer un climat propre aux rapports amicaux, pour cimenter une nouvelle relation d'affaires ou pour raviver une ancienne relation. On veillera toutefois à ne pas donner ainsi l'impression de vouloir corrompre le destinataire et on fera tout en son pouvoir pour écarter le moindre soupçon d'inconvenance.

Le choix d'un cadeau exige prévenance, sensibilité, imagination et une bonne dose de gentillesse dans un véritable effort de plaire à son destinataire. En conséquence, le destinataire l'acceptera gracieusement. Et il saura que dire «Merci» et «Comme c'est gentil!» fait également partie des bonnes manières, même si le cadeau ne répond pas vraiment à ses goûts. La gentillesse appelle la gentillesse, ce qui oblige parfois à dire qu'on aime quelque chose même si ce n'est pas le cas. Mais attention! L'auteur de ce livre ne préconise pas le mensonge et l'hypocrisie, mais l'usage averti des subtilités de la langue française et l'intelligence de trouver les mots justes. Il serait très indélicat — et socialement suicidaire — de la part du destinataire de laisser sentir qu'il n'apprécie pas le présent. Après tout, celui qui le lui offre s'est donné beaucoup de mal pour le trouver, sans compter ce qu'il a dû dépenser. Et ce cadeau témoigne presque à coup sûr de ses goûts personnels. C'est insulter une personne que de lui laisser entendre qu'on trouve ses goûts discutables.

Quand et pourquoi faire un cadeau

Quand on offre un cadeau, le choix du moment où on le présente est d'une importance capitale, et on doit également avoir une excellente raison de l'offrir. Un cadeau de mariage ou un présent pour une naissance, par exemple, sera toujours offert dans les deux mois qui suivent l'événement et non pas un an plus tard, parce qu'alors le cadeau n'aurait plus sa raison d'être. Personne n'est tenu de faire un cadeau d'anniversaire à un associé, mais quand on entretient des rapports constants et étroits avec une certaine personne et qu'on développe même avec elle des liens d'amitié, ou quand sa secrétaire ou son adjoint à l'administration s'est distingué par son excellent travail, on tient une bonne raison d'offrir un cadeau choisi avec soin. On évitera de donner des cadeaux trop recherchés ou trop dispendieux, afin qu'ils aient toujours l'air de ce qu'ils sont, c'est-à-dire des cadeaux, et non pas des pots-de-vin.

Les fleurs ne sont pas seulement jolies — même les hommes les aiment —, elles sont aussi de mise dans la plupart des circonstances. On envoie des fleurs, accompagnées d'un mot, pour un anniversaire de naissance ou tout autre anniversaire, pour un mariage, une naissance, une promotion, l'obtention d'un diplôme universitaire, la remise d'une distinction honorifique, la réussite d'un projet particulier, la publication d'un livre. On en fait parvenir aussi à son hôte après un déjeuner ou un dîner en son honneur, à ses hôtes dans une ville étrangère (voir la section 5), à une personne dont on a reçu une faveur, à une relation hospitalisée ou en convalescence après un accident ou une grave maladie, à une personne en deuil (sauf si elle est de religion juive), à une connaissance qu'on a offensée, pour s'excuser, et, en guise de remerciement très spécial, à toute personne dont a obtenu quelque secours.

Quoi choisir

Il est parfois fort difficile de choisir un présent, particulièrement si l'on ne connaît pas très bien le destinataire. On fera alors un effort spécial: on essayera de découvrir l'intérêt particulier que peut porter cette personne à certains livres ou à certaines activités sportives, aux voyages, aux arts, aux vins et à la nourriture, etc. Bref, on tiendra compte du mode de vie et des besoins de la personne pour qui on choisit le cadeau. Et pour obtenir ces renseignements, s'il s'agit d'un associé, on s'informera idéalement auprès de sa secrétaire, de son conjoint ou de son meilleur ami.

Comment présenter le cadeau

La manière dont on présente un cadeau est d'une importance primordiale. Celui qui l'offre exprime ainsi son estime pour le destinataire. Dans la mesure du possible, on remet ses cadeaux personnellement. L'expression du visage, les mots utilisés, le ton de la voix, la poignée de main échangée, tous ces détails ont leur importance parce qu'ils donnent tout son sens au cadeau. On accordera une attention spéciale à l'emballage de tout cadeau. Un cadeau mal présenté ou emballé d'une façon banale pourra perdre tout son effet. Pour le message qui l'accompagne, on utilisera un papier très fin, une carte de correspondance ou du papier sans en-tête de très bonne qualité; les cartes d'affaires, moins indiquées, doivent être glissées dans une enveloppe assortie. Choisissez vos mots avec soin. «J'espère que cela vous sera utile» est une formule qui manque d'imagination et d'enthousiasme.

Quand offrir un pourboire ou un cadeau

On ne sait pas toujours très bien s'il convient d'offrir un pourboire ou un cadeau. Certaines personnes s'offusquent lorsqu'on leur tend un pourboire, alors que d'autres l'acceptent de bon coeur. Je n'oublierai jamais le jour où je soignais un mauvais rhume à la maison et où j'ai téléphoné à la pharmacie pour qu'on me livre quelques médicaments. Une très jeune femme m'apporta le paquet. Je lui remis un bon pourboire, qu'elle accepta de bonne grâce et avec un large sourire. Quelle ne fut pas ma surprise lorsque je me rendis à la pharmacie après ma convalescence et découvris que la jeune femme était en fait la pharmacienne propriétaire de l'établissement. Je m'excusai, mais elle sourit et me dit: «Voilà ce qui arrive quand on a l'air d'une petite fille.»

Ne laissez pas de pourboire au propriétaire d'un salon de coiffure, même s'il vous coiffe, mais remettez-en un à tous ses employés qui vous ont servi. N'offrez pas de pourboire à un agent de bord, mais laissez-en un à un serveur. Ne remettez pas de pourboire au maître d'hôtel, mais glissez-lui plutôt dans la main un plus gros billet soigneusement plié, en quittant le restaurant; c'est ce qu'on appelle un pot-de-vin pour s'assurer une bonne table à sa prochaine visite (et ça marche!). Laissez un pourboire à un moniteur d'éducation physique, mais pas à votre professeur de tennis ou à votre professeur de langue; offrez-leur plutôt un cadeau au temps des fêtes. En règle générale, on offre un cadeau à un professionnel et un pourboire à un employé de l'industrie des services. Dans le temps des fêtes, il est de bon ton d'offrir à la fois un modeste présent et quelques billets aux personnes que l'on côtoie régulièrement dans l'industrie des services, comme son coiffeur, son manucure, son barbier, etc.

Les cadeaux du temps des fêtes

• La politique d'une entreprise

Chaque entreprise a sa politique en ce domaine. Ce qui est de mise dans une société peut ne pas l'être dans une autre. Si chaque individu est libre de décider pour lui-même d'offrir ou non des cadeaux au temps des fêtes, sa décision n'en est pas moins importante en ce qu'elle pourra avoir des conséquences sur l'image de l'entreprise et son succès en affaires. On ne considère pas les primes comme des cadeaux, même si on les distribue à la période des fêtes. En fait, les primes sont allouées en fonction du rendement; en conséquence, chaque employé les gagne et n'est pas tenu d'y donner suite par un mot de remerciement formel. Un simple merci verbal suffit. En matière de cadeaux du temps des fêtes, les politiques varient grandement d'une entreprise à une autre. Ainsi, certaines entreprises:

- considèrent le party de Noël comme un cadeau;
- remettent un chèque d'un même montant à tous leurs employés;
- interdisent l'échange de cadeaux;
- préfèrent les cadeaux personnalisés et/ou les chèques personnels;
- offrent des paniers de fruits ou de nourriture, une dinde de Noël ou une bouteille d'eau-de-vie aux employés, aux clients actuels et potentiels et aux personnes de marque.

Les sociétés dont la liste de cadeaux des fêtes s'allonge devraient songer à la traiter sur ordinateur, à la mettre à jour régulièrement et à y inscrire avec soin tous les changements nécessaires, pour éviter des erreurs, dont celle, par exemple, d'offrir deux fois le même cadeau à quelqu'un.

- Les cadeaux offerts par la compagnie aux clients et aux personnes de marque

La nourriture convient parfaitement pour les cadeaux d'affaires, surtout s'il s'agit de mets raffinés. On peut en effet partager ce genre de présent avec toute la famille, les amis et même les collègues de travail, ce qui le rend encore plus agréable. Certains aliments sont plus populaires que d'autres: les plats cuisinés, les pains et croissants de boulangerie fine, les confitures et marmelades importées, les vinaigres aromatisés aux fruits ou aux fines herbes, sans oublier certains mets très dispendieux comme le caviar de béluga, le saumon et la truite fumés, les pâtés importés, les fruits confits dans l'alcool, les châtaignes glacées et autres produits de luxe. Pour arrêter votre choix, tenez compte de l'importance du destinataire.

On doit choisir avec soin une eau-de-vie ou un vin qu'on offrira en cadeau. On ne l'envoie jamais au bureau du destinataire, mais plutôt à son adresse personnelle, et, bien sûr, jamais à une personne qui ne boit pas, même si elle pourrait à la rigueur en servir à ses invités. Dans tous les cas, on prendra la peine d'aller aux informations, parce qu'offrir de l'alcool en cadeau peut offenser certaines personnes, en raison de leur appartenance à certaines dénominations religieuses ou associations de tempérance. On recommande aussi de s'informer des préférences du destinataire et de chercher à savoir quelle marque de scotch ou de brandy il ou elle préfère. Le xérès et le porto de bonne qualité font toujours des cadeaux appréciés, et le champagne reste un symbole de célébrations fastueuses, tout comme la bouteille de vin très rare. Si un excellent champagne n'est pas à la portée de sa bourse, mieux vaut opter pour une bonne bouteille de vin. Par ailleurs, une bouteille de vin rare peut excéder, et de beaucoup, le prix du champagne.

Les fleurs sont un luxe au même titre que le champagne. On peut faire livrer un arrangement floral au bureau de son destinataire, mais on adressera de préférence les fleurs coupées à sa maison privée. Les fleurs coupées nécessitent des soins particuliers et doivent être déposées dans un vase, ce qu'on ne trouve pas nécessairement dans un bureau. Traditionnellement, les femmes n'offraient pas de fleurs aux hommes; toutefois, à notre époque d'égalité entre les sexes, les femmes n'hésitent plus à envoyer des fleurs aux hommes pour les mêmes raisons que ceux-ci en offrent aux femmes. (Pour plus de détails sur les fleurs, voir, plus loin dans cette section, «Les cadeaux en cas de maladie».) Les accessoires de voyage ou de bar font aussi de très intéressants cadeaux d'affaires pour la personne que son travail oblige à de fréquents déplacements.

• Les cadeaux de la secrétaire à son patron

Une secrétaire n'est pas tenue d'offrir un cadeau à son patron, mais si elle travaille pour le même patron depuis des années et connaît sa famille et ses intérêts hors du travail, elle sera avisée de lui offrir un cadeau modeste et impersonnel. Ce pourrait être un présent qu'il partagera avec sa famille: une bouteille de bon vin, ou un jeu que tous les siens apprécieront; ce pourrait être aussi un livre dont le sujet l'intéressera, ou peut-être un présent un peu plus imaginatif, comme un petit album de photos prises pendant une excursion avec lui et les siens. Comme le champagne, les fleurs fraîches coupées sont l'expression ultime de la beauté et du luxe, et elles procurent toujours un moment de joie intense. On choisira toutefois les fleurs très soigneusement et chez le meilleur fleuriste. Si le patron a des enfants, un petit cadeau à leur intention constituera parfois une solution de rechange fort appréciée.

• Les cadeaux du patron à sa secrétaire

L'importance du cadeau du patron à sa secrétaire dépendra du temps que cette dernière a passé à son service, des responsabilités qu'elle assume et de la classe de cadres à laquelle il appartient. Le prix du cadeau pourra donc varier énormément. Mais une fois qu'un précédent aura été créé en ce qui concerne le prix du cadeau, la secrétaire s'attendra à un présent de même valeur l'année suivante. Bien qu'on juge plus personnel d'offrir un cadeau qu'on a pris le temps de choisir, un chèque ou un certificat-cadeau d'un excellent magasin ou boutique peut s'avérer plus approprié dans certaines circonstances.

Les cadeaux de mariage

Les membres de la haute direction des grandes compagnies et sociétés, qui reçoivent une invitation d'office chaque fois qu'un des employés se marie, ont pour politique de n'accepter aucune de ces invitations, sauf si elle vient du personnel de leur bureau. Les cadres supérieurs acceptent également les invitations de ceux qui occupent des fonctions comparables aux leurs ou plus élevées. Les cadres d'entreprise ne sont pas tenus d'envoyer de cadeau lorsqu'ils déclinent l'invitation d'un employé. Il est néanmoins de bon ton d'adresser ses meilleurs voeux de bonheur. Par ailleurs, j'ai déjà vu un administrateur d'une grande société offrir à sa secrétaire administrative un splendide «trousseau» de table: porcelaine, cristal, argenterie, rien ne manquait! Tout dépend du temps qu'une personne a été à l'emploi d'une compagnie, de son dévouement et des relations de travail qui se sont développées entre elle et son patron. Tout employé sera ravi de recevoir de son patron un cadeau de mariage sur lequel on aura gravé les initiales du couple et celles de qui offre le présent (s'il le désire), ainsi que la date du mariage. En général, les employés n'offrent pas de cadeau de mariage au patron. Mais les membres de son personnel immédiat peuvent lui offrir des cadeaux individuels ou se grouper pour lui remettre un présent collectif. Cette pratique est très répandue dans les petites compagnies, où tout le monde côtoie chaque jour le patron. Mais cela n'est pas une nécessité, si l'on s'en tient à la lettre de l'étiquette et aux règles généralement admises de la politesse.

Offrir un cadeau à un client actuel ou potentiel, ou à un associé, constitue un bon investissement, même s'il faut le payer de sa poche. Il s'agit là d'un excellent moyen d'exprimer son estime et sa bonne volonté, deux sentiments importants pour entretenir de bonnes relations d'affaires avec des cadres d'autres entreprises.

Certaines entreprises prévoient l'achat de cadeaux de mariage types, dont la valeur varie selon que le destinataire est un directeur de service, un cadre supérieur ou une personne de marque. Il peut s'agir d'un bol à fruits en cristal, d'un compotier Baccarat, d'un plateau d'argent Puiforcat, d'un objet d'art ou de collection.

Les cadeaux collectifs

Dans certains bureaux, les cadeaux collectifs sont fort populaires. Si l'un des membres du personnel se marie ou a un enfant, les autres employés contribuent à l'achat d'un cadeau. On peut aussi envoyer des fleurs, au nom du groupe, à un employé malade, ou qui prend sa retraite, ou qui est éprouvé par un deuil. Personne ne devrait toutefois se sentir obligé de verser sa quote-part; on peut toujours refuser poliment. Les personnes qui ont participé à l'achat du cadeau signeront toutes la carte qui l'accompagne. Le destinataire leur adressera à chacun un mot de remerciement. Si plusieurs personnes se sont cotisées pour offrir un cadeau, le destinataire pourra aussi faire circuler dans le bureau une lettre de remerciement ou l'afficher dans un endroit bien à la vue de tous.

Les cadeaux en cas de maladie

Les fleurs sont considérées comme un bon remède. Elles signifient à la personne malade que quelqu'un se soucie d'elle, que quelqu'un l'aime. Cela l'encourage fortement à guérir. Les fleurs devraient être apportées dans un vase afin de ne pas donner de travail supplémentaire au personnel hospitalier, qui est déjà débordé. Les plantes en pot sont le symbole de la continuation de la vie et elles donnent de l'espoir à la personne malade. On ne serait pas bien avisé d'apporter des chocolats ou d'autre nourriture en cadeau sans savoir si le patient a la permission d'en manger ou apprécierait un tel cadeau. Des revues ou toute autre lecture de caractère léger, de même que des mots croisés, pour ceux qui aiment s'y adonner, sont des cadeaux appropriés. Pour les malades qui devront garder le lit durant une longue période, une nouvelle robe de chambre, un gilet de lit (pour les femmes) ou tout autre article de nature personnelle pourrait être fort apprécié.

Présents insolites:
- un cadeau amusant, comme un chat Garfield en peluche;
- des voeux de santé préenregistrés par tous les collègues et accompagnés de nouvelles agréables du bureau;
- un bouquet de ballons;
- un album de bandes dessinées.

Les cadeaux de retraite

On souligne souvent le départ d'un employé de longue date par un cocktail, un déjeuner ou un dîner dans un club privé, un restaurant, parfois même à la maison du directeur général ou d'un collègue. On présente généralement à cette occasion un cadeau de prix à celui qui prend sa retraite. Le cadeau choisi dépendra des années de service du futur retraité et du rang qu'il occupait dans l'entreprise. Certaines sociétés optent pour la traditionnelle montre en or sur laquelle on a fait graver les années de service du retraité. D'autres compagnies font un choix plus original. Elles s'informent des activités sportives et des loisirs auxquels s'adonne le retraité, de son intérêt pour les arts, les antiquités, les livres rares, etc., et lui remettent un présent mémorable correspondant à ses goûts. Un gentil-homme de ma connaissance m'a montré récemment un livre magnifiquement relié qu'il a reçu de son employeur, contenant des textes manuscrits rédigés par certains de ses collègues talentueux et illustrés de photographies rappelant ses nombreuses années de service.

Dans le meilleur des cas, le cadeau offert à un retraité consti-tuera un souvenir mémorable des années passées au service d'une compagnie et avec ses collègues immédiats. Il vaut donc la peine de faire l'effort nécessaire pour choisir judicieusement le présent offert à cette occasion.

Les cadeaux inappropriés

Il n'est pas toujours facile d'offrir ou d'accepter un cadeau. Certains cadeaux inappropriés peuvent causer de l'embarras et même du désarroi à leur destinataire. Les personnes bien éduquées sont toujours soucieuses de ne pas embarrasser quel-qu'un, surtout avec un cadeau dont le but est de faire plaisir.

Les cadeaux peuvent nuire à celui qui les offre s'ils:
• sont trop somptueux, trop dispendieux ou trop personnels;
• ont une connotation sexuelle manifeste;
• sentent le pot-de-vin.

Les cadeaux sont inappropriés s'ils:
- sont particulièrement de mauvais goût ou vraiment mesquins;
- menacent la santé de leur destinataire, comme les cigarettes, les fume-cigarette, les briquets, etc.;
- ridiculisent leur destinataire, comme un livre de cuisine offert à une personne incapable de faire cuire un oeuf, un livre sur l'étiquette à quelqu'un qui en a un besoin urgent, un livre sur un régime alimentaire, un ouvrage sur l'amélioration de son image, de sa sociabilité, etc.;
- sont irréfléchis, comme une eau-de-vie pour une personne qui ne boit pas ou, pire encore, pour un alcoolique qui a cessé de boire, des articles de sport pour quelqu'un qui ne s'adonne à aucune activité sportive, des accessoires d'automobile pour quelqu'un qui ne conduit pas, etc.

On renverra sur-le-champ à son expéditeur tout cadeau aux connotations sexuelles ou aux allures de pot-de-vin. En recevant un présent, si vous devinez d'instinct qu'il vaudrait mieux ne pas le conserver (un bijou extrêmement dispendieux offert par le patron, par exemple), renvoyez-le immédiatement avec une note comme celle-ci: «Je ne peux accepter ce cadeau que je trouve fort déplacé, et je vous le renvoie ci-joint.» Conservez une copie de votre lettre et le reçu de la poste.

On s'abstiendra toutefois de retourner tous les autres cadeaux inappropriés, à moins que la compagnie n'ait une politique particulière concernant l'acceptation des cadeaux. Dans ce cas, on expliquera poliment et avec délicatesse les raisons qui motivent son refus.

Les remerciements

Un mot de remerciement est obligatoire pour tout cadeau, qu'il soit offert par le patron ou par un collègue. Si le cadeau ne vous plaît vraiment pas, ne vous montrez pas faussement enthousiaste dans votre mot de remerciement; usez plutôt d'un langage diplomatique et remerciez la personne qui vous l'a offert «d'avoir eu une telle gentillesse, en ce temps des fêtes».

Si le patron distribue des petits cadeaux à tous les employés, il serait gentil (mais pas obligatoire) de lui offrir en retour un petit cadeau collectif accompagné d'un mot de remerciement.

5. LES ÉCHANGES INTERNATIONAUX

Les visiteurs venus de l'étranger

Lorsque vous vous apprêtez à accueillir dans votre ville un homme d'affaires venu de l'étranger, faites tout en votre pouvoir pour rendre son séjour aussi agréable que possible, particulièrement si sa conjointe l'accompagne. L'excellente impression que votre invité pourra garder de vous, de votre entreprise et de votre pays dépendra en grande partie de votre prévenance, de votre disponibilité et de votre sens de l'hospitalité.

Planifiez tout d'avance pour rendre la vie aussi facile et agréable que possible à votre visiteur et à sa conjointe, et ajoutez à l'apprêt de leur suite une petite touche personnelle qui leur donnera vraiment l'impression d'être les bienvenus. En pareille circonstance, le traditionnel bouquet de fleurs ne suffit pas. Pensez à assurer le confort le plus complet à votre visiteur, et n'oubliez surtout pas ses activités de loisir préférées. Cela rendra beaucoup plus intéressant son séjour dans votre ville et contribuera à la bonne impression d'ensemble qu'il en gardera à son retour chez lui. Cette démonstration de gentillesse et de bonnes manières profitera aussi à vos affaires. Si votre invité est également un joueur fervent de polo, par exemple, tentez d'organiser un match avec de bons joueurs et prévenez-le d'avance, de manière à ce qu'il apporte le nécessaire dans ses bagages. Dans le bar ou le réfrigérateur de sa suite, placez plusieurs bouteilles de son vin ou de son champagne préféré, de sa marque favorite de scotch ou de gin, et d'eau minérale ou de boissons gazeuses. Dans sa suite, placez bien en évidence les livraisons les plus récentes des journaux et revues (dans sa langue maternelle) et quelques prospectus sur les centres d'intérêt de votre ville, ainsi que des fruits frais, des friandises et un mot de bienvenue.

Communiquez à votre invité toute l'information nécessaire:
- un itinéraire complet de ses rendez-vous inscrits à l'horaire de son séjour (avec copie pour sa conjointe);
- une liste de toutes les obligations sociales auxquelles les deux conjoints participent, et les renseignements pertinents, comme la date, l'heure, l'adresse, le numéro de téléphone, etc.;
- la liste des activités sociales spéciales pour la conjointe, s'il y a lieu (avec copie pour votre invité);
- un dictionnaire bilingue si la conjointe ne parle pas votre langue; mieux encore, retenez les services d'un interprète pour les réunions d'affaires, si nécessaire;
- une liste des grands magasins, des expositions à voir, des lieux intéressants à visiter, des bons restaurants, des théâtres, etc.;
- une liste complète des numéros de téléphone en cas d'urgence;
- une liste des lieux de culte.

N'accablez jamais votre invité (ni tout autre voyageur) de requêtes personnelles. Ne lui demandez pas d'apporter pour vous des paquets dans son pays; ne lui demandez pas non plus de faire pour vous quelques courses à son retour chez lui, afin qu'il vous envoie des produits introuvables ici. Même s'il offre de bon coeur de vous rendre service, réfléchissez-y à deux fois avant d'accepter. Le transport de ses bagages personnels lui causera déjà bien assez de tracas sans que vous ajoutiez indûment à ses soucis en lui confiant un colis.

Les visites à l'étranger

Lorsque vous voyagez à l'étranger pour affaires, rappelez-vous toujours que vous ne représentez pas seulement votre entreprise, mais aussi votre pays. En pays étranger, votre comportement vous distingue et vous ne pouvez passer inaperçu.

Le principe d'un comportement exemplaire à l'étranger (comme chez soi) est de ne rien faire qui puisse importuner les autres ou porter atteinte à leur sensibilité. Un voyageur avisé se renseignera sur les coutumes des pays qu'il visite. Il se rendra populaire dans toutes les parties du monde en manifestant de l'intérêt et de l'enthousiasme pour les coutumes et les sites du pays qu'il visite, mais en évitant d'imiter sans discernement les coutumes locales. Ce que vous entendez de la bouche de l'homme de la rue et ce que vous le voyez faire n'est pas toujours le reflet des coutumes traditionnelles du pays en question.

Un voyageur averti ne se permettra jamais de comparer un pays étranger avec le sien puisque, selon le proverbe, «toute comparaison est odieuse». Ce serait également une façon certaine de s'aliéner les bonnes grâces de ses habitants, surtout de ceux et de celles que l'on compte parmi ses connaissances d'affaires.

Il importe d'être sensible aux différences culturelles, car ce que nous considérons chez nous comme des manières hautement civilisées peut être considéré ailleurs dans le monde comme extrêmement grossier. Être sensible à ces différences et adapter son comportement en conséquence, voilà la clé du succès et de la rentabilité quand on vit à l'étranger ou qu'on y traite des affaires. On s'emploiera donc à étudier et à comprendre le mode de vie qui prévaut dans le pays où l'on se trouve, au lieu de concentrer son attention exclusivement sur les affaires. Dans bien des pays, les relations personnelles que vous entretiendrez avec vos partenaires en affaires seront d'une importance primordiale; avant de parler affaires, les gens voudront d'abord s'assurer qu'ils peuvent vous faire confiance. On n'insistera jamais assez sur l'importance de connaître les us et coutumes d'un pays avant de s'y rendre. Quiconque arrive dans un pays étranger sans en rien connaître insulte de ce seul fait les gens qui l'habitent.

À l'étranger, les habitudes de boire et de manger diffèrent souvent de ce que vous avez appris chez vous. Contentez-vous de déployer vos meilleures manières à table et vous vous sentirez à l'aise et correct partout. Vous n'aimerez peut-être pas tous les mets et boissons qui vous seront servis, mais souvenez-vous que de nombreux étrangers n'apprécient sans doute pas non plus les hamburgers et les hot-dogs, sans parler des sodas glacés et des laits frappés, surtout s'ils accompagnent un hamburger! Une personne polie s'efforce d'apprécier la nourriture et les boissons locales.

(Pour le Japon, Hong-kong, la République populaire chinoise, voir plus loin, dans le présent chapitre.)

Planification et préparatifs

En voyage en pays étranger, un homme ou une femme d'affaires mal renseigné, indifférent et insensible peut très rapidement ruiner des relations d'affaires établies avec ce pays ou échouer lamentablement à en créer de nouvelles. Avant de partir en voyage ou d'entreprendre un long séjour à l'étranger, prenez le temps de bien vous documenter sur l'histoire du pays, ses valeurs, ses coutumes et son éthique du travail, et, si votre conjoint et vos enfants s'y rendent avec vous, faites-leur bien sentir les différences culturelles qui existent entre votre pays et celui où vous séjournerez.

Rendez-vous à l'ambassade du pays en question et demandez-y de l'information, des dépliants, des livres, etc., ou adressez-vous à votre bibliothèque municipale ou à un libraire spécialisé en la matière pour vous procurer des lectures qui vous renseigneront adéquatement. Interrogez aussi les cadres et les membres de leurs familles qui rentrent de ce pays et communiquez également avec des personnes cultivées originaires de ce pays.

Ce que vous devez connaître
- quelques phrases clés dans la langue du pays;
- le code du vêtement;
- les tabous religieux (c'est très important);
- les grandes lignes de l'histoire du pays;
- le nom de l'ambassadeur canadien en poste;
- l'adresse du consulat canadien;
- la manière appropriée de saluer les gens: la poignée de main, le protocole de l'échange de cartes d'affaires, etc.;

- les usages concernant les cadeaux d'affaires;
- les règles de ponctualité aux réunions et rencontres sociales et d'affaires.

(Vous trouverez réponse à ces questions plus loin dans le présent chapitre.)

La communication dans une langue étrangère

Plus une personne connaît de langues, mieux elle réussit sa vie personnelle et, plus important encore, sa vie professionnelle. Parler la langue d'un pays où l'on vit ou avec lequel on fait des affaires est d'une importance primordiale, car on se trouve ainsi dans une position largement avantageuse par rapport à ceux qui n'ont pas cette compétence. Vous ferez très bonne impression si vous pouvez communiquer avec des visiteurs importants venus de l'étranger, interpréter et traduire des lettres, et, en conséquence, vous améliorerez votre image au sein de votre entreprise. En affaires, il est important de saisir les moindres nuances dans le comportement de son interlocuteur, ce qui est impossible si on ne connaît même pas la langue de celui-ci.

Certains hommes ou certaines femmes d'affaires finissent par souffrir d'un complexe d'infériorité parce qu'ils ou elles ne connaissent pas à la perfection la langue de leur interlocuteur et ne parviennent pas à assimiler totalement leur culture. Il est impossible de tout savoir de la littérature, des arts et des sciences d'un autre pays, et, même si l'on est très cultivé et que l'on connaît parfaitement sa propre langue et sa propre culture, on peut avoir le sentiment de n'être pas à égalité avec les gens de cet autre pays. Il faut encourager la personne qui fait tout son possible et ne jamais lui signaler ses faiblesses. Il est malséant de corriger les fautes de grammaire des autres, tout comme il est grossier de leur signaler un accroc aux bonnes manières. Seul un professeur peut se permettre ce genre de remarque. Évidemment, les cadres qui sillonnent le monde ne peuvent maîtriser toutes les langues étrangères, mais ils peuvent toutefois se faire un point d'honneur de toujours s'attacher un interprète compétent.

La traduction

Lorsque vous vous trouvez en pays étranger, gardez à l'esprit que la manière la plus efficace et la plus judicieuse de faire une chose est généralement la plus polie. Par exemple, les cartons de menu sont presque toujours rédigés en français, car cette langue n'est pas seulement celle de la diplomatie mais aussi celle des vins et de la haute gastronomie. Lorsque les invités à votre table ne connaissent pas le français, ayez la délicatesse et la politesse de prévoir une traduction au verso. Les cartes de visite doivent aussi être rédigées en français au recto et dans la langue du pays hôte au verso. On les présente du côté imprimé dans la langue de la personne qui les reçoit. Si l'un de vos correspondants ne connaît pas votre langue, faites traduire vos lettres dans sa langue ou dans une langue que le destinataire et vous-même maîtrisez suffisamment. Puisque l'anglais est maintenant devenu la langue des affaires dans plusieurs pays du monde, ce sera la plupart du temps, sinon toujours, le choix le plus indiqué. La documentation ou les films promotionnels que vous apportez en pays étranger doivent être dans la langue de ce pays. Si vous retenez les services d'un interprète pour vos réunions, assurez-vous qu'il comprenne la nature de votre entreprise et l'objet de la réunion. Qu'il soit aussi au fait du vocabulaire technique et des expressions particulières relatifs aux affaires que vous traitez.

Distribuez un programme bilingue lorsque vous recevez des invités étrangers à une réunion et assurez-vous que tous comprennent ce que vous dites. Si vous ne disposez pas des services d'un interprète et que votre invité n'est pas totalement à l'aise dans votre langue, parlez lentement, arrêtez-vous souvent pour lui demander si tout lui paraît clair, et faites un résumé simple et bref de chaque point discuté.

Les relations avec l'interprète

Les interprètes sont des professionnels dotés d'une formation supérieure et on doit les traiter avec considération et tous les égards dus à leur fonction. On retient essentiellement les services d'interprètes pour deux types de réunion d'affaires: le dîner officiel entre hauts dirigeants de grandes sociétés auquel sont conviés des diplomates et fonctionnaires de haut rang, et celui où ne sont présents que les premiers.

1. *Le dîner officiel entre hauts dirigeants*
- On avisera l'interprète de se présenter en tenue de soirée s'il s'agit d'un événement où la cravate noire est de rigueur.
- L'interprète ne mangera pas avec les invités. On lui servira son repas avant ou après le travail. On le fera s'asseoir sur une chaise un peu plus basse entre les deux figures centrales de l'événement, et légèrement en retrait. Il devra pouvoir tout entendre et travailler à son aise, mais les deux protagonistes n'en seront pas moins assis côte à côte. Pendant que les invités mangent, l'interprète garde le silence, prêt à traduire toute parole prononcée dans l'une ou l'autre des deux langues.

2. *Le dîner sans la présence de diplomates et fonctionnaires de haut rang*
- On met toujours préalablement les interprètes au courant du code vestimentaire. Si les invités optent pour une tenue plus officielle, les interprètes porteront veston et cravate, et les femmes, la robe plutôt que le pantalon.
- On offrira aux interprètes, au moment approprié, quelque chose à boire et à manger. On ne les laissera pas travailler jusque tard dans la soirée sans leur consentir une pause et leur offrir quelques rafraîchissements.
- À table, on fera asseoir l'interprète entre les deux figures centrales et on le traitera avec autant de courtoisie que tout autre invité. Il (elle) s'assoira de façon à ce que les deux protagonistes puissent toujours se voir très bien. Ils doivent pouvoir communiquer entre eux par gestes, malgré la présence de l'interprète.
- Dans le cas d'une visite de groupe à une usine, par exemple, si le groupe reste debout, l'interprète se tiendra entre les deux personnalités centrales, légèrement en retrait pour

qu'elles puissent toujours se voir; il s'inclinera vers la personne qui parle, l'écoutera, puis se penchera vers l'autre pour lui traduire ce qui a été dit, mais sans jamais vraiment tourner le dos à aucun des protagonistes.

Les différences culturelles et professionnelles

Les relations d'affaires internationales sont devenues une réalité courante, et même le gérant le plus inexpérimenté, l'ingénieur, le technicien et presque tout jeune cadre, de même que tout membre de la haute direction, sera un jour ou l'autre appelé à voyager pour son entreprise. Les voyages d'affaires ne se limitent plus désormais aux petites visites chez nos voisins immédiats à New York ou à Los Angeles, mais comportent de longs périples jusqu'à Hong-kong et au Japon. Lorsqu'on voyage pour son plaisir, on ne représente que soi et son pays, mais en voyage d'affaires s'ajoute la lourde responsabilité de représenter aussi son entreprise, son image et ses produits. La première impression que vous laisserez, voilà l'image que vos hôtes se feront de votre société. L'étranger qui vous recevra percevra instantanément si vous êtes une personne distinguée, cultivée et polie, et cela lui donnera une bonne idée de la façon dont votre entreprise traite ses affaires.

Chacun se fera un devoir d'apprendre le protocole à observer lorsqu'on rencontre des étrangers, que ce soit dans son pays ou dans le leur. Et, de grâce, n'oubliez pas de ne jamais tutoyer quiconque en pays étranger, à moins qu'on ne vous ait prié de le faire. Cela vaut aussi pour l'utilisation des prénoms. Des années d'expérience m'ont appris que certaines bourdes sont fatales dans toute relation professionnelle (et même personnelle). Informez-vous de la façon dont on se salue dans un pays étranger que vous vous apprêtez à visiter; sachez s'il faut échanger une poignée de main ou s'incliner, et jusqu'à quel point (au Japon, par exemple), ou s'il faut joindre les mains en s'inclinant.

Sachez aussi en quelles circonstances on doit utiliser le titre professionnel d'une personne, comme *Herr Ingenieur* en Allemagne, ou *Dottore* (*Dottoressa*) comme on le fait presque toujours en Italie quand une personne est diplômée d'une université, ou quelque titre de noblesse en France, en Angleterre ou en Allemagne. Ces détails peuvent vous paraître absolument insignifiants, tout comme les bonnes manières en général, mais sachez qu'à l'étranger la connaissance et la mise en pratique du protocole international des affaires, tout comme des bonnes manières et des règles les plus usuelles de la politesse, peuvent cimenter des relations d'affaires, et leur ignorance, les empêcher.

Le comportement à l'étranger

Allemagne de l'Ouest (République fédérale d'Allemagne)

«Les Français les redoutent, les trouvent rigides et sans humour», disent Olivier Protard et Pierre-Alain Szigeti dans *Le Guide du savoir-vivre en affaires*, mais, poursuivent-ils, «attention, les Allemands ont beaucoup changé depuis qu'ils ont été débarrassés du petit homme à moustache. Ils parlent mieux les langues étrangères que nous et surtout, ils n'ont pas à faire la preuve de leurs talents d'exportateurs.» Et ils ont parfaitement raison. Les années sombres du Troisième Reich appartiennent au passé; nous avons affaire aujourd'hui à une nouvelle génération et il serait temps pour tout le monde de travailler sérieusement.

En Allemagne, les gens sont ponctuels; on arrive donc toujours à l'heure à un rendez-vous et on ne se présente jamais à l'improviste. Les hommes d'affaires allemands ne perdent pas de temps, mais ils aiment bien connaître leurs partenaires en affaires afin d'établir avec eux des relations professionnelles sûres et durables. Les gens d'affaires s'habillent avec soin: les hommes portent le complet trois-pièces de tons neutres, la cravate, la chemise blanche et des accessoires d'excellente qualité; les femmes portent la robe et le tailleur plutôt que le pantalon. Si l'on vous invite à un concert ou à l'opéra, on s'attendra à ce que vous vous vêtiez en conséquence. Les hommes devront porter leur smoking («cravate noire») et les femmes, une jupe ou robe longue ou encore une toilette très habillée pour l'heure du cocktail. En ces occasions, on accepte parfois que les hommes portent le complet sombre, mais il vaut mieux s'en informer pour plus de sûreté. Si quelqu'un vous invite à dîner chez lui, soyez à l'heure. Dans ce cas-ci, cela signifie de cinq à dix minutes après l'heure fixée. N'oubliez pas d'apporter un bouquet de fleurs fraîchement coupées (en nombre impair, comme cinq ou sept) et offrez-les à la maîtresse de maison. Si le fleuriste les a enveloppées dans un papier banal, sortez-les du papier avant de les lui offrir. On n'offre dans leur emballage que les fleurs présentées dans un carton au couvercle transparent, comme les orchidées, ou dans un papier cellophane transparent, retenu par un ruban. N'offrez jamais de roses ou d'oeillets rouges; ces fleurs sont l'expression d'un sentiment amoureux. Surveillez vos manières à table; rappelez-vous que le *Tischzuchten* (règles de conduite à table), l'un des premiers ouvrages sur le sujet, nous vient d'Allemagne. Les *Kartoffeln* (pommes de terre), les *Knödel* (boulettes) et toutes les autres croquettes doivent être découpées à la fourchette et non au couteau. On ne discute jamais d'affaires à table et on ne doit pas passer de négociations d'affaires à des sujets de conversation plus frivoles ou vice versa. Il faut aussi se documenter afin de pouvoir discuter d'événements culturels, de littérature, et des arts en général. Le lendemain de la réception, écrivez un mot de remerciement. Et rappelez-vous que tout ce qui sent le pot-de-vin est vivement réprouvé en ce pays. Enfin, lorsque vous portez un toast, ne dites jamais *Prosit*; utilisez plutôt la formule plus raffinée *Zum Wohl* (À votre santé).

Quiconque se rend en Allemagne se mettra au fait des nouvelles règles en matière de conduite automobile, qu'on y a surnommées «Le décret sur la politesse au volant»; il s'agit de l'une des mesures adoptées par le gouvernement pour mettre un frein au taux croissant d'accidents de la route. Après plusieurs tentatives infructueuses pour que soit adoptée une limite de vitesse de 100 km/h sur les *Autobahn* (autoroutes) de l'Allemagne de l'Ouest, le ministre des Transports a décidé plutôt de faire porter ses efforts sur l'amélioration des bonnes manières au volant. La nouvelle loi interdit aux chauffeurs:

- de faire clignoter leurs phares de tempête;
- de suivre de trop près un autre véhicule;
- de faire des gestes impolis de la main;
- de doubler de trop près.

L'un ou l'autre de ces comportements discourtois coûtera au chauffeur coupable une amende élevée et pourra même lui valoir des points de démérite. Certains jugent ridicule cette nouvelle loi, tout comme on l'a fait d'un article que j'ai publié il y a quelques années et où j'écrivais: «...nous redécouvrons aujourd'hui que la politesse est un précieux rempart contre certaines formes de violence», et, selon le mot de Jean de La Bruyère, «qu'elle fait paraître l'homme au-dehors comme il devrait être à l'intérieur».

Amérique latine

Dans tous les pays d'Amérique latine, on se conformera aux règles très strictes du protocole à l'égard des femmes. Celles-ci y sont très protégées et respectées, et tous les hommes doivent se soumettre à ces règles.

Les femmes d'affaires sont traitées là-bas en fonction de leur sexe et de leur rang, et le flirt y est réprouvé comme chez nous. Les hommes portent le complet d'affaires, la chemise blanche et la cravate; les femmes portent la robe ou le tailleur plutôt que le pantalon. Les Sud-Américains sont des gens très chaleureux et hospitaliers, et leurs maisons semblent toujours ouvertes aux visiteurs. Alors que je travaillais à Belo Horizonte, au Brésil, j'ai été invitée plus souvent et me suis fait plus d'amis que partout ailleurs. Si on vous invite à dîner, soyez élégamment en retard: arrivez environ une demi-heure après l'heure fixée. On y dîne vers 22 heures. Apportez des fleurs ou un petit cadeau, faites des compliments au sujet de la maison et du jardin, et adressez dès le lendemain un mot de remerciement à vos hôtes. Ne fumez jamais à table, dans quelque pays d'Amérique du Sud où vous vous trouviez, car ce serait interprété comme un geste fort grossier. Ne consultez pas votre montre lorsque vous êtes en compagnie de quelqu'un, car ce geste irrite les Sud-Américains. Les hommes se serrent la main chaque fois qu'ils se rencontrent, même si cela se produit plusieurs fois dans la même journée. Laissez des pourboires généreux dans les pays d'Amérique du Sud. Si vous vous trouvez à Rio au bon moment, c'est-à-dire pendant le Carnaval, ne ratez pas cette expérience. Toutefois, certaines précautions s'imposent et une femme ne s'aventurera jamais seule dans les rues à cette période de l'année.

> *Remarque:* N'offrez jamais un assortiment de couteaux à un Argentin. Ce serait une façon de lui signifier que vous désirez mettre fin à toute relation d'affaires avec lui.

Angleterre

En Angleterre, soyez aussi digne et réservé que les Britanniques. Abordez tous les aspects de votre voyage d'affaires avec le souci des formes. Les Britanniques ont beaucoup de respect pour les titres de noblesse, le protocole et la famille royale. La moindre familiarité leur déplaît. Tout contact physique, comme la tape dans le dos ou le bras autour des épaules, coutume si chère aux Américains, ou la poignée de main faite avec les deux mains, y est inconvenant. Ne posez jamais de questions personnelles et ne faites pas de confidences. On n'aborde pas de sujets personnels pendant des discussions et des négociations d'affaires. L'exactitude et la ponctualité y sont jugées essentielles. Le code vestimentaire s'inspire de la pure tradition: le complet trois-pièces est la norme, et le parapluie, une nécessité. Ne vous servez toutefois pas du parapluie comme d'une canne. Les hommes ne portent aucun bijou. Quant aux femmes, elles s'habillent de façon aussi conservatrice que les hommes: un tailleur bien coupé et d'un tissu recherché y est toujours de mise le jour. Il est plutôt rare qu'un visiteur venu de l'étranger soit invité à dîner à la maison d'un cadre, ce qui s'explique sans doute par l'extrême souci des Britanniques de préserver leur intimité. En Angleterre, on ne se serre la main qu'à la première rencontre; après, un simple salut de la tête suffit.

Remarques: • La famille royale est un sujet absolument tabou. Donc, jamais de blagues!
• N'offrez pas de cravate rayée en cadeau à un Anglais; il ne porte que la cravate de son régiment. On y considère de mauvais ton d'en porter une autre.

Belgique

On déjeune le matin, on dîne à midi et on soupe le soir, comme ici et dans l'ancienne France. Le bilinguisme est un tabou en Belgique, et il va sans dire que l'on ne se prononce pas à ce sujet.

Espagne

Lorsque j'ai fréquenté l'université de Barcelone il y a plusieurs années, la vie y était totalement différente de ce qu'elle y est maintenant. Le port du bikini était absolument interdit, les filles et les femmes ne sortaient jamais seules le soir, peu de gens connaissaient l'existence de Torremolinos, et Marbella était encore un club privé très chic où les gens se rendaient dans leurs avions privés et leurs yachts luxueux. Aujourd'hui, l'Espagne ne diffère guère des autres pays d'Europe: son commerce et son industrie sont dynamiques, et la femme, qui y était jadis surprotégée, joue un rôle important dans le milieu des affaires. Les règles du savoir-vivre y sont assez strictes, comme c'est le cas dans la plupart des pays européens. Un homme attend qu'une femme tende la main pour la lui serrer, et ne salue une femme accompagnée qu'après qu'elle lui en a donné le signal. Dans tous les pays méditerranéens, les hommes s'embrassent souvent sur les deux joues. Ne vous offusquez pas si on vous accueille ainsi.

Comme dans beaucoup de pays méditerranéens (et aussi en Amérique du Sud), on prend ses repas tardivement: le déjeuner à 14 heures, le dîner à 22 heures, et le petit déjeuner consiste en un petit croissant (ou muffin) et beaucoup de café très fort. Planifiez vos rendez-vous d'affaires assez tôt le matin pendant les mois de canicule (en tenant compte des coutumes de la région où vous vous trouvez), et n'oubliez pas que la *siesta* est sacrée, en raison de la chaleur suffocante de midi. Si on vous invite à dîner dans une maison privée, sachez qu'on considère comme un geste de politesse que vous laissiez un peu de vos aliments dans votre assiette. Cela montre que votre hôte vous traite bien et vous donne suffisamment à manger. N'apportez pas de bouteille de vin à votre hôte comme présent pour la maison; la *Señora* appréciera davantage des fleurs. Évitez toute familiarité, particulièrement avec les femmes. Et n'oubliez pas le sens du mot *mañana* (demain); en Espagne, on n'accorde que peu d'importance à la mesure du temps et on ne se formalise pas des retards. On juge même élégant d'arriver en retard à un dîner et d'y faire une entrée remarquée.

États-Unis

Chez les Américains, nos grands-frères et proches voisins qui nous fascinent et nous étonnent sans cesse, tout est plus gros, plus grand, mieux qu'ailleurs. J'ai pu étudier l'évolution des manières en Amérique quand j'y étais étudiante et j'ai appris que «les bonnes manières font partie du travail bien fait», comme l'écrit Letitia Baldridge dans son *Complete Guide to Executive Manners*; elle ajoute que son ouvrage se veut un «livre sur la réussite. Il se fonde sur la conviction que les bonnes manières sont rentables» et «jouent un rôle de premier plan dans la réalisation de profits». Elle a entièrement raison; leur sens des affaires superbement développé pousse les Américains à se montrer polis en tout temps. Mais on pourra toujours faire aisément la différence entre une gentillesse quelque peu intéressée et un élan spontané qui vient du coeur.

Nous partageons avec les Américains un certain formalisme en affaires et une certaine familiarité dans les rapports avec les autres. Aux États-Unis, les hommes se donnent des tapes sur l'épaule, depuis le président jusqu'à l'homme de la rue, et appellent un peu trop facilement quelqu'un par son prénom; comme eux, nous passons trop souvent au tutoiement. Mais ces comportements ne sont pas tant le fait d'un manque de respect pour les autres qu'un signe d'ouverture et de cordialité, agréables pour qui connaît les us et coutumes du pays, mais étranges et inconfortables pour le non-initié.

En Amérique, les livres sur l'étiquette connaissent des succès de librairie depuis la fin de l'époque sans-gêne des années 1960 et 1970. Quelques très bons auteurs, dont Mme Baldridge, font un travail extraordinaire en diffusant les règles fondamentales de la courtoisie, de la civilité et de la politesse. Nous avons beaucoup en commun avec les Américains. Notre société canadienne observe plusieurs des règles qui ont cours chez eux, mais comme nous avons beaucoup de sang français dans nos veines, nous ne suivons pas aveuglément leur exemple. L'amalgame, chez nous, de plusieurs influences rend plus acceptable sur la scène internationale notre conception des rapports polis avec le reste du monde. Le protocole observé dans les relations diplomatiques et les relations d'affaires internationales s'appuie essentiellement sur les règles fondamentales de la bonne communication entre les États.

Les Nord-Américains passent rapidement aux affaires, sans faire beaucoup d'efforts pour mieux connaître leurs partenaires. Cela s'avère certainement rentable, mais la conduite moins brusque adoptée dans la plupart des autres pays semble aussi plus polie.

Les Américains paraissent parfois agressifs, ce qui peut également créer une impression d'ouverture et de franchise. Quand les Américains ne sont pas d'accord et précisent que leur désaccord n'a rien de personnel, ils le pensent vraiment. Ils ne sont nullement vindicatifs. Chez eux, un petit désaccord ne porte pas à conséquence et ils accordent rapidement leur confiance. Vu l'accord de libre-échange, nous aurions avantage à étudier plus à fond nos partenaires et à tenter de les mieux connaître, afin d'établir avec ces voisins d'excellentes relations d'affaires.

France
«Les Français se font remarquer trop souvent pour leur auto-suffisance, quand ce n'est pas pour leur arrogance» (*Le Guide du savoir-vivre en affaires*). Ils peuvent se révéler extrêmement impolis quand on demande leur aide, prétendant ne rien comprendre à ce qu'on dit, même si on s'adresse à eux dans leur langue — peut-être parce qu'ils ne le veulent pas. Malgré

une quantité de livres réputés sur leur bon vieux savoir-vivre, l'équivalent de notre étiquette, et une langue qui comporte tant de beaux mots dont ils pourraient se servir pour s'exprimer clairement et poliment, ils se comportent trop souvent comme d'inqualifiables goujats. Les Français de France croient qu'ils ont civilisé le monde et ils affirment avoir inventé la fourchette. Mais c'est faux. Ce petit ustensile qui a changé non seulement le cours du raffinement des manières à table, mais aussi celui du comportement en société, fut apporté en France par Catherine de Médicis, venue de sa Florence natale en 1533 pour épouser le Dauphin de France, le futur Henri II. On tient évidemment en haute estime la finesse de leurs vins et de leur gastronomie, mais de nombreux autres pays ont aussi acquis une excellente renommée en ces matières. Le français n'est plus désormais la langue internationale des affaires, bien qu'il demeure la langue du protocole, sauf quand l'on traite avec la royauté britannique. Les Français ont maintenant compris qu'ils ont intérêt à apprendre les langues des autres peuples, à tout le moins l'anglais; ils acceptent désormais le fait que l'anglais soit souvent le meilleur ou l'unique moyen de communiquer quand aucun des deux partenaires ne parle la langue de l'autre, ce que nous avons compris depuis longtemps dans notre pays.

Lorsqu'on voyage pour affaires en France ou dans tout autre pays, on doit toujours montrer ses plus belles manières et s'adapter au style et au rythme de vie des habitants. Les Français ne traitent pas à la légère les faux pas des étrangers. Les affaires sont pour eux une activité très sérieuse et ils se méfient de ceux qui veulent traiter avec eux sans leur avoir été formellement présentés. On se fait présenter à la personne qu'on désire rencontrer par quelqu'un qui la connaît et en est connu. Il faut prendre rendez-vous longtemps d'avance et, si possible, obtenir une confirmation écrite. Il vaut mieux se montrer un peu trop formaliste que trop familier; ne tutoyez jamais quelqu'un et ne l'appelez jamais par son prénom, à moins, bien entendu, qu'il ne vous l'ait demandé. N'oubliez jamais de serrer la main d'une personne en la rencontrant et en la quittant. Manquer à cet usage est considéré comme une insulte. Les relations d'affaires, en France, exigent une grande subtilité. Votre comportement, vos mimiques et les mots que vous utilisez ont une grande importance, et la façon dont vos interlocuteurs les interpréteront jouera un grand rôle dans leurs décisions. N'oubliez pas que le Français a la réputation d'être très méfiant, qu'il vérifie chaque élément d'information avec le plus grand soin et qu'il discute en profondeur du moindre détail. Ayez donc à portée de la main la documentation nécessaire pour appuyer votre présentation. L'homme d'affaires français n'aime pas qu'on le brusque; on n'obtiendra rien de lui en essayant de lui forcer la main, bien au contraire. Habillez-vous de manière conservatrice. Les hommes et les femmes portent le complet et le tailleur d'affaires. Les hommes portent la chemise blanche et une cravate de prix.

En France, on recommande l'usage des mêmes formules d'appel que dans notre pays, particulièrement celles en vigueur au Québec. Cela vaut aussi pour la correspondance d'affaires, que l'on rédigera en respectant les règles en cette matière.

Il y a peu de chances qu'un cadre français vous invite chez lui; il vous conviera plutôt à dîner dans un excellent restaurant. Si on vous invite dans une maison privée, apportez un bouquet de fleurs fraîches, comme en Allemagne. Mais vous n'aurez pas besoin, comme en Allemagne, de retirer les fleurs de leur emballage. Si on vous invite au restaurant, sachez apprécier les plats et déguster lentement le vin; ne l'avalez pas goulûment et sans prendre le temps de le goûter. Comme chez nous, on y respecte à table l'usage continental, mais on pose les couverts dans son assiette entre chaque bouchée, au lieu de les garder dans les mains. La politesse française veut que l'on arrive au moins un quart d'heure après l'heure prévue pour un dîner. Toutefois, si vous préférez vous en remettre en cette matière au protocole international des affaires, n'oubliez pas ce que dit à ce sujet Jean Serres dans son *Manuel pratique de protocole*:

«Ce n'est pas d'hier qu'il est recommandé d'être à l'heure. C'est au roi Louis XVIII qu'on attribue la réflexion: ''L'exactitude est la politesse des rois et le devoir de tous les gens de bien.'' Arriver à l'heure dite est une obligation pour toute personne participant aussi bien à une réception officielle qu'à une invitation particulière. La ponctualité est une des qualités des grands de la terre, que les moins grands ne peuvent trouver humiliant d'imiter. [...] La ponctualité doit être respectée de façon encore plus stricte pour les invitations à table. Certaines personnes se donnent le genre d'arriver très en retard. Ce comportement est extrêmement incorrect. En règle générale, on n'attend pas un invité retardataire plus d'une demi-heure par rapport à l'heure d'invitation.»

Si vous invitez votre partenaire français, prenez bien soin de choisir un très bon restaurant réputé pour ses excellents vins et sa table incomparable. Ce détail a son importance pour qui tient à se montrer un parfait homme du monde. Par-dessus tout, ne laissez pas paraître votre ahurissement lorsque vous prendrez connaissance de l'addition.

Grèce

L'homme d'affaires grec est très formaliste, et les femmes d'affaires sont très rares en ce pays. Le plus grand respect et la plus grande courtoisie à l'égard des femmes y sont de rigueur. Il y est déplacé de parler affaires pendant le repas. À table, on rencontre un partenaire et on fait plus ample connaissance avec lui; les discussions d'affaires n'ont leur place qu'au bureau. En Grèce comme en bien des pays méridionaux, certains cafés sont strictement réservés aux hommes et la femme d'affaires en voyage (comme toute autre femme) sera bien avisée de ne pas y entrer. Laissez un pourboire au serveur dans le petit plateau sur lequel il vous a présenté l'addition, de même qu'au garçon qui nettoie les tables, apporte l'eau, etc.; déposez toutefois le pourboire de celui-ci directement sur la table. Ne vous laissez pas entraîner à fracasser des assiettes et des verres au cours d'une danse traditionnelle endiablée, parce qu'il vous faudra ensuite dédommager le propriétaire de l'établissement pour le ménage et lui rembourser le prix de la vaisselle. Cette soirée de plaisir pourrait vous coûter très cher.

Remarque: Le signe zéro fait avec la main (en joignant en cercle le pouce et l'index) est un geste obscène en Grèce.

Pays-Bas

Si un partenaire néerlandais vous offre un verre pendant une discussion d'affaires, quelle que soit l'heure, soyez poli et acceptez. Rien ne vous oblige à le boire. Offrir et accepter un petit verre sont des marques essentielles de l'hospitalité des gens d'affaires néerlandais.

Hong-kong et République populaire chinoise

Je suis allée à Hong-kong pour affaires et j'y ai séjourné pendant six semaines. Je ne me suis jamais rendue en République populaire chinoise, mais mes recherches m'ont convaincue que les règles d'étiquette en affaires y sont très semblables à celles qui prévalent à Hong-kong. Vêtez-vous de façon conservatrice, parce que vous vous distinguerez déjà de la foule du simple fait que vous êtes occidental. Les Chinois n'aiment pas les contacts physiques avec les étrangers. Évitez de les toucher, de les étreindre, de les embrasser, de leur donner l'accolade ou même de leur tendre la main, et abstenez-vous de tout comportement bruyant et désordonné. En Chine, on donne d'abord son nom de famille, ce qui signifie, par exemple, que Wang Chen y est connu sous le nom de M. Wang. On échange les cartes d'affaires dès les premiers instants d'une réunion et on veille à faire inscrire au verso de sa carte une traduction chinoise du texte imprimé au recto. La plupart des meilleurs hôtels de Hong-kong offrent d'ailleurs ce service de traduction, si vous ne l'avez pas fait faire avant de quitter votre pays d'origine. Vous trouverez étrange et agréable d'être applaudi par les gens dans la rue. Vous devez alors sourire et applaudir à votre tour. Les gens vous souriront toujours et vous leur rendrez gentiment leur sourire.

Votre hôte d'affaires donnera un banquet en votre honneur. Arrivez à l'heure convenue et quittez assez rapidement les lieux après le repas. Si vous êtes l'invité d'honneur, sachez que personne ne se retirera avant vous. Votre hôte vous portera un toast au début du repas. Attendez un moment, puis portez-lui un toast à votre tour. Il se peut aussi que votre hôte s'approche de vous pendant le repas et vous offre un morceau de choix de son assiette. C'est un honneur qu'il vous fait et il faut donc accepter son offre de bonne grâce. En Chine, on considère le banquet comme un cadeau, et vous devriez donc en donner un en retour. Il y a en Chine quatre classes de banquets, et celui que vous donnerez devra appartenir à la même classe que celui auquel on vous aura convié.

Le service du thé est une partie intégrante du rituel des affaires. Acceptez-le toujours, même si cela se produit plusieurs fois dans une journée. N'entrez jamais tout de suite dans le vif du sujet; respectez plutôt le rythme de votre hôte. Presque tout le monde parle anglais à Hong-kong, mais vous y trouverez habituellement des interprètes prêts à vous venir en aide. On y observe généralement le protocole européen, ce qui vous facilitera la tâche.

Les pourboires y sont interdits. Il est toutefois recommandé de remercier personnellement tous ceux qui vous ont servi à l'hôtel, du gérant à la femme de chambre. À votre retour chez vous, écrivez un mot d'appréciation et faites-le traduire en chinois. De cette manière, on se souviendra de vous à jamais.

Bien que le climat soit chaud et humide, on ne porte pas de robes ni de complets blancs, parce que le blanc est la couleur du deuil. Les chemises blanches sont toutefois de mise en tout temps.

En Chine, offrir un cadeau d'affaires n'est pas une tâche facile. Si vous souhaitez remettre un présent à un Chinois dans son propre pays, faites-le dans la plus stricte intimité. La loi y interdit d'accepter des cadeaux personnels. Comme les cadeaux, les pourboires y sont mal vus; mieux vaut ne pas courir le risque d'embarrasser grandement son destinataire en posant pareil geste et de l'obliger ainsi à vous embarrasser par son refus de l'accepter.

Remarques: • N'offrez jamais d'horloge à un Chinois: c'est pour lui un symbole de mort; et les fleurs blanches sont un symbole de deuil.

- Si vous désirez laisser un pourboire, glissez l'argent dans une enveloppe et remettez-la à un moment où personne ne peut surprendre votre geste.
- Vous pouvez offrir un cadeau à l'entreprise de votre hôte; il se peut qu'on l'accepte.

Israël

Shalom est un mot passe-partout en Israël et c'est aussi le mot qui désigne universellement la paix; on l'utilise également pour accueillir une personne et pour lui dire au revoir. On se sert de ce mot dans toutes les situations privées et d'affaires. En Israël, on observe scrupuleusement le sabbat, depuis le coucher du soleil le vendredi jusqu'au coucher du soleil le samedi. On ne fume pas pendant le sabbat, à moins de se trouver dans une maison où son hôte fume. On y respecte aussi à la lettre les règles concernant la nourriture: on ne demande donc pas de beurre, de lait ou de quelque autre produit laitier quand on mange de la viande dans un restaurant kascher. La loi du Kashrut interdit en effet de consommer simultanément des viandes et des produits laitiers. Les Israéliens sont des gens pressés: ils vont droit au but, sans perdre une minute. Comme dans de nombreux pays au climat très chaud, le déjeuner dure deux ou trois heures. Dans ce pays, l'expression «code vestimentaire» n'existe pas. On peut porter une chemise à manches courtes, sans cravate ni veston. Il se peut que votre hôte vous invite à dîner dans sa maison privée. Apportez alors des fleurs pour l'hôtesse et du chocolat pour les enfants. En Israël, l'enfant est roi et les parents préfèrent que vous offriez un cadeau aux jeunes plutôt que d'en recevoir un eux-mêmes.

Italie

Les Italiens sont un peuple hospitalier; ils font toujours de leur mieux pour plaire à leurs visiteurs et rendre leur séjour le plus agréable possible. Veuillez donc vous vêtir avec autant de distinction et de conservatisme que vos partenaires italiens. Les hommes portent le complet sombre (même lorsqu'il fait très chaud), la chemise blanche et une cravate de prix; les femmes sont toujours fort bien vêtues. On reconnaît la mode et le chic italiens pour leur élégance consommée.

La journée de travail est longue en Italie; au moment du déjeuner, les Italiens s'accordent une pause d'environ trois heures, pendant laquelle personne ne parle affaires. En Italie, le protocole des affaires, les présentations soignées, les titres et les formules de politesse tiennent une très grande importance (voir la section 2 du présent chapitre). Dès que vous rencontrez quelqu'un, tendez-lui la main; ce geste témoigne de votre confiance, et cela a son importance.

En règle générale, les Italiens n'invitent pas leurs relations d'affaires à la maison. Si une certaine amitié se développe entre eux et leurs partenaires étrangers, il leur arrive de les inviter. On ne doit alors surtout pas refuser; car cela serait évidemment interprété comme une insulte. Apportez un cadeau pour l'hôtesse. En Italie, on adore les glaïeuls. Complimentez votre hôte pour sa maison, son intérieur et son repas, mais, par-dessus tout, pour ses *bambini*. Mangez tout ce qu'on vous sert; ne refusez aucun plat, car vous commettriez alors le pire affront qui soit. Mangez vos pâtes à la façon des Italiens. Dans ce pays, laissez de généreux pourboires. Dans les bons restaurants, le service est très soigné et extrêmement efficace.

Japon

Il est impossible de se rendre en voyage d'affaires au Japon sans préparer son séjour dans les moindres détails. La culture et les coutumes japonaises sont vieilles de quatre mille ans et très différentes des nôtres. Les rituels, qui ont évolué au fil des siècles, y sont d'une grande complexité et s'appuient sur des traditions bien précises. Tous les gestes des Japonais s'inspirent de règles prescrites. Leurs manières raffinées leur imposent d'accepter tout cadeau ou faveur et d'exprimer aussitôt leurs remerciements par lettre, par téléphone ou même parfois par une visite.

Comme en Chine, ayez toujours sur vous des cartes d'affaires imprimées dans votre langue maternelle au recto et dans la langue du pays au verso; faites-en provision avant votre départ. Si vous assistez à une réunion nombreuse, toute personne qui vous sera présentée vous offrira sa carte et vous en ferez autant. Un Japonais qui occupe un rang inférieur au vôtre attendra toutefois que vous fassiez le premier pas.

Les Japonais n'aiment pas les vêtements tape-à-l'oeil, les gens bruyants et qui se permettent trop de familiarités. Ils ne se touchent pas, ne s'embrassent ni ne s'étreignent, et ne se donnent pas de tapes dans le dos. Il est malaisé d'y laisser un pourboire, mais pas autant qu'en Chine. Si vous souhaitez en offrir un à quelqu'un qui vous a bien servi, faites-le sans témoin. Pour un Japonais, c'est perdre la face que de recevoir de l'argent en public. Enveloppez les yen dans un morceau de papier ou glissez-les dans une enveloppe, pour que votre geste soit acceptable. Mais n'offrez pas de pourboire quand on agit par serviabilité, par exemple si l'on vous aide à transporter une valise ou si l'on vous donne un renseignement pour retrouver votre chemin. Ce serait là une insulte qui offenserait la personne qui vous a rendu service.

Les Japonais serrent la main des étrangers, mais le Japon est en réalité le pays des révérences. On s'y salue en s'inclinant. Personne ne s'attendra à ce que vous connaissiez toutes les règles des saluts prescrits en chaque occasion, mais si vous avez quelques notions à ce sujet, on l'appréciera grandement. Le type de salut dépend de l'importance de la personne à qui il s'adresse. Un salut plus profond s'impose pour les individus les plus importants, et un salut moins profond pour un pair ou une personne de rang inférieur. À titre d'Occidental, apprenez à faire une légère révérence en vous inclinant d'environ quinze degrés, tout en baissant les mains, paumes tournées vers le corps. Comptez jusqu'à trois et redressez le tronc. Vous constaterez que les jeunes cadres japonais vous adresseront un salut de trente degrés en début de journée et un autre moins prononcé chaque fois qu'ils vous croiseront plus tard dans la même journée. Dans ce pays, une personne d'un rang inférieur au vôtre attendra toujours que vous la précédiez dans un escalier, un hall ou pour franchir une porte. Même un jeune cadre en visite au Japon sera considéré par tous comme un invité d'honneur et les Japonais qui occupent un poste supérieur ou qui sont de loin ses aînés lui laisseront préséance au moment d'entrer dans une pièce. Acceptez de bonne grâce et entrez rapidement.

La tradition réclame que vous enleviez vos chaussures quand:
- vous entrez dans un sanctuaire sacré;
- vous visitez une maison japonaise;
- vous entrez dans un restaurant japonais (même dans les restaurants japonais à l'occidentale, on s'attend à ce que vous retiriez vos chaussures pour ne pas abîmer les *tatami* qui recouvrent le plancher).

Si votre hôte vous fait visiter un temple, imitez tous ses gestes. S'il vous offre de l'eau pour vous laver les mains, ou s'il s'approche d'un autel et s'y incline, faites de même. Dans ce dernier cas, que votre salut soit de trente degrés et dure aussi longtemps que celui de votre hôte.

Quand on se rend en visite dans une maison japonaise, on retire ses chaussures dès son arrivée et on les dépose côte à côte, pointes tournées vers la porte; elles seront ainsi plus faciles à enfiler au moment du départ. On vous remettra presque toujours des pantoufles. Au moment de votre départ, laissez-les côte à côte, pointes tournées vers l'intérieur de la maison; elles seront ainsi prêtes à servir au prochain invité.

Comme un étranger n'est que très rarement invité dans la maison d'un Japonais, je vous épargnerai la description des rituels très complexes qui y ont cours; et puisque la plupart des gens éprouvent bien du mal à s'asseoir sur leurs genoux, comme on doit le faire sur un *tatami* — genoux rapprochés pour les femmes et écartés pour les hommes —, je vous épargnerai la description du processus à suivre pour adopter cette position très inconfortable. Ce qu'il est important de savoir, c'est que, si vous invitez des Japonais dans votre maison, vous devez les recevoir à l'occidentale. Mais n'oubliez pas que les Japonais ont le plus grand respect pour l'âge et le rang.

Les Japonais préfèrent convier leurs invités occidentaux dans un restaurant de première classe, parce qu'ils ne pourraient pas toujours les recevoir aussi somptueusement chez eux que dans leurs luxueux établissements où le service est irréprochable et extrêmement raffiné. Dans la plupart de ces grands restaurants, il vous faudra enlever vos chaussures. Vous procéderez comme lorsque vous entrez dans une maison japonaise. L'invité d'honneur prendra place dans le *tokonoma* (alcôve) alors que l'hôte et l'hôtesse s'assoiront ensemble à l'extrémité opposée de la table. Si vous êtes l'hôte, faites asseoir l'invité d'honneur dans le *tokonoma*. Les dîners d'affaires y sont fastueux depuis des siècles et comprennent toujours dix entrées. Depuis peu, on en a réduit le nombre à cinq, mais sans compter le riz et la soupe. On appréciera grandement que vous félicitiez le chef pour la soupe et le riz, parce qu'on considère comme un grand art de les apprêter à la perfection.

Au Japon, vous mangerez avec des baguettes; apprenez donc à vous en servir avec aise avant de partir pour un voyage en Orient. Pour les Japonais, le couteau est un arme de guerre, le symbole de l'autorité militaire et du sabre de samouraï (seigneur féodal); c'est aussi un instrument rituel. Cet ustensile n'a donc pas sa place à table, où les gens sont censés partager en paix leur repas. Les Japonais se servent d'un couteau pour découper en bouchées le *sushi* et tous les autres aliments, mais ils le font loin de la table, pour ne pas offenser les convives. Même la fourchette n'est pas admise à table, parce qu'elle aussi peut blesser. Vous embarrasseriez votre hôte en demandant qu'on vous apporte l'un ou l'autre de ces ustensiles, et, ce faisant, vous manqueriez aussi de respect et de considération pour ses concitoyens. On ne laisse jamais ses baguettes dans un bol, geste aussi inconvenant que de laisser une cuillère dans un bol à soupe. Placez-les plutôt côte à côte sur le repose-baguettes (il s'en trouve dans tous les bons restaurants) ou sur le papier d'emballage des baguettes. Ne les laissez jamais croisées, pas plus que vous ne laisseriez croisés votre couteau et votre fourchette dans votre assiette. Pour manger, tenez vos baguettes dans la main droite et votre bol dans la gauche (en veillant à ce que le pouce ne glisse pas à l'intérieur du bol). Pour éviter de répandre des aliments, tenez le bol sous le menton. Au Japon, on ne sert pas les aliments dans une assiette, contrairement à ce que font la plupart des restaurants japonais dans les pays occidentaux. On les présente dans un bol où chacun pige directement, sans les déposer dans une assiette.

Voici le rituel précis:

1. prenez les baguettes dans la main droite et le bol de riz, posé à gauche, dans la main gauche; avalez quelques bouchées de riz;

2. soulevez le bol à soupe, posé à droite, de la main droite, et déposez-le dans la main gauche; buvez quelques gorgées;

3. commencez dès lors à avaler alternativement des bouchées de riz, une gorgée de soupe, et goûtez aux autres plats, en tenant toujours le bol dans la main gauche;

4. on ne consomme les marinades qu'à la fin du repas, parce qu'elles pourraient masquer les saveurs délicates des autres plats.

(Pour l'étiquette au comptoir de *sushi*, consulter l'appendice.)

Les bienséances sont moins élaborées et moins rigoureuses quand on dîne dans un restaurant japonais en Occident. Mais les règles y demeurent fondamentalement les mêmes, plus strictes que certains de nos usages occidentaux. Le personnel n'apprécie pas que vous demandiez une fourchette, et encore moins un couteau.

Si vous êtes l'hôte d'une réception au Japon, vous constaterez généralement que le prix du service est inclus dans l'addition. Vous n'avez donc pas à laisser de pourboire. Il est humiliant pour un employé japonais de recevoir un pourboire en présence de témoins. Si vous tenez à témoigner votre appréciation au personnel du restaurant, pliez soigneusement des billets immaculés et glissez-les dans une enveloppe que vous remettrez très discrètement au maître d'hôtel. Il redistribuera équitablement la somme entre les membres du personnel.

Remarques: • N'envoyez jamais de plante en pot à une personne malade. Au Japon, ce serait lui souhaiter de «s'enraciner dans la maladie»!

• Ne remettez jamais un présent à un Japonais en présence de témoins, à moins que vous n'ayez un cadeau pour chacun.

- Le lendemain ou au plus tard le surlende-
  main du jour où l'on vous a offert un cadeau,
  adressez toujours un mot de remerciement,
  faute de quoi on considérera que le cadeau
  ne vous a pas plu.
- Si l'on vous invite dans une maison japonaise, apportez un petit présent, comme des
  chocolats, des bonbons ou d'autres friandises que toute la famille pourra goûter. Au
  Japon, on se couvre la bouche quand on
  sourit.

Les Japonais qui ont de la classe ne mangent pas dans la
rue, pas plus que cela ne se fait chez nous ou dans tout autre
pays.

À Tokyo, les déplacements ressemblent à des courses à
obstacles. Il s'agit d'une métropole tentaculaire, peuplée de
onze millions d'habitants et sillonnée d'autant de rues et de
ruelles. La numérotation des rues y témoigne d'un étrange
manque de méthode qui est tout à fait contraire au tempérament
japonais. Pour y trouver son chemin, le meilleur moyen est
de demander au concierge de l'hôtel d'inscrire l'adresse et le
trajet en japonais sur un papier que l'on tendra au chauffeur
de taxi. Si vous devez vous rendre à plusieurs rendez-vous au
cours de la journée, faites préparer trois ou quatre itinéraires
et gardez sur un autre papier le nom et l'adresse de votre hôtel.
Les taxis y sont propres et confortables, et leurs chauffeurs,
qui portent des gants blancs, ouvrent automatiquement à leurs
clients la portière arrière en appuyant sur un bouton. Pour un
tour de ville rapide, vous pouvez aussi emprunter le métro;
c'est un mode de transport pratique, une fois qu'on le connaît
bien. Même les cadres supérieurs japonais voyagent en métro.
Si vous êtes assez fortuné, vous pouvez aussi demander au
concierge une voiture avec chauffeur parlant anglais. Vous
pourrez ainsi vous déplacer dans une voiture américaine (raris-
sime au Japon), mais préparez-vous à y engloutir quelques
centaines de dollars. Le trajet de l'aéroport Narita au centre-
ville vous coûtera jusqu'à 200$ US. (Pour la rédaction de ce

dernier paragraphe, je me suis inspirée des ouvrages suivants de J. Paul Axline: *The Business Trip, A Travel & Leisure Newsletter* et *Travel & Leisure*.)

Scandinavie

En Suède, il faut être ponctuel aux rendez-vous d'affaires et aux réceptions. Le soir, les gens portent des tenues habillées. Apportez donc les vêtements nécessaires. L'invité d'honneur est placé à la gauche de l'hôte plutôt qu'à sa droite. Cet usage est un héritage de l'époque romaine, où la gauche était jugée plus prestigieuse que la droite, parce que «le coeur est à gauche» (*Apicius*, Marcus Gavius, env. 25 avant J.-C.).

Apportez un bouquet de fleurs fraîches si vous êtes invité à dîner dans une maison privée. Mais retirez l'emballage avant de les présenter à l'hôtesse (comme en Allemagne). Si vous donnez un dîner, n'oubliez pas de porter un toast (*sköal*) à vos invités au tout début de la réception, pour qu'ils puissent par la suite tour à tour vous rendre la pareille. Dans ces pays froids, les gens aiment prendre un verre, mais ils ne boivent pas en solitaires, pas plus d'ailleurs qu'en Russie et dans les pays baltes. Les Scandinaves sont des gens plutôt réservés et ils vous sauront gré de briser la glace. Il est tout à fait correct de se présenter soi-même à un groupe si personne n'en prend l'initiative.

Le monde arabe / Arabie Saoudite

Pour l'homme arabe, brasser des affaires avec une femme est contre nature. Mais il se rend compte que le rôle des femmes a changé dans le monde occidental et qu'il lui faut traiter avec des femmes d'autres pays. Plusieurs femmes de pays arabes poursuivent maintenant des études en Occident et assument des fonctions importantes dans les pays de l'Ouest. La tenue d'une femme d'affaires dépend largement du pays où elle séjourne. Le Maroc (où j'ai vécu et travaillé pendant plusieurs années), l'Algérie et la Tunisie, par exemple, sont totalement occidentalisés. Les femmes y portent même le bikini sur les plages. Dans d'autres pays arabes, les femmes se vêtent très modestement et n'adoptent jamais de manières trop familières.

Et en Arabie Saoudite, une femme ne porte jamais le pantalon et se couvre complètement, ce qui signifie: manches longues, jupe sous le genou, cheveux dissimulés et pas la moindre trace de maquillage. Les femmes ne s'y montrent pas en vêtements qui révèlent leurs formes. Les hommes portent des complets légers mais sombres, la chemise blanche, la cravate et les souliers lacés. Ils se permettent de retirer leur cravate quand il fait extrêmement chaud.

Les Arabes sont des hôtes généreux et ils se sentiront offensés si vous refusez leur invitation. Prétendez avec élégance ne pas vouloir abuser de la bonté de votre hôte, mais acceptez son offre. On vous demandera peut-être d'enlever vos chaussures, mais veillez à ne pas montrer la plante de vos pieds lorsque vous êtes assis. Ne vous servez que de votre main droite, car la gauche est considérée comme impure. Si vous êtes gaucher et que vous devez écrire, excusez-vous. Ne pointez jamais du doigt un Arabe, car on ne fait un signe de la main que pour appeler son chien. Les Arabes sont très secrets en ce qui concerne leur femme et leur famille. On ne s'informe donc pas de la femme ou de la famille d'un Arabe. *On ne prononce jamais le mot Dieu ni le nom d'Allah* dans quelque pays musulman que ce soit.

En Arabie Saoudite, l'homme et la femme d'affaires devront se montrer extrêmement respectueux des usages religieux et du code vestimentaire très strict en ce pays. Tenter d'obtenir un rendez-vous pendant le mois du Ramadan, période annuelle de jeûne et de prière depuis l'aube jusqu'au crépuscule, constitue une insulte. On ne conclut aucune affaire le vendredi, jour sacré pour les musulmans. Les Occidentaux s'exerceront donc à la patience. On parle peu et on boit d'innombrables verres de thé à la menthe ou de café noir, jusqu'à ce que son interlocuteur arabe soit prêt à aborder les questions d'affaires. Les Arabes désirent mieux vous connaître avant de traiter avec vous. Pratiquez donc les vertus de patience et de sérénité et songez que *mañana* est un autre jour. Même si vous le vouliez, vous ne réussiriez pas à brusquer un Arabe.

La plupart des hommes d'affaires d'Arabie Saoudite parlent l'anglais et sont très instruits.

Avant un repas, on s'attend à ce que chaque invité prenne part au rituel qui consiste à se laver les mains. On vous présentera alors un plat finement ouvré et on versera sur vos mains un peu d'eau chaude contenue dans une carafe. Ensuite, vous vous essuyerez les mains avec une petite serviette qu'on vous tendra. Ne gardez jamais d'alcool dans votre chambre d'hôtel, n'en buvez pas et ne tentez même pas d'en apporter dans ce pays. Cela pourrait avoir de fâcheuses conséquences pour vous comme pour ceux qui le partageraient avec vous. Ne fumez pas non plus, à moins que votre hôte arabe ne fume et ne vous y invite.

Remarques:
- Les Arabes offrent des cadeaux princiers. Attendez que votre partenaire arabe fasse le premier geste en ce sens. Lorsque vous lui rendrez la pareille, offrez-lui un présent aussi cher et précieux que celui qu'il vous aura offert.
- N'apportez pas de cadeau pour l'épouse ou les enfants d'un Arabe. Si vous les connaissez très bien et savez qu'ils n'en prendront pas ombrage, offrez un foulard à la femme et des jouets aux enfants.
- N'apportez jamais de vin ni d'alcool (vous auriez de toute manière beaucoup de difficulté à en introduire en pays musulman), et n'apportez pas d'aliments, car votre hôte pourrait interpréter ce geste comme une critique de son sens de l'hospitalité.
- Les Arabes aiment les cadeaux qui portent des signatures connues: Baccarat, Hermès, Gucci, Pratesi, Porthault, Limoges, Meissen, etc.

Union soviétique

Ne dites pas Russie quand vous pensez Union soviétique. La Russie s'enorgueillit de sa glorieuse histoire nationale, de ses chefs-d'oeuvre artistiques, de ses musées et de ses palais, de sa musique et de ses musiciens ainsi que de son ballet et de ses danseurs hors pair. L'Union soviétique, c'est tout autre chose. Montrez-vous respectueux de son système politique et ne comparez jamais l'Est à l'Ouest. Sachez qu'en Union soviétique toute relation internationale prend une dimension politique, quel que soit le genre d'affaires que vous souhaitez entretenir avec ce pays. Heureusement, la nouvelle *glasnost*, qui annonce d'importants changements, a déjà commencé à atténuer l'image négative de l'Union soviétique.

Attendez-vous à ce que votre voyage soit planifié jusque dans les moindres détails et doive recevoir l'approbation du gouvernement. Il faut fixer longtemps d'avance tous ses rendez-vous d'affaires et obtenir confirmation écrite. Soyez ponctuel, car les Soviétiques n'aiment pas les retardataires. Certains restaurants sont réservés aux Occidentaux, qui peuvent y dîner de caviar et de champagne de la mer Caspienne. L'addition comprend tous les frais, parce que le pourboire n'y est généralement pas admis.

Remarques: • N'essayez pas d'apporter de l'alcool en Union soviétique, car la douane pourrait le saisir. Si un cadre d'affaires du bloc soviétique vient dans votre pays, il appréciera que vous lui offriez de l'alcool en cadeau.

• Il appréciera aussi un coffret de musique classique, mais jugera dégénérée certaine musique rock; il recevra avec plaisir livres d'art et beaux livres, albums de photographies de danseurs ou toute belle oeuvre d'art.

• On n'apporte pas d'aliments dans le bloc soviétique, mais la douane n'y fait pas de difficultés pour une boîte de chocolats sous emballage de cellophane.

Les échanges de cadeaux

Offrir un cadeau, c'est dire à une personne qu'on pense à elle, qu'on l'apprécie assez pour consacrer du temps à chercher et à choisir avec soin ce qui lui ferait plaisir. Cette marque d'attention entretient la confiance dans l'esprit du destinataire. Voici quelques règles en cette matière.

- Si vous ne connaissez pas les coutumes en matière de cadeaux dans un pays donné, informez-vous auprès d'une personne avisée ou d'un fonctionnaire du consulat de ce pays dans votre ville, d'une personne qui connaît bien la culture du pays en question, d'un homme d'affaires de ce pays qui vit maintenant ici, ou encore d'un étudiant originaire de ce pays.

- N'offrez jamais de présent trop recherché: on pourrait interpréter votre geste comme une tentative de corruption.

- Les meilleurs cadeaux sont toujours choisis avec le plus grand soin, en tenant compte des intérêts particuliers de leur destinataire.

- Un cadeau lié à la profession de son destinataire, à son pays ou à ses intérêts particuliers pour les arts ou les sciences est toujours précieux.

- Ne choisissez pas comme cadeau un objet portant le logo d'une société, car on pourrait y voir un instrument de publicité plutôt qu'un véritable présent.

- À un partenaire étranger, offrez un cadeau provenant de votre pays, et non quelque chose que vous vous êtes procuré dans le sien.

- N'offrez ni couteaux ni objets pointus; ils sont dangereux et très mal reçus dans certains pays.

- Dans plusieurs pays, les glaïeuls sont un symbole de deuil, tout comme les fleurs blanches en Asie; au Japon, on n'offre pas de plante en pot à un malade; quant aux roses et aux oeillets rouges, ils expriment l'amour en Allemagne.

- On emballe joliment tous les cadeaux; au Japon, pays de l'art du *tsutsumi*, on les emballe même artistiquement.

La réceptionniste

Quand vous entrez en relation avec une entreprise, la réceptionniste est la première personne à qui vous vous adressez. Elle a vraisemblablement répondu à votre premier appel téléphonique pour prendre rendez-vous et elle est la première personne que vous apercevez à votre arrivée sur les lieux. Elle représente l'image de l'entreprise et elle est donc une employée importante, dont les fonctions le sont également. Les cadres auraient avantage à reconnaître son rôle vital pour l'image de l'entreprise et à la traiter en conséquence. Son salaire devrait correspondre à ses responsabilités, qui l'obligent à se vêtir convenablement, de même qu'aux dépenses qu'elle encourt pour sa coiffure, son maquillage, etc.

Comme les postes de réceptionniste et de secrétaire sont pour la plupart occupés par des femmes, j'utiliserai le pronom féminin dans cette section de chapitre pour en faciliter la lecture.

La personne qui accueille les visiteurs au nom de l'entreprise doit être bien habillée, propre, joliment maquillée et coiffée élégamment mais sans extravagance. Elle doit avoir un sourire invitant lorsqu'elle reçoit les visiteurs et leur faire sentir qu'ils sont les bienvenus. Elle parlera d'une voix enjouée, sur un ton chaleureux. Elle s'assoit correctement (ne s'affale pas sur sa chaise), derrière un bureau propre; elle n'y laisse pas traîner de cendrier rempli de mégots, ne l'encombre pas d'aliments ni de café, n'y étale pas son journal. Elle ne mâche jamais de gomme ni ne fume au travail; elle ne se fait pas les ongles, ne se peigne pas ni ne retouche son maquillage lorsqu'elle est assise à son bureau. Elle porte des robes de style classique, ni trop ajustées ni trop courtes, et ne se permet le port du pantalon que si sa silhouette s'y prête. Elle a très peu de bijoux, évite les parfums (se contentant plutôt d'un soupçon d'eau de toilette de très bonne qualité). Elle ne reçoit pas d'appels personnels, à moins qu'ils ne soient urgents, et elle interrompt une conversation ou un appel téléphonique lorsqu'un visiteur s'approche de son bureau. Il est très grossier de tourner le dos à un visiteur pour poursuivre une conversation au téléphone. Elle transmet les messages avec efficacité et précision. Elle traite tout son entourage avec la même courtoisie, du cadre supérieur au plus jeune employé. Elle se montre discrète en tout temps et ne répand pas de rumeurs. Elle n'appelle jamais personne par son prénom et s'adresse à tous, même à ses pairs, en les vouvoyant pendant les heures de travail et en présence de visiteurs. Elle connaît les noms et les titres des membres de la haute direction, leurs responsabilités professionnelles, et répond correctement et intelligemment aux visiteurs qui lui posent des questions. Elle veille à ce que la réception soit en ordre, à ce que revues, journaux et prospectus soient agréablement disposés, à ce qu'il y ait suffisamment d'espace dans le placard pour les manteaux, ainsi qu'un porte-parapluies et un endroit où laisser les couvre-chaussures en hiver.

Elle connaît toutes les mesures de sécurité et sait comment les appliquer. Elle connaît aussi par coeur tous les numéros à signaler en cas d'urgence et les dispositions à prendre.

Son travail est important et comporte de nombreuses responsabilités; elle doit donc être fière de servir son entreprise dans cette fonction vitale.

La secrétaire, la secrétaire de direction, l'adjointe administrative, gardiennes de l'image d'une entreprise

Expérimentées, travailleuses, intelligentes et discrètes, les secrétaires sont indispensables. Ce sont les gardiennes de l'image d'une entreprise.

Le principal objectif d'*une excellente secrétaire* est de servir son patron; elle lui est attachée de même qu'à son entreprise. Elle veut être respectée au sein de l'entreprise et faire d'un travail banal une véritable profession. De ce fait, elle désire — et doit — recevoir un juste salaire pour son travail, ainsi que des avantages équitables. Si elle choisit cette carrière, c'est le plus souvent avec l'ambition de devenir la meilleure secrétaire possible, le membre le plus fiable et le plus consciencieux de l'équipe.

La secrétaire de direction et *l'adjointe administrative* jouent un rôle encore plus important. L'une comme l'autre est le bras droit de la haute direction et, de ce fait, appartient à l'élite de l'entreprise. Elle aide à affiner l'image de son patron et du même coup celle de son entreprise. Elle ambitionne d'occuper un poste de commande et de gravir les échelons au sein de la compagnie. La plupart du temps, elle finira par obtenir un poste de cadre. Au fil des ans, à l'occasion de cours, de conférences et de séminaires qu'on m'avait demandé de donner, j'ai rencontré plusieurs de ces femmes intelligentes, compétentes et douées pour les affaires. Toutes étaient indiscutablement distinguées, désireuses d'apprendre, posaient des questions pertinentes et acceptaient les règles indiquées ou les refusaient selon que celles-ci convenaient ou non à leur situation. Toutes étaient vêtues d'une façon appropriée à leur position. Elles étaient fortes et pourtant aimables, prévenantes et polies. Et, bien entendu, compétentes sur le plan professionnel. Mais la compétence professionnelle peut s'acquérir, alors que l'amabilité est un don. Comme l'a écrit Voltaire, quiconque veut véritablement suivre la loi de la nature peut en apprendre les règles, et cette loi dicte une conduite polie.

La parfaite secrétaire:
- est la personnification même de la discrétion;
- ne parle jamais de la vie privée de son patron, de sa situation financière et de questions qui concernent sa famille ou ses amis intimes;
- ne participe jamais aux bavardages ni ne les répète;
- fait preuve de tact, particulièrement au téléphone et avec les visiteurs;
- est méticuleuse dans son travail, particulièrement dans l'établissement et le classement des dossiers, des listes, y compris les listes de cadeaux de Noël, etc.;
- fait preuve d'initiative;
- a le sens des priorités;

- tient le calendrier des engagements de son patron et établit son horaire de rendez-vous, etc.;
- sait s'adresser par écrit et verbalement aux gens, et les présenter;
- est la gardienne de l'étiquette au bureau: elle observe d'ailleurs elle-même toutes les règles des bonnes manières et donne l'exemple à tous en cette matière.

La secrétaire d'aujourd'hui: une nouvelle image

La nouvelle secrétaire et adjointe administrative assume plus de responsabilités en raison des récents progrès technologiques qui ont transformé le monde des affaires. Dans bien des cas, elle a sa propre secrétaire, qui la libère d'épuisantes besognes routinières et lui permet de se consacrer davantage à des tâches plus directement liées à l'administration. Cela en fait un membre à part entière de l'équipe de direction. Une personne dans cette position, qui non seulement est capable de travailler en équipe mais possède également de belles manières, peut grandement rehausser l'image de son patron et de son entreprise. Au bureau, elle donne le ton par son élégance, son tact et sa diplomatie dans ses rapports avec les gens, particulièrement avec les relations d'affaires de son entreprise et de son patron. Elle est un exemple pour tous, en particulier pour les jeunes et nouveaux membres de l'équipe. En vérité, elle s'affirme comme un atout très important pour son entreprise.

Le comportement à l'égard de la nouvelle secrétaire

La secrétaire n'est pas une domestique; elle ne fait pas les courses pour son patron, qu'il s'agisse d'aller chercher son complet chez le teinturier, d'acheter des bonbons et des fleurs pour sa femme ou de servir de gardienne à ses enfants. Elle n'est pas non plus l'épouse, la mère ni la petite amie de son patron, et il évitera donc de l'ennuyer avec ses soucis personnels. C'est une professionnelle, qu'il traitera comme telle. Un patron intelligent prête l'oreille aux commentaires et suggestions de sa secrétaire; qui sait? elle peut avoir de merveilleuses idées. Il la considère comme une égale, même si une certaine forme de déférence s'impose dans tout milieu de travail. Il faut préciser dès le départ les tâches d'une secrétaire, pour écarter tout malentendu. Un patron ne se permettra pas d'interrompre sans nécessité sa secrétaire pendant qu'elle accomplit une tâche importante; il veillera plutôt à l'assister. S'il a besoin d'un dossier alors qu'elle est très occupée, il le cherchera lui-même au lieu de l'interrompre dans son travail. Un climat trop familier n'est jamais recommandable dans un milieu de travail, car il engendre toujours des complications. On appelle une secrétaire par le nom qu'elle choisit (Madame, Mademoiselle Brun ou Linda) et on la présente sous ce nom.

On ne peut comparer *le service du café* à une course à l'extérieur du bureau. Au travail, le café est un petit plaisir que chacun s'offre, et les personnes qui en ont le temps et qui savent faire une bonne tasse de café s'empresseront de le préparer. Jour après jour, une personne différente pourra se charger de cette tâche; même le patron songera de temps en temps à en faire le service, ne serait-ce que pour montrer à son personnel qu'il veille au confort de son équipe. Je ne juge pas humiliant pour une secrétaire, une adjointe administrative ou un cadre, homme ou femme, de servir du café, particulièrement quand il ou elle s'en prépare de toute façon une tasse pour lui-même ou elle-même. Et je trouve particulièrement attentionné de la part d'un patron qu'il apporte une tasse de café à sa secrétaire quand il la voit se débattre avec une montagne de travail. Je me souviens de certains jours où j'ai servi du café et du thé à des visiteurs de marque, quand il n'y avait personne d'autre pour en faire le service, alors que je travaillais dans des milieux d'affaires très distingués. Les visiteurs, tout comme les directeurs, m'en ont toujours témoigné leur vive appréciation. Pour moi, être une hôtesse prévenante, tant chez soi que dans un bureau, constitue une fonction agréable, et je crois que les hommes peuvent aussi se révéler des hôtes accueillants — s'ils veulent bien s'en donner la peine.

Comment présenter sa secrétaire

Il faut présenter sa secrétaire avec tous les égards qui lui sont dus. Elle porte un titre (Madame ou Mademoiselle) et on l'utilisera dans la présentation. Elle n'est surtout pas que «ma secrétaire».

- Si votre secrétaire aime qu'on l'appelle par son nom de famille et son titre, présentez-la ainsi: «Monsieur Brun, j'aimerais vous présenter ma secrétaire, Madame Claudette Bourque; Madame Bourque, voici Monsieur Brun.» Elle seule peut ajouter, si elle le désire: «Je vous en prie, appelez-moi Claudette.» «Et moi, François», répondra peut-être le visiteur.
- Si elle est jeune et préfère qu'on s'adresse à elle par son prénom, présentez-la ainsi: «Monsieur Brun, j'aimerais vous présenter ma secrétaire, Claudette Bourque; Claudette, voici Monsieur Brun.»

Les entreprises qui préfèrent entretenir un climat plus formel s'en tiennent aux «Madame», «Mademoiselle» et «Monsieur» avec leurs employés. Les fabricants d'image, ces nouveaux professionnels, ont malheureusement tendance à négliger le langage distingué et les formules de politesse appropriées lorsqu'ils créent une image pour leurs clients. Aussi beaux soient-ils, les décors, mobiliers, articles de papeterie, plantes et fleurs ainsi que les uniformes et les habits ne remplaceront jamais la beauté intérieure et la personnalité des employés d'une compagnie. Après tout, les humains ne sont-ils pas l'âme d'une entreprise? Ils jouent un rôle de premier plan dans l'impression globale d'harmonie et l'image que projette une compagnie.

Le comportement à l'égard de la secrétaire en société

Dans une réunion sociale où patron et secrétaire ont été conviés, tous, y compris le patron, traiteront la secrétaire comme une invitée. On ne lui demandera pas de rendre de petits services, d'aider ici et là, ni de s'occuper des enfants. Au bureau, une certaine déférence s'impose, mais une réunion sociale n'a rien à voir avec le bureau. Le comportement d'une secrétaire dans une réunion sociale pourra avoir des conséquences positives ou négatives sur sa carrière. Si elle manque d'entregent et de tact, si elle ne sait pas se comporter convenablement à table et si elle est incapable d'entretenir une conversation «de salon» sans faire toutes sortes de références à des événements survenus au travail et qui n'intéressent personne, elle embarrassera son patron et pourra nuire à l'image de la société qui l'emploie. Plusieurs secrétaires ont réussi à acquérir de l'entregent, savent mener avec intelligence et vivacité une conversation sur des sujets généraux, et savent s'habiller et se conduire correctement dans toutes les situations, qu'il s'agisse des voyages à bord d'un avion privé de la compagnie ou de la participation à des événements sportifs, tout comme on s'y attend de toute personne bien éduquée qui occupe un poste important.

On se doit de reconnaître à leur juste valeur et de traiter en conséquence les nouvelles secrétaires et adjointes administratives qui sont des professionnelles compétentes, et de prendre conscience du rôle primordial qu'elles jouent dans une entreprise. Il y a un peu plus de dix ans, une grande et puissante société donnait un dîner et une soirée à l'intention de ses secrétaires, et son jeune relationniste inexpérimenté, indélicat et insensible qualifia l'événement de «soirée des petites gens». Depuis, la situation a heureusement beaucoup évolué, et les propos méprisants de ce genre sont démodés et mal vus. On reconnaît de plus en plus l'importance de la secrétaire, et il était temps.

III

Les usages du monde administratif et du domaine semi-privé

1. LES RÉCEPTIONS D'AFFAIRES

L'importance des réceptions d'affaires

Sur la scène internationale, l'art de recevoir a toujours tenu un rôle important dans l'établissement de bonnes relations diplomatiques entre nations et entre partenaires en affaires. Talleyrand, sa table et son cuisinier Carême étaient réputés dans l'Europe entière. Napoléon, qui n'avait rien d'un gastronome et dont la seule concession fut de rester à table pendant une demi-heure lors d'un banquet d'État, avait même fait de Talleyrand son ambassadeur gastronomique extraordinaire pour se soustraire à ce devoir accablant et éviter ainsi tout incident diplomatique qu'aurait pu provoquer son inqualifiable comportement à table. Metternich raconte qu'un jour Napoléon délégua l'une après l'autre aux cuisines trois têtes couronnées qui étaient ses invités pour qu'elles s'informent du moment où l'on pourrait enfin servir le repas, car il était extrêmement impatient et détestait attendre. Metternich, qui était fort étonné de cette scène, conclut: «C'est tout de même un homme extraordinaire qui peut s'offrir cet orgueilleux plaisir.»

Brillat-Savarin, ce gastronome illustre, auteur de la *Physiologie du goût*, qui l'a rendu célèbre mais qui parut seulement en 1825, date de sa mort, connaissait le pouvoir de la table pour les affaires. Il écrivit, pendant son séjour aux États-Unis:

«La table crée une sorte de lien entre le marchandeur et celui avec qui il marchande, et rend l'invité plus apte à recevoir certaines impressions.» En conséquence, la réception d'affaires devient un très puissant instrument pour qui sait s'en servir: elle génère la bonne volonté et jette les bases de fructueuses relations d'affaires.

Comment recevoir à la maison

• Surclasser un concurrent

On attire autant la réprobation en ayant de mauvaises manières à table qu'en portant des chaussettes blanches ou des mocassins Gucci avec un complet d'affaires; ces deux fautes de goût peuvent avoir de fâcheuses conséquences sur le plan social. Elles dénotent un manque de classe. De bonnes manières à table, un comportement courtois et raffiné et des talents de fin causeur sont des préalables pour le cadre cultivé, l'adjoint administratif (homme ou femme) et tout aspirant directeur également ambitieux de gravir les échelons du succès.

Une conduite irréprochable à table est le fondement même d'un comportement courtois. L'histoire de la courtoisie, de la civilité et de la bienséance, dont témoignent abondamment la littérature et les arts (surtout la peinture), nous apprend que l'évolution des manières raffinées fut grandement marquée par celle des manières à table. L'apparition de la fourchette (au XVIᵉ siècle), par exemple, a radicalement transformé les attitudes en société et, du même coup, le comportement jugé acceptable en société.

Nous sommes aujourd'hui témoins d'un renouveau d'intérêt pour les manières parce que notre nouvelle société exige plus de politesse, plus de considération et de respect pour chacun de ses membres, de manière à ce que se développent entre eux des relations plus harmonieuses dans un monde foncièrement brutal. L'étiquette requiert de chaque individu occupant un poste de cadre qu'il se conduise correctement à table, exprimant ainsi son respect et sa considération pour ceux qui partagent son repas. Votre comportement à un dîner mondain ou d'affaires pourra grandement faciliter vos relations avec d'éventuels partenaires, ou réduire à néant vos projets pourtant prometteurs.

Nous savons tous qu'il est inconsidéré et impoli de parler ou de boire la bouche pleine, de manger bruyamment sa soupe ou de repousser son assiette en disant: «Je suis plein.» Tous ces comportements sont grossiers et témoignent d'un manque d'égard pour autrui. Ces fautes de goût en société dénotent une mauvaise éducation et ne peuvent que nuire à une carrière. Point n'est besoin d'avoir été élevé dans un château pour saisir à quel point sont détestables de tels comportements; un cadre raffiné n'ignore pas la différence entre un dîner prié et un dîner élégant, une réception mondaine et une réception d'affaires, ni comment se vêtir et se comporter en toutes circonstances.

En ce qui concerne les manières à table, on saura faire la distinction entre les comportements internationalement acceptés et les usages particuliers à certains pays et sociétés. Les coutumes traditionnelles sont agréables et de bon ton entre amis et proches. Mais le protocole international des affaires a ses règles, pour un dîner prié comme pour un cocktail après un important congrès ou séminaire.

L'histoire nous apprend l'origine de plusieurs de ces règles. Le couteau à découper, par exemple, s'est perfectionné et transformé au cours des siècles: depuis le XIIIe siècle, où l'on dépeçait sous les yeux des convives des animaux entiers ou d'énormes quartiers passés à la broche, jusqu'aux temps modernes, où l'on considère le couteau comme un instrument dangereux, une arme, qu'on ne doit ni pointer vers quelqu'un ni utiliser pour découper, à table, la viande ou le poisson. (C'est ce qui explique l'usage des baguettes en Extrême-Orient; à ce propos, voir la section 5 du chapitre II.)

Le service de plats de viande ou de poisson tranché exige des convives la connaissance de ce qu'on nomme les services à la française et à la russe ainsi que de la conduite à adopter dans chacun de ces cas.

Faire la conversation est un des arts de la table et l'un des principaux rôles des cadres présents à des réunions sociales.

Le fin causeur, intelligent et spirituel, sera toujours un invité recherché. Aujourd'hui, la véritable conversation de salon connaît un renouveau, et le premier pas a été de faire revivre le libre échange des idées. La vraie conversation au cours d'une réception mondaine (sociale ou d'affaires) consiste à oublier ses propres impressions pour se concentrer sur celles exprimées par les autres et pour élaborer à partir d'elles. Un fin causeur doit se servir de ses connaissances pour procurer du plaisir aux autres, et non en vue de son avancement personnel. Dans ce cas, on parlera plutôt de communication. Les communications efficaces sont planifiées à l'avance dans le but de promouvoir un avancement personnel (ou professionnel) et n'ont pas leur place à table, où les échanges prennent plutôt la forme de conversations.

C'est le type de conversation qu'on y tient qui distingue la réception d'affaires de la réunion sociale, et les dîners d'affaires des dîners priés et des réunions où l'on combine affaires et plaisir.

Le dîner mi-professionnel mi-mondain dans une maison privée est en réalité une réunion sociale où les invités établissent des contacts sans se permettre la moindre allusion aux affaires et ne s'échangent leurs cartes d'affaires qu'à la fin de la soirée, mais pas systématiquement, et de la manière la plus discrète qui soit.

• Le dîner prié

Si vous êtes convié à l'un de ces merveilleux dîners priés — selon cette forme d'invitation, vieille d'un siècle, les gens sont *priés* d'assister à un événement au lieu d'y être simplement invités —, vous recevrez un carton d'invitation gravé qui, dans le coin inférieur droit, vous indiquera la tenue de mise et, dans le coin inférieur gauche, portera la formule «R.s.v.p.» suivie de l'adresse de réponse (sans numéro de téléphone). (On utilise «R.S.V.P.» surtout dans les milieux diplomatiques, alors qu'ailleurs on utilise plutôt «R.s.v.p.».) Si l'habit est de rigueur, on portera la grande tenue de soirée appelée «cravate blanche» (*white tie and tails*, en anglais), c'est-à-dire le frac, et si l'habit n'est pas de rigueur, on portera la tenue de soirée appelée «cravate noire» (*tuxedo*, en anglais), c'est-à-dire le smoking. Dans les deux cas, le complet foncé est incorrect. On doit répondre à l'invitation par écrit. Choisissez un carton blanc ou une feuille de papier fin sans en-tête et une enveloppe assortie, et écrivez à l'encre noire ou bleu foncé. Seules les personnes dont le nom apparaît sur l'invitation peuvent assister à la réception. Il est incorrect de venir accompagné ou même de demander la permission de le faire.

Vous arrivez à l'heure dite, ce qui veut dire entre huit et dix minutes après l'heure indiquée sur l'invitation. Pas plus tard. On n'apporte jamais de cadeau à un dîner prié.

Dans le hall menant à la salle à manger (ou en tout autre endroit stratégique), il doit y avoir un tableau indiquant les places assignées à table, afin que les convives sachent où ils doivent s'asseoir et qui sera leur voisin. Pour chaque dame présente, il y a une carte portant son nom, placée dans une enveloppe portant le nom du monsieur qui lui servira de partenaire. Sur la table, il y a des cartons portant le nom de chaque convive, ainsi que des menus rédigés en français puisque le français est la langue de la fine cuisine, des vins et de la diplomatie. Pour ceux qui ne sont pas de langue française, cela signifie une petite gymnastique mentale, ce qui est bon pour eux. Il est important de connaître plusieurs langues, car cela constitue un grand apport culturel. La table est recouverte d'une nappe blanche damassée, avec des serviettes assorties et de format dîner. On trouve sur la table un centre de table composé de fleurs, des candélabres et de petits plats de pastilles de menthe et de noix qui devront être dégustés en petite quantité après le dîner. On ne fume pas à table.

On annonce les invités au fur et à mesure de leur arrivée, les épouses avant les maris; le contraire se produit seulement dans le cas où l'homme détient un titre officiel. On leur alloue ensuite encore vingt minutes pour un verre de champagne avant que le majordome ne vienne prévenir l'hôtesse que «Madame est servie». On n'attend pas les retardataires; d'ailleurs, il n'y a jamais de retardataires lors d'un dîner prié.

La vraie tasse à café n'est pas utilisée lors d'un dîner prié. Le café est versé dans des demi-tasses et offert après le repas, avec liqueurs, brandy, cigares et cigarettes, au fumoir pour les fumeurs et au salon pour les non-fumeurs. Le seul écart à la tradition: autrefois, les dames et les monsieurs ne passaient pas cet intermède du café ensemble, alors qu'aujourd'hui on ne fait plus cette distinction puisque tant de femmes ont adopté la déplorable (et malsaine) habitude de fumer.

De nos jours, il n'y a qu'aux dîners priés et aux dîners très élégants que chacun doit attendre le départ de l'invité d'honneur avant de prendre congé à son tour. Ne négligez surtout pas de remercier l'hôtesse pour la superbe soirée et de louanger le chef, *une seule fois*, pour sa merveilleuse cuisine et son excellent choix de vins. Chaque convive écrira aussi quelques mots de remerciement. Seul l'invité d'honneur est tenu d'envoyer des fleurs en plus d'un mot de remerciement, mais je trouve extrêmement charmant que chaque invité envoie quelques fleurs avec son mot de remerciement.

• Le service à la russe

Les occasions empreintes de formalité ayant connu un regain de vogue au cours des dernières années, j'ai été assaillie de questions sur le comportement que l'on doit adopter si l'on est invité à un dîner prié. Voici donc les règles de base.

Le couvert de chaque invité comprend une assiette de présentation (en argent ou en porcelaine ancienne), tous les couverts nécessaires sauf ceux pour le dessert (la coutellerie en argent est obligatoire), des verres sur pied pour l'eau, deux ou trois sortes de vin (y compris le champagne). Toute la coutellerie est d'un même motif, sauf le couteau et la fourchette à poisson.

La porcelaine pour chaque service est aussi d'un seul motif. On utilise souvent des assiettes différentes pour le poisson, des assiettes en cristal pour la salade, de même que des assiettes à dessert et des couverts anciens à la fin du repas.

Sur l'assiette de présentation se trouve la serviette de table roulée, et, posé sur cette dernière, le carton portant le nom du convive.

Au-dessus de l'assiette sont disposés un saleron et un poivrier, un cendrier (dont on ne se sert jamais), un petit plat de pastilles de menthe et le menu écrit à la main. Ces derniers objets peuvent également être placés entre deux convives. Les couteaux, la cuillère à soupe et la fourchette à huîtres (ou à crevettes) se trouvent à droite de l'assiette, alors que les fourchettes sont à gauche. Les couverts pour le dessert sont apportés à la fin du repas sur l'assiette à dessert.

Une fois assis à table, le convive déplie sa serviette en deux et la dépose sur ses genoux. L'assiette à huîtres ou à crevettes est alors placée sur l'assiette de présentation et, lorsqu'elle est retirée, l'assiette creuse (non une tasse à bouillon ou un bol à soupe) est déposée sur cette assiette de présentation. Ces deux assiettes sont ensuite retirées ensemble et remplacées par une assiette chaude. L'assiette de présentation disparaît de la table après le service de la soupe. La règle est qu'une assiette que le convive a terminée doit être rapidement remplacée, de sorte qu'il ne se trouve jamais devant une place vide et dépourvue d'assiette, et ce jusqu'au moment du dessert.

À l'exception du service de la soupe, les convives ne reçoivent jamais une assiette déjà servie (remplie). Les services de poisson et de viande sont présentés sur des plats de service identiques, alors qu'un valet de pied commence le service d'un côté de la table, et l'autre du côté opposé. Les invités doivent être en mesure d'évaluer à combien de convives le contenu de chaque plat de service est destiné, et se servent une portion en conséquence. Cela n'est pas le service dit à la française, où les serveurs déposent la nourriture sur l'assiette du convive, mais le service à la russe, avec majordome et valets de pied, où les convives se servent eux-mêmes à partir du plat de service.

Lorsque le grand chef Marie Antoine Carême (1784-1833) revint de Saint-Pétersbourg après avoir été au service du tsar Alexandre Ier, il introduisit en France le service à la russe, qu'on s'empressa d'adopter en raison de sa plus grande facilité et de son élégance. Toutefois, la manière française de déposer la nourriture sur l'assiette du convive plutôt que de le laisser se servir lui-même demeure en vogue dans la plupart des sociétés d'influence française.

C'est pourquoi on trouve souvent une combinaison du service à la russe et du service à la française dans les dîners priés. Quelques excellents traiteurs ont toutefois adopté le service à la russe jusque dans ses détails les plus subtils et sont en mesure d'exécuter de façon impeccable l'authentique service à la russe en gants blancs.

Lors d'un tel dîner, on n'offre jamais une seconde portion. Il n'y a pas d'assiettes à pain et il n'y a ni pain ni beurre, sauf peut-être un petit pain croustillant qui est fractionné et placé soit sur le bord de l'assiette, soit sur la nappe. D'où la nécessité de ramasser les miettes sur la nappe avant le dessert, alors que tout en a été retiré sauf le verre à champagne, le centre de table, les bougies et les menus. C'est le moment du dessert.

Menu type

Champagne et caviar
* * *

Vin blanc	*Huîtres sur demi-coquilles*
Xérès	*Consommé à la tortue au sherry*
Vin rouge	*Filet de boeuf Wellington*
	Jardinière de légumes
	Pommes en purée
Eau minérale	*Laitue rouge de Savoie*
	vinaigrette au basilic
Champagne	*Framboises à la crème fraîche*

* * *

Demi-tasse - liqueurs - brandy
friandises

Une cuillère et une fourchette sont déposées sur l'assiette à dessert, la cuillère à droite et la fourchette à gauche. Les convives les retirent et déposent la cuillère à droite et la fourchette à gauche de leur assiette. Lorsque chacun s'est acquitté de ce petit rituel, le dessert est apporté sur des plats de service identiques, alors qu'un valet de pied commence le service d'un côté de la table, et l'autre du côté opposé. Comme aucun aliment ne se mange avec les doigts au cours d'un véritable dîner prié, il n'y a pas de rince-doigts.

Un dîner prié ne comprend jamais plus de cinq services. Les dîners gastronomiques ne sont pas considérés comme des dîners priés. Ils sont destinés aux connaisseurs en cuisine, qui aiment se régaler de plats variés échelonnés sur huit services, ou même davantage, accompagnés de vins recherchés. Un dîner ne devrait pas comporter plus de cinq services, et un luncheon (repas de midi), plus de trois.

• Le dîner très élégant

Ce genre de dîner est dépourvu de plusieurs des formalités précédentes, simplement parce qu'elles requièrent des préparatifs trop longs et trop coûteux qui ne correspondent pas aux possibilités de la vie moderne de la majorité des gens. Il nous faut, de nos jours, recourir aux services de traiteurs, de serveurs et de serveuses, parce que la plupart des gens n'ont pas dans leur maison les services d'un majordome ou de valets de pied et ne sont pas en mesure de trouver et d'engager de tels serviteurs pour ces occasions. Cependant, il est possible de servir agréablement un dîner très élégant avec la gouvernante qui a la charge habituelle de la maison et en faisant appel à un chef et à des serveurs ou serveuses pour la soirée. Certains traiteurs se spécialisent aussi dans la préparation et le service de dîners élégants pour petits groupes.

La nécessité de trouver un juste milieu entre le dîner prié et le dîner informel a donné naissance au nouveau dîner très élégant, qui répond à notre désir de donner des réceptions empreintes d'élégance et de distinction, et qui est tout spécialement conçu pour les réceptions mi-professionnelles mimondaines dans les maisons privées, si prisées de nos jours.

Les hommes peuvent porter la cravate noire ou le complet foncé, tel qu'indiqué, et les femmes s'habillent dans le même style. Les invitations, de même que les réponses, peuvent se faire par carton écrit à la main ou par téléphone. Les cartons de table portant le nom de chaque convive, ainsi que les menus, apportent une touche de raffinement (que j'aime beaucoup) mais ne sont pas obligatoires.

On optera pour le service à la française: le serviteur vous demandera quelle partie de la viande (ou du poisson) vous désirez, quelle quantité de légumes vous souhaitez, etc., et il déposera dans votre assiette les aliments que vous avez sélectionnés.

N'apportez pas de cadeau pour l'hôtesse ni de bouteille de vin; ce geste serait déplacé dans le cadre d'un événement aussi élégant. Lorsqu'ils se retirent, les invités remercient l'hôtesse et l'hôte pour la superbe soirée et chacun d'eux veillera à leur adresser également un mot de remerciement. Après l'événement, l'envoi d'un bouquet de fleurs sera évidemment très apprécié et considéré comme une gentille attention. On ne posera ce geste de gentillesse et de reconnaissance, que je recommande, qu'*après* la soirée.

Menu type

Cocktails et petites bouchées
* * *
Coupe de fruits frais au kirsch

Bordeaux rouge	*Longe de veau rôtie et*
de grand cru	*mousse de riz de veau*
	Légumes du jardin au romarin
Eau minérale	*Bleu de Bresse grillé sur*
	feuille de laitue de Boston
Champagne	*Île flottante (ou mousse)*

* * *
Demi-tasse - liqueurs - brandy

friandises

• De l'usage délicat de la fourchette et du couteau

Manger correctement avec le couteau et la fourchette appropriés est très facile. Vous n'avez qu'à observer les règles suivantes.

204

Vous commencez toujours par les couverts qui sont disposés le plus loin de votre assiette: Les fourchettes sont placées à gauche, les couteaux à droite.

Si vous êtes invité à un dîner prié, vous trouverez presque toujours la table dressée avec trois fourchettes à gauche de l'assiette, trois couteaux à droite ainsi que la cuillère à consommé, et aussi parfois une minuscule fourchette posée, les dents vers le bas, dans la cuillère à soupe et légèrement inclinée vers la gauche. Cette petite fourchette sert pour les huîtres ou les crevettes servies comme entrée. Elle pourrait également se trouver à gauche de l'assiette, avec les autres fourchettes, ce qui est correct, mais ni élégant ni professionnel. Qu'elle soit placée à droite ou à gauche, la minuscule fourchette est le premier couvert dont il faut se servir. Vient ensuite le consommé. La fourchette suivante à gauche et le couteau correspondant à droite seront pour le plat qui suivra le consommé. Il s'agit donc simplement de toujours aller successivement vers l'assiette.

Si le premier service n'était pas des huîtres ou des crevettes, ce serait probablement un service de poisson. Vient ensuite le service de la viande, pour lequel vous utiliserez le couteau suivant et la fourchette correspondante. Vous arrivez enfin à la salade, et vous en êtes à la troisième fourchette et au troisième couteau. Les couverts pour le dessert ne sont pas sur la table. Ils vous seront apportés avec l'assiette à dessert et consistent en une cuillère et une fourchette. Vous les retirez de l'assiette et les déposez sur la table, la cuillère à droite de votre assiette et la fourchette à gauche.

Vous aurez peut-être un petit moment d'angoisse entre le service du poisson et le service de la viande, lorsqu'on placera une petite portion de sorbet, généralement du sorbet au champagne, à l'extrémité supérieure gauche de votre couvert. Il s'agit du service pour *rafraîchir le palais* entre le poisson et la viande, et vous êtes censé manger ce petit sorbet avec votre fourchette à viande ou avec une toute petite cuillère servie avec. (Ce petit plat est souvent appelé «tour de force», ce qui est aussi peu élégant que le mot «amuse-gueule».)

Vous trouverez probablement à votre droite un verre à vin blanc, puis, vers le milieu de votre assiette, un verre à vin rouge et, à côté, un verre à eau. Si du champagne est prévu avec le dessert, une flûte ou une coupe à champagne se trouvera derrière ces trois verres. Si un sherry sec est servi avec le bouillon, un petit verre à sherry sera placé devant les verres à vin et le verre à eau. Les verres ne présentent aucun problème puisqu'ils sont enlevés à la fin de chaque service, avant l'apparition du vin suivant. Ne soyez pas surpris si on retire votre verre, à demi plein ou non, avant le service du vin suivant. Il est inélégant de demander à finir son verre.

Lorsque vous avez fini de manger, déposez votre couteau et votre fourchette parallèlement, le couteau à droite de la fourchette, sur votre assiette vide. Les deux manches doivent être pointés vers la droite dans la position de l'aiguille d'une montre marquant dix heures, et les couverts doivent reposer fermement sur l'assiette, pour ne pas dégringoler lorsque votre assiette vous sera retirée!

Il n'y a jamais de rince-doigts dans les véritables dîners priés. Cependant, ils sont fort utiles après les aliments qui se mangent avec les doigts, tels le homard (avec de l'eau tiède et une tranche de citron) et les fruits (avec de l'eau froide et une fleur). Après le homard, le rince-doigts est placé à l'extrémité supérieure gauche de votre couvert. Quand vous aurez fini de manger cet aliment, vous n'aurez qu'à tremper vos doigts dans le rince-doigts, à les frotter délicatement avec la tranche de citron, puis à les essuyer à l'aide de votre serviette.

Présenter le rince-doigts avec le dessert se fait d'une autre manière. Les couverts à dessert sont une cuillère et une fourchette, ou une fourchette et un couteau, avec un rince-doigts et un petit napperon décoratif, le tout disposé sur l'assiette à dessert. Le convive met la cuillère à droite de son assiette, la fourchette à gauche (ou la fourchette à gauche et le couteau à droite, selon ce qui est servi). Il place alors le rince-doigts sur le petit napperon décoratif à l'extrémité supérieure gauche de son couvert. Le convive, une fois son dessert terminé, se rince délicatement les doigts et les essuie avec sa serviette.

- Manger à l'américaine ou à l'européenne?

Les deux façons sont correctes, bien que la manière conti-
nentale soit plus facile et représente, de ce fait, une meilleure
formule. C'est la manière de manger en usage dans la plupart
des pays occidentaux. Seuls les Nord-Américains mangent en
général à l'américaine. Nombreux sont ceux qui ont fait des
recherches pour découvrir pourquoi et quand ce style a été
adopté, mais personne n'a pu en déterminer l'origine.

Manger à l'américaine consiste, lorsque l'on coupe sa viande,
à tenir sa fourchette de la main gauche et son couteau de la
main droite. On dépose ensuite son couteau pour passer sa
fourchette dans sa main droite, y piquer sa nourriture et la
porter à sa bouche. Cette formule n'est pas très gracieuse et
ne dégage pas une impression de tenue impeccable. Il ne
convient pas non plus de garder la main gauche sous la table
ou sur les genoux.

Manger à l'européenne consiste à tenir sa fourchette de la
main gauche et son couteau de la main droite à la fois pour
couper la viande et la manger. Le couteau reste dans la main
droite, et, par conséquent, la fourchette demeure dans la main
gauche. Cela évite une manipulation de couverts et il s'en
dégage un comportement soigné.

Dans une société multiculturelle, il me semble acceptable
d'adopter une formule qui est plus pratique et plus jolie. (Letitia Baldridge, dans l'édition complètement révisée et renou-
velée de *Amy Vanderbilt's Every Day Etiquette*, de même
qu'Emily Post dans son tout dernier livre sur l'étiquette, sont
de cet avis. Cela est d'autant plus significatif que ces livres
ont été écrits pour les États-Unis et que, jusqu'à ces dernières
années, manger à l'américaine était l'usage!)

- Les erreurs impardonnables en matière d'étiquette
  à table

– On ne doit pas manger avec les coudes sur la table ni
  placer sa main gauche autour de son assiette.
– On ne doit pas repousser son assiette vide; elle doit
  demeurer en place jusqu'à ce que la personne qui fait le
  service vienne la retirer.

- On ne doit pas déclarer: «J'ai l'estomac plein» ou quelque chose d'analogue. On doit se contenter de disposer correctement son couteau et sa fourchette sur son assiette, ce qui indique que l'on a terminé.
- On ne doit jamais ingurgiter de liquide si on a déjà la bouche pleine de nourriture (sauf en cas d'urgence).
- On ne doit jamais essuyer son couvert, même au restaurant! Si vous avez un couvert sale, demandez simplement au serveur de le remplacer. Dans une maison privée, il n'y a pas d'ustensiles sales!
- Une femme ne doit pas mettre trop de rouge à lèvres avant d'aller à un dîner. C'est manquer d'égard envers ses hôtes que de tacher leurs serviettes de table de rouge à lèvres ou de barbouiller le bord de leurs verres.
- On ne doit pas recroqueviller le petit doigt en tenant sa tasse.
- On ne doit jamais laisser une cuillère dans sa tasse ou dans un plat à soupe.
- On ne doit pas couper la nourriture en petits morceaux dans son assiette et la mettre en purée dans sa sauce, ni manger bruyamment.
- On ne doit pas gesticuler avec la cuillère ou la fourchette à la main durant une conversation.
- On ne doit pas se servir de trop grosses portions.

(Pour plus de détails, voir l'appendice).

• L'ordre de préséance des convives

Il n'y a aucun problème si l'on a trois, cinq ou sept couples à placer à table. L'alternance peut être respectée, avec l'hôte à une extrémité de la table et l'hôtesse à l'autre extrémité. À la droite de l'hôte se trouve l'invitée d'honneur et à la droite de l'hôtesse se trouve l'invité d'honneur. La deuxième invitée prioritaire se trouve à la gauche de l'hôte et le deuxième invité prioritaire se trouve à la gauche de l'hôtesse. Les autres convives, hommes et femmes, alternent de chaque côté. Il est d'usage, si la table le permet, de ne pas placer les conjoints en face l'un de l'autre, mais plutôt sur la même rangée, mais pas côte à côte.

Dîner prié

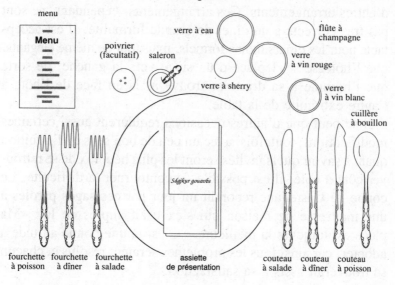

menu

Menu

verre à eau
flûte à champagne
poivrier (facultatif)
saleron
verre à vin rouge
verre à sherry
verre à vin blanc
cuillère à bouillon

Sdgjkur gouavbs

fourchette à poisson
fourchette à dîner
fourchette à salade
assiette de présentation
couteau à salade
couteau à dîner
couteau à poisson

Dîner protocolaire
(très élégant)

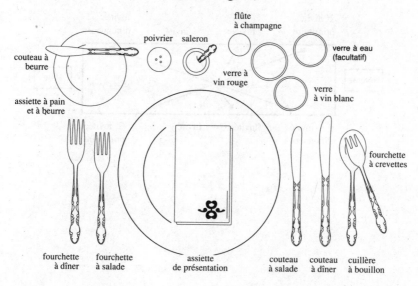

flûte à champagne
poivrier
saleron
verre à eau (facultatif)
couteau à beurre
verre à vin rouge
verre à vin blanc
assiette à pain et à beurre
fourchette à crevettes

fourchette à dîner
fourchette à salade
assiette de présentation
couteau à salade
couteau à dîner
cuillère à bouillon

Si vous avez des multiples de quatre, vous devez faire d'autres arrangements. Ces arrangements, cependant, ne sont pas très corrects à un dîner de grande formalité. Il est acceptable pour les dîners moins formels, mais tout de même élégants, que l'hôtesse se déplace d'un siège vers la gauche, de sorte que l'homme à sa droite se trouve assis en face de l'hôte à l'autre extrémité de la table.

Il se peut que d'autres occasions requièrent aussi certaines modifications; toutefois, avec un peu de bon sens et d'intuition quant à savoir quels invités seront les plus heureux de se retrouver côte à côte, il est possible de contourner la difficulté. Le comte de Castellane répondit un jour par ces sages paroles à une maîtresse de maison qui s'excusait auprès de lui: «Ma place est toujours la meilleure.» C'est là une bonne attitude à adopter, car ainsi tous les problèmes seraient résolus et chacun se trouverait assis à sa satisfaction.

Attribution des places à table
Jusqu'à dix convives

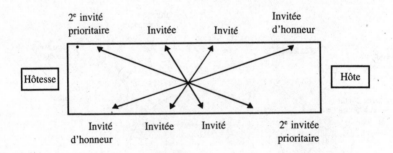

Plus de dix convives

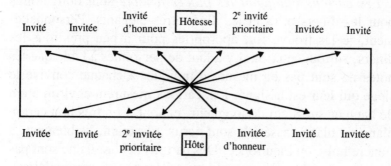

| Invité | Invitée | Invité d'honneur | Hôtesse | 2e invité prioritaire | Invitée | Invité |

| Invitée | Invité | 2e invitée prioritaire | Hôte | Invitée d'honneur | Invité | Invitée |

La femme célibataire reçoit
Ordre de préséance à table

| Invitée | 1er invité prioritaire | Hôtesse | 2e invité prioritaire | Invitée |

| Invité | 2e invitée prioritaire | Hôte d'honneur | 1re invitée prioritaire | Invité |

L'homme célibataire reçoit
Ordre de préséance à table

| Invité | 1re invitée prioritaire | Hôte | 2e invitée prioritaire | Invité |

| Invitée | 2e invité prioritaire | Hôtesse d'honneur | 1er invité prioritaire | Invitée |

• Les cartons et les menus

Les cartons indiquant les places à table sont obligatoires pour les dîners priés et les dîners très élégants. Personnellement, je les trouve fort appropriés pour à peu près tous les dîners, surtout ceux où il y a tant de personnes à table que les hôtes ne sont pas en mesure d'indiquer à chaque convive le siège qui leur est assigné. Les cartons mesurent environ 5 cm de hauteur sur 8 cm de longueur, et sont d'un très bon carton blanc ou blanc cassé. Ils sont écrits à la main, lisiblement, à l'encre noire ou bleu foncé. Des cartons décoratifs ne sont pas de mise pour les dîners priés, très élégants ou protocolaires.

Les cartons de menu sont nécessaires pour un dîner prié ou très élégant, mais ils ajoutent une touche raffinée à tout dîner, même un dîner de famille pour une occasion spéciale. Pour les grands dîners, ils sont écrits en français, et, si on a beaucoup de classe, on les écrit aussi dans la langue la mieux comprise par tous les convives au verso. Selon les normes habituelles, ils doivent être gravés (si l'invitation était gravée) ou écrits à la main (si l'invitation était écrite à la main) sur du très bon carton blanc ou blanc cassé (à l'encre noire ou bleu foncé). (Pour de plus amples détails, voir plus loin dans le présent chapitre).

• Le service du vin à la maison

À la maison, le service du vin ne se fait pas de la même façon qu'au restaurant (voir «L'étiquette au restaurant», plus loin dans ce chapitre).

La règle générale est que les vins rouges doivent être débouchés une heure ou deux avant le dîner, et les vins blancs, peu avant le moment du service. Les vins rouges doivent respirer, c'est-à-dire développer leur bouquet, alors qu'au contraire les vins blancs peuvent perdre leur bouquet s'ils sont débouchés trop longtemps à l'avance. Certains vins allemands très rares, comme l'Eiswein, devraient même être refermés avec leur bouchon entre les services. Mais il s'agit là d'une exception. Les vins rouges se servent à la température de la pièce (mais non à la température d'une pièce surchauffée), et les blancs doivent être rafraîchis une heure ou deux dans un seau à glace rempli à moitié d'eau et à moitié de glace. Vous pouvez également garder le vin blanc une heure ou deux sur la tablette inférieure du réfrigérateur. Procédez de même pour le champagne. Ne placez pas les vins blancs ou les champagnes au congélateur. La température y est trop froide et pourrait «casser» le vin; le bouquet se trouve détruit et le vin perd sa saveur.

Pour déboucher la bouteille de vin, découpez la capsule et essuyez la partie exposée du bouchon ainsi que le goulot de la bouteille avec une serviette blanche. Retirez ensuite le bouchon et nettoyez l'ouverture du goulot. Cela est important car il reste souvent des résidus à cet endroit, ce qui peut porter atteinte au goût fin de votre vin. Une bouteille de vin blanc se sert entourée d'une serviette de table blanche, car l'eau provenant du seau à glace et qui coule le long des parois de la bouteille pourrait tacher les vêtements des convives et la nappe et aussi parce que l'on ne doit pas réchauffer le vin au contact des mains. À quoi bon rafraîchir le vin si l'on doit de nouveau le réchauffer en tenant la bouteille dans ses mains? C'est également pour cela qu'on devrait toujours tenir son verre à vin par la tige et jamais par la coupe. Un verre à vin se compose d'un pied, d'une tige et d'une coupe.

Dans les maisons privées, les vins rouges se servent sans serviette autour de la bouteille. On peut tenir une serviette dans sa main gauche et la placer sous le goulot pour recueillir d'éventuelles gouttes de vin qui pourraient tacher la nappe et les vêtements des invités. Au restaurant, le service s'effectue avec une serviette de table blanche enroulée autour de la bouteille de vin rouge et on utilise souvent aussi un panier à vin. Chez les connaisseurs en vins, le panier à vin sert en réalité uniquement pour monter les bouteilles de vin vieux de la cave à la salle à manger. Ce procédé permet de ne pas déranger le vin et empêche le sédiment de se répandre dans le contenu d'une précieuse bouteille. Les vins rouges doivent reposer; c'est pourquoi je vous suggère de les acheter au moins trois jours avant la réception. Placez les bouteilles debout dans la salle à manger afin que le vin jouisse de son temps de repos et prenne la température de la pièce où il sera servi et consommé.

Le vin se verse à la droite du convive, et les verres doivent être remplis seulement à moitié (ou même au tiers s'il s'agit de grands verres) parce que, encore une fois, le vin doit avoir assez d'espace pour respirer et développer au maximum son bouquet.

De manière générale, tout vin rouge est amélioré par le décantage, seuls les très vieux vins faisant exception à cette règle. Décanter signifie transvaser le vin d'une bouteille dans une autre sans qu'il soit en contact avec aucun autre objet. Il importe donc de ne pas faire usage d'un entonnoir pour cette manipulation. En transvasant le vin, on lui fait absorber de l'oxygène, ce qui le fait donc respirer et développer son bouquet. Si vous possédez une carafe à vin, versez-y le contenu de la bouteille après avoir goûté le vin. S'il y a des dépôts au fond de la bouteille, cessez de verser dès que le sédiment apparaît. Vous pouvez facilement en apercevoir l'apparition dans le goulot de la bouteille si vous décantez le vin devant la flamme d'une bougie. Laissez la carafe débouchée jusqu'à l'arrivée des invités; vous replacerez alors le bouchon jusqu'au moment du service.

Les vins blancs ne se décantent pas. On les sert à partir de leur bouteille originale.

Le champagne sec est l'apéritif par excellence, alors que le champagne doux est une boisson raffinée destinée à accompagner les desserts, et, lors d'un dîner au champagne, il se sert durant toute la durée du repas. À noter: on ne fait pas sauter le bouchon d'une bouteille de champagne, car ce n'est pas très élégant.

Les vins et les mets doivent se marier autant par leur type que par leur saveur. Des repas délicats réclament des vins subtils; des repas simples, des vins ordinaires; des repas formels, des vins somptueux. En d'autres mots: pas de champagne avec la pizza, pas de vin ordinaire avec la haute cuisine.

Les grandes lignes à suivre

Vin blanc sec

Avec les fruits de mer au fumet léger, la volaille, le veau et le porc.

Vin blanc fruité

Avec les fruits de mer au fumet prononcé, la volaille (également en sauce à la crème).

Vin blanc doux

Avec les fruits, les desserts, le fromage bleu; particulièrement apprécié avec les tartes, les pommes, les poudings, les poires bien mûres, les melons de miel.

Champagne

Le champagne sec accompagne merveilleusement bien tout mets élégant qui n'est pas trop assaisonné; il est également le meilleur des apéritifs.

Le champagne doux rehausse tout dessert raffiné.

Sherry (Xérès)

Le sherry sec convient aux entrées et aux consommés déjà aromatisés au sherry.

Le sherry doux convient au chocolat et aux noix.

Le sherry sec est un bon apéritif.

Rosé

Tout indiqué pour le lunch ou les repas d'été avec des aliments ni trop lourds ni trop relevés.

Vin rouge sec léger

Avec le bifteck et les côtelettes, le veau, la volaille ou le porc, dans une sauce au vin rouge, avec le poulet rôti ou les viandes rouges froides, comme le rosbif.

Excellent avec le fromage avant le dîner — le dernier cri en fait d'extravagance.

Vin rouge sec corsé

Avec les plats consistants de boeuf et d'agneau, tels que le boeuf bourguignon et autres ragoûts, avec les rôtis, les aliments de saveur relevée et mijotés en sauce au vin rouge ou sauce tomate, le gibier à plume (canard et oie), les fromages bleus.

Vin rouge italien

Avec les mets italiens. Le Barolo est particulièrement approprié avec les plats italiens en sauce à la viande ou aux tomates.

Vin rouge doux

Le porto est le roi de tous les vins rouges pour le dessert. Il convient parfaitement bien aux fromages comme le stilton et le cheddar, ainsi qu'aux noix et aux fruits séchés comme les abricots et les pêches.

On ne doit pas servir le vin avec les salades arrosées de vinaigrette, avec les plats comprenant des anchois, avec les agrumes, avec le chocolat (le sherry est une exception), avec la crème glacée (servez plutôt une liqueur).

Lorsqu'une femme célibataire reçoit, elle peut servir elle-même le vin si elle le désire. Il serait toutefois plus élégant qu'elle demande à son hôte d'honneur de le faire à sa place si elle n'a pas retenu les services de domestiques pour la circonstance. Mais elle s'assurera que son hôte ne se sent pas embarrassé par cette requête, pour éviter de lui confier une tâche dont il ne saurait s'acquitter correctement.

Quand recevoir à la maison

Si vous occupez un poste élevé dans votre entreprise, êtes fortuné et possédez une splendide demeure accueillante, vous avez tout ce qu'il faut pour recevoir chez vous avec élégance et raffinement. Vous pourrez impressionner vos associés et vos relations d'affaires lors de dîners mi-mondains mi-professionnels grâce à cette image éblouissante que vous leur découvrirez ainsi de vous-même et de votre entreprise. Notez bien les quelques suggestions suivantes.

- Si vous habitez la campagne et qu'il est compliqué de se rendre chez vous, fournissez des indications de route précises, peut-être même un dessin ou une carte que vous inclurez dans votre invitation.
- Si certains de vos invités doivent recourir aux transports publics, envoyez-leur une voiture ou demandez à quelqu'un de les prendre à la gare ou au terminus; louez même un minibus pour cueillir un groupe d'invités à un point de rencontre désigné et facilement accessible à tous.
- Servez toujours des cocktails pendant une période de trente à quarante minutes seulement avant le dîner, ainsi que des petits hors-d'oeuvre qui aident à prévenir la tentation de trop boire.
- Embauchez un personnel excellent et suffisamment nombreux pour que le service se fasse prestement et sans accroc.
- Si vous donnez un grand cocktail, retenez les services de préposés au stationnement qui faciliteront la tâche à vos invités.
- Dans le cas de dîners en ville, indiquez clairement les terrains de stationnement à proximité; s'il n'en existe aucun, laissez-le savoir d'avance à vos invités pour qu'ils songent plutôt à venir en taxi.
- Prévoyez le nécessaire pour que vos invités rentrent chez eux sains et saufs; veillez sur ceux qui auraient bu un peu trop. Vous êtes responsable de la sécurité de vos invités.

Lors d'un dîner mi-mondain mi-professionnel dans une maison privée, la conjointe est d'office cohôte. Elle apporte son aide en dressant la liste des relations sociales et d'affaires communes, commande les fleurs, veille à la décoration et supervise le chef et/ou le service de traiteur et le personnel dans toutes ses tâches. (Le conjoint peut également assumer avec succès ces responsabilités, le cas échéant.) La cohôte aide à présenter les invités les uns aux autres et veille de près à ce que le service pendant le repas soit efficace et soigné. Elle invite les convives à passer à la salle à manger après le cocktail et les aide à trouver leur place. Elle nourrit la conversation et, si nécessaire, l'oriente rapidement sur un autre sujet. Elle porte la responsabilité (au même titre que l'hôte) de s'assurer que les invités ne soient pas embarrassés par des sujets de conversation déplacés. Quand vient le moment de se lever de table et de quitter la salle à manger, elle donne le signal à l'hôte, assis en face, et ils se lèvent alors simultanément, imités par tous les invités. Elle supervise ensuite le service du café et des digestifs.

Si le cadre hôte n'est pas marié, il devra s'en remettre à une autre personne pour les tâches décrites ci-dessus. À cette fin, il choisira un cadre du sexe opposé, mais d'un rang comparable au sien. Le cohôte (ou la cohôte) n'appartiendra pas à la famille de l'hôte, ne sera pas un(e) ami(e), surtout pas un(e) amant(e), compagnon ou compagne de vie ou quelque autre personne entretenant une relation très personnelle avec l'hôte et qu'on pourrait croire à tort son ami(e) de coeur.

• Les visiteurs étrangers et les personnes de marque

Un invité d'honneur, surtout s'il vient d'un pays étranger, mérite de recevoir un traitement très spécial. Tout individu de haut rang ou occupant un poste officiel, tout président-directeur général d'une société ou distingué conférencier de passage appartient à ce qu'on appelle la classe des personnes de marque. On les accueillera à l'aéroport, les reconduira à leur hôtel, où on aura apprêté leur suite conformément aux indications fournies au début de la section 5 du chapitre II.

Si vous invitez une personne de marque chez vous pour une réception en son honneur, faites-la escorter jusque chez vous, invitez-la à se joindre à la ligne de réception (le cas échéant) aux côtés de l'hôte ou des hôtes, et présentez-la convenablement à tous les autres invités. S'il y a service de vin pendant le repas, l'hôte du repas portera un toast à l'invité d'honneur. On reconduira ce dernier à son hôtel ou à sa résidence après la réception et aucun convive ne quittera la réception avant lui.

• À éviter quand on reçoit une personne célèbre

Lorsque vous invitez une célébrité à un dîner privé ou à une réception d'affaires, traitez-la avec la plus grande considération et le plus grand respect. Quand on reçoit une célébrité, mieux vaut s'abstenir de certaines choses. Par exemple, ne lui demandez jamais un autographe et ne laissez personne l'importuner pour cette raison pendant le repas. Sachez bien l'entourer pour qu'elle puisse manger en paix et ne lui demandez qu'après le repas si elle aurait l'amabilité de signer *quelques* autographes, jamais un grand nombre. Les photographes de la presse voudront prendre quelques photos (mais pas dans votre maison); prenez les dispositions nécessaires, laissez-les faire leur travail et convainquez-les de partir rapidement. Si vous recevez une célébrité chez vous, invitez-la convenablement et organisez une fête digne de son rang et de son renom; ne lui faites pas rencontrer votre famille et vos amis dans le seul but de vous pavaner aux côtés d'une célébrité. Ne parlez pas sans arrêt pendant le repas, l'empêchant ainsi de le savourer pleinement; laissez-la parler et écoutez-la. Vous aimeriez obtenir une photographie autographiée pour vos enfants? Priez-la de vous en adresser une, si possible, après son retour chez elle. Ne quémandez aucune autre faveur et, par-dessus tout, rendez confortable son séjour pour qu'elle garde un souvenir affectueux de votre foyer et de votre entreprise.

L'organisation de la salle à manger d'une entreprise

Une salle à manger de premier ordre rehausse énormément l'image d'une entreprise, si elle est superbement décorée, depuis le revêtement des murs, les tapis, les arrangements floraux (toujours frais), jusqu'à la table dressée avec de la fine toile, de la porcelaine, du cristal et de l'argenterie de la meilleure qualité, avec le logo de la compagnie peint sur les assiettes ou gravé sur les verres en baccarat.

J'ai eu le plaisir de coordonner la décoration des tables pour une grande société, dans les merveilleux bureaux d'un appartement terrasse, et, avec l'aide d'un grand chef, d'outiller sa cuisine des meilleurs et des plus attrayants ustensiles de cuisine importés du monde entier. On y servait, avec le plus grand raffinement, des mets et des vins très recherchés; la cave à vins y était incomparable. Les membres du conseil d'administration et les directeurs de la société attendaient toujours impatiemment la pause du déjeuner, après de longues heures de délibérations dans la salle du conseil, pour se détendre dans cette atmosphère somptueuse et se régaler de la fine cuisine du chef. J'ai été très honorée d'être invitée au banquet d'ouverture, pour lequel j'avais dessiné moi-même le centre de la table, que j'avais aussi dressée. Trois membres du conseil étaient venus d'Europe à bord d'un yacht privé et, comme je parlais leur langue, on m'invita au cocktail d'affaires qu'ils offraient sur le yacht, le même soir. Jamais travail ne fut aussi agréable.

La salle à manger des cadres d'une entreprise est l'endroit tout désigné pour recevoir. On peut y discuter des sujets d'affaires les plus délicats dans la plus complète intimité et la personne qui y reçoit s'y sentira aussi à l'aise que dans sa propre salle à manger. Les grandes tables ovales ou rondes de ces salles conviennent parfaitement aux cadres qui déjeunent seuls et qui peuvent ainsi trouver à la fois une place libre et quelqu'un avec qui communiquer, entretenir une conversation aimable ou écouter les nouvelles du bureau. C'est aussi l'endroit tout désigné pour les nouveaux membres du personnel cadre qui veulent mieux connaître leurs collègues et recueillir quelques informations.

Certaines sociétés acceptent que se tiennent dans leur salle à manger et leur salle du conseil de grands dîners ou cocktails de charité; il faut, bien sûr, transformer ces salles pour l'occasion, souvent aux frais de l'entreprise (ces dépenses sont alors considérées comme sa contribution à l'organisme de charité concerné). Ce genre de collaboration s'avère un important outil de relations publiques et permet à la compagnie de se mieux faire valoir dans son milieu.

• Le comportement des invités

Les bonnes manières d'un cadre seront déterminantes dans la décision de lui permettre ou non d'utiliser la salle à manger des cadres. Il ne suffit pas qu'il ait atteint un certain échelon dans la hiérarchie de la compagnie; il devra aussi faire preuve de ce savoir-faire unique qui ne s'acquiert que par une bonne éducation ou par l'apprentissage et l'observation minutieuse des règles de conduite auxquelles se conforme la bonne société. Veuillez donc mettre en application les recommandations suivantes.

• À tout déjeuner d'affaires, spécialement ceux qui se tiennent dans la salle à manger d'une entreprise, ne buvez jamais plus d'un verre avant le repas. Même si votre hôte insiste pour que vous en acceptiez un autre (et que vous en boiriez volontiers un autre), abstenez-vous. Il pourrait s'agir d'un test et vous passeriez ainsi pour un buveur invétéré, même si ce n'est pas le cas. En cette matière, les femmes ne sauraient se montrer trop prudentes.

• Un invité ne doit jamais s'asseoir à table avant qu'on ne l'y invite d'un signe de la main ou qu'on ne lui dise: «Veuillez prendre place.» Comme de raison, l'hôte indiquera à chacun où s'asseoir.

• L'hôte respectera les règles du protocole: l'invité prendra place à sa droite, et les autres convives seront placés en fonction de leur rang.

• Ne commandez pas plus de services que les autres convives. Sinon, vous obligerez les autres à attendre.

• Rappelez-vous que la salle à manger des cadres n'a d'autre but que de servir rapidement et courtoisement un excellent repas.

• Ne fumez pas. Ne demandez jamais la permission de fumer si personne d'autre ne fume. S'il n'y a pas de cendrier, concluez-en automatiquement qu'il est interdit de fumer. Si tous fument et vous suggèrent d'en faire autant, vous avez évidemment toute liberté.

- La salle à manger des cadres est censée être un oasis de calme et de paix. Ne haussez donc pas la voix, et ne parlez pas trop.

- En tant qu'invité, complimentez le serveur pour le splendide repas et demandez-lui de transmettre vos félicitations au chef. On vous saura gré de ce geste.

Les réceptions dans un club privé

Un club aux belles salles de réception, salles à manger et salons privés, qui offre des repas et des vins de première qualité et un excellent service, est l'endroit idéal pour tenir toutes sortes de réunions mi-professionnelles mi-mondaines. Ce lieu convient tout aussi bien qu'une belle maison privée et il conviendra même mieux pour donner une soirée si la demeure de l'hôte est moins confortable.

On se sent toujours honoré d'être invité à déjeuner ou à dîner au club d'un ami; les gens d'affaires se montrent très flattés quand on les convie à un dîner au club.

Parce qu'une invitation pour affaires à un club privé est une façon agréable et prestigieuse de recevoir un groupe nombreux de collègues, plusieurs entreprises paient les frais d'adhésion de leurs cadres à ces clubs, ce qui peut parfois représenter une somme rondelette (jusqu'à plusieurs milliers de dollars au Japon, par exemple). On apprécie toujours une invitation à un match de golf, de tennis ou de squash, suivi d'un cocktail et d'un dîner. Mais participer ou assister à un match de polo, aux épreuves des membres de la chasse à courre puis à un petit déjeuner suivi d'activités sociales, ou être invité à un dîner somptueux après une journée passée à bord d'un bateau battu par les vents et les vagues, ce ne sont pas là que des occasions rêvées pour un amant des chevaux ou de la voile, mais des façons sans prétention et pourtant très élégantes de jouir des plaisirs estivaux et de faire une excellente impression en offrant une réception de tout premier choix.

Les directeurs de club ne sont pas différents des directeurs d'hôtel, et la plupart commandent un personnel excellent. Les très bons clubs, tout comme les grands hôtels, confient à un directeur des banquets la responsabilité des réceptions. Dans certains clubs, les aliments et les boissons sont d'une qualité exceptionnelle, et les couverts, le décor et le service, supérieurs à ceux de plusieurs bons hôtels. Si vous remettez d'avance au maître d'hôtel les cartons de table, les cartes de menu et un plan détaillé des places assignées aux convives, il verra à préparer la table selon vos indications.

Un club très prestigieux de navigation de plaisance m'a récemment demandé de former un certain nombre d'étudiants, tous fils et filles de membres du club, qui avaient offert leur collaboration pour un dîner en l'honneur d'un invité distingué venu de l'étranger. Ces jeunes gens n'avaient jamais servi de repas, encore moins de dîner élégant. Travailler avec des jeunes aussi enthousiastes, aimables et polis fut pour moi une expérience plus qu'agréable. Grâce à cette touche très spéciale apportée par les membres du club et leurs adolescents, le dîner connut un franc succès.

Bien entendu, les jeunes gens ne reçurent pas de pourboires. D'ailleurs, plusieurs clubs les interdisent. On y ajoute plutôt sur votre addition des frais de service de 15 ou 20 pour cent et la taxe, et si vous désirez malgré tout laisser un pourboire à certains membres du personnel, vous devrez le faire en l'absence de témoins. Dans la plupart des clubs, on amasse une cagnotte de Noël pour les employés, à laquelle les membres contribuent à titre volontaire et qui est répartie également entre les membres du personnel.

• Le comportement des invités

Chaque club a ses propres règlements. Certains autorisent des non-membres, amis de membres en règle, à y tenir des réunions d'affaires. Le non-membre porte alors une lourde responsabilité, tant pour lui-même que pour ses invités, dont le moindre écart pourrait porter ombrage à son ami, membre du club, et lui causer des ennuis. Le non-membre offrira une

223

contribution, sous forme de chèque, à la cagnotte de Noël des employés du club plutôt que de laisser personnellement un pourboire au personnel.

Chaque club a ses règles spécifiques et certains locaux du club sont strictement réservés aux membres. En conséquence, si vous êtes invité au club d'un ami, attendez son arrivée à l'endroit convenu, plutôt que de vous balader ici et là sans votre hôte.

Certains clubs ont des entrées réservées aux femmes. Je ne crois pas qu'un femme cadre, invitée pour un repas d'affaires à un club privé exclusivement masculin, devrait accepter d'être victime de pareille discrimination. Les hommes comme les femmes ont le droit, cela va de soi, de créer des clubs réservés aux membres de leur sexe, mais si une personne de l'autre sexe est invitée à partager un dîner d'affaires ou à participer à une réunion, l'événement devrait se tenir dans un lieu où on ne traite pas les femmes (non plus que les hommes) comme des inférieurs.

L'organisation d'une importante réception d'affaires / La salle de banquets

Un cocktail pour deux cents personnes ou un grand dîner pour cent cinquante convives requiert une assistance professionnelle et très expérimentée. Toute réception nombreuse, qu'elle soit d'affaires ou mondaine, exige des grands talents de coordinateur et de planificateur, soit de la part du directeur des événements spéciaux à l'emploi de la compagnie, soit de la part d'un conseiller en la matière ou d'un organisateur professionnel de rencontres embauché pour l'occasion. Si vous retenez les services d'un traiteur à qui vous confiez toute l'organisation de l'événement, assurez-vous qu'il est aussi qualifié en ce qui concerne tous les autres aspects d'une soirée nombreuse, et pas seulement en ce qui concerne la nourriture, ou qu'il compte dans son équipe un spécialiste très expérimenté, bien formé et pleinement reconnu comme tel, spécialement en ce qui a trait au protocole (l'attribution des places, la disposition des cartons de table et des drapeaux, etc.). On ne confiera qu'à des experts ces tâches très délicates. Des gens m'ont si souvent rapporté de regrettables incidents protocolaires que je ne peux qu'insister sur l'importance de trouver un bon conseiller en la matière.

La personne chargée de planifier une soirée pour un très grand nombre d'invités assume seule les responsabilités suivantes:

- elle dresse la liste des invités, de concert avec la haute direction;
- elle révise le texte du carton d'invitation, en supervise la production et l'envoi;
- elle compile les réponses et dresse la liste finale des invités, qu'elle remet au traiteur;
- elle sert d'intermédiaire entre le traiteur ou le directeur des banquets de l'hôtel ou du club et son entreprise;
- elle choisit parmi les menus et boissons proposés et organise une séance de dégustation à laquelle elle convie la haute direction; certains traiteurs n'aiment pas beaucoup cette façon de procéder, mais insistez pour qu'on accède à votre requête;
- elle surveille la décoration, les fleurs, l'harmonisation du linge de table, etc., et examine les échantillons (de fleurs, par exemple);
- elle veille aussi aux divertissements, aux besoins en appareils de sonorisation, etc., signe les contrats avec les musiciens et autres artistes, et prend les dispositions nécessaires pour leur transport, leurs répétitions, etc.

Le chef du protocole (il n'y a pas d'appellation féminine pour cette fonction) assume les responsabilités suivantes:

- il organise le bureau où s'inscriront les invités;
- il met en ordre les cartons identifiant les tables par un numéro;
- il installe à l'entrée un tableau où est indiquée la place à table de chaque invité;
- il supervise et vérifie la mise en place des cartons de table;
- il vérifie deux fois la décoration des tables, la disposition des assiettes, des couverts, des serviettes de table, etc.;

- il vérifie deux fois si l'on a tout prévu pour asseoir à la bonne place les convives de la table d'honneur, et si les invités d'honneur sont à la table prévue;
- au moment du déploiement du (des) drapeau(x), il porte un toast à la reine, si l'étiquette le requiert;
- il met en place un lutrin (le cas échéant);
- il organise la ligne de réception;
- il présente les hôtes et l'invité d'honneur (tâche délicate et lourde responsabilité);
- il assure le bon déroulement du programme et présente le conférencier invité (le cas échéant);
- il embauche un maître de cérémonie (si nécessaire);
- il règle élégamment tout problème imprévu, de concert avec l'hôte, si nécessaire.

On a vu surgir, dans la dernière décennie, une gamme complète de conseillers professionnels en matière d'événements spéciaux. Il existe des traiteurs qui sont aussi des concepteurs de soirées; il existe également des ingénieurs en réceptions, des décorateurs qui, reconnus pour leur bon goût et leur flair, inventent des décors de rêve qui ont déjà fait leur renommée dans toute l'Amérique du Nord; il existe des fleuristes capables de concevoir la décoration d'ensemble, et pas seulement les arrangements floraux; des étalagistes et des directeurs scéniques qui ne dédaignent pas de créer des décors pour des fêtes. Votre portefeuille vous guidera dans votre choix. Un designer new-yorkais qui s'est vu confier la responsabilité d'un des mariages les plus extravagants célébrés dans cette ville ébranlera sûrement un peu votre budget, mais quand on a vu ce que des gens de son calibre peuvent réussir, on peut très bien juger que le résultat vaut la dépense.

Les meilleurs moyens de trouver un traiteur compétent sont le bouche à oreille et les références. Ne vous fiez pas uniquement aux réclames, aussi joliment tournées et impressionnantes soient-elles. Interrogez vos amis, vos associés et des personnes ayant l'expérience de la planification de réceptions d'affaires (ou mondaines). Faites-vous inviter à l'une d'elles, uniquement pour voir ce qu'un traiteur particulier peut vous offrir et pour goûter ses plats. Certains traiteurs sont aussi des concepteurs de réceptions très raffinés et s'entourent de chefs renommés, de chefs pâtissiers et même de maîtres d'hôtel capables de diriger impeccablement un service à la russe dispensé en gants blancs. Il s'agit seulement de trouver le bon traiteur pour chaque événement, de le connaître et de connaître ses limites, ses points forts et ses compétences particulières. Certains sont reconnus pour leurs dîners intimes très élégants, d'autres, pour leur efficacité dans le cas de grands dîners avec de très nombreux convives, et d'autres encore, pour leurs buffets pleins d'imagination. Interrogez donc votre entourage.

Si vous avez retenu par le passé les services d'un traiteur et que vous en avez été satisfait, vous pouvez même assurer la coordination de ce nouvel événement par téléphone seulement et sans le moindre intermédiaire, ce qui vous économisera temps et argent. En règle générale, le traiteur demandera une avance, soit un pourcentage du coût total de la soirée. Certains traiteurs exigent le paiement final avant que ne commence la soirée; d'autres, tout juste après la réception, avant de quitter les lieux. (Certains demandent qu'on leur paie comptant ce versement final. S'il vous connaît bien ou connaît bien votre entreprise et que vous avez préalablement retenu ses services, tout traiteur acceptera certainement un chèque.) Des traiteurs vous factureront le profit qu'ils escomptaient tirer de la réception même si vous et votre entreprise l'annulez avant la date limite convenue. Lisez donc attentivement les passages en petits caractères du contrat. Une fois que les détails ont été réglés, *laissez le traiteur faire son travail,* sans intervenir; le professionnel, c'est lui, pas vous. Remettez-lui une liste dactylographiée de tous les détails et de la manière dont vous souhaitez qu'on fasse les choses, et ce *avant* qu'il ne commence vraiment à préparer la soirée. Il lui reviendra de voir, au fur et à mesure des préparatifs, à ce qu'on satisfasse à toutes vos exigences.

Assurez-vous que le traiteur ou directeur des banquets accorde une attention et un soin tout particuliers à la présentation des plats. Une présentation décorative des plats ne manque jamais d'impressionner. Certains y font preuve de génie: ils sculptent une fleur dans un fruit ou un légume ou décorent l'assiette de vraies fleurs comestibles placées dans de minuscules paniers en pain ou dans une pomme de terre frite évidée; d'autres servent une mousse au chocolat dans un petit panier de savoureux chocolat et différents sorbets dans de petits fruits congelés assortis. Il ne semble pas y avoir de limites à l'imagination lorsqu'on veut créer une belle présentation artistique d'un plat en utilisant les aliments apprêtés pour la réception. Elle est parfois si incroyablement superbe que les invités hésitent à manger ce qu'ils considèrent comme une véritable oeuvre d'art. Mais le nec plus ultra du savoir-faire consiste à marier les couleurs et les textures des aliments et de la décoration de table, soit les fleurs, le linge, la porcelaine et les chandelles, et l'environnement dans sa totalité, depuis le revêtement du plancher et des murs jusqu'aux tableaux qui y sont accrochés, sans oublier les uniformes du personnel. J'ai pu admirer certaines de ces harmonisations remarquables au cours de ma carrière, entendre les exclamations admiratives des invités et constater l'excitation que produit un travail aussi extraordinaire. Je sais d'expérience que ce résultat vaut bien des soucis et des maux de tête, spécialement quand, après une soirée réussie, l'organisateur de la réception, le responsable du buffet et le chef du protocole reçoivent une lettre de remerciement bien méritée du président du conseil d'administration, qui les félicite pour leur excellent travail. Une lettre aussi agréable et un règlement rapide de la facture pour services rendus ne constituent pas seulement une marque de politesse pleinement méritée, mais aussi le préalable d'excellents rapports professionnels dans l'avenir.

Le service du repas et le service du vin

L'organisateur de rencontres ou le conseiller en réceptions embauché pour la préparation d'un événement spécifique est responsable de la qualité du service des plats et boissons pendant la soirée. Je n'ai pas oublié le petit laïus enthousiaste que j'ai prononcé récemment lors d'un cours donné à l'Institut de Tourisme et d'Hôtellerie du Québec, à Montréal. Je m'adressais à de futurs employés d'hôtellerie (hommes et femmes) en formation à cette école. Je leur ai expliqué que leurs uniformes devaient être bien pressés et sans tache, leurs mains et leurs ongles immaculés, leurs cheveux soigneusement coiffés, qu'il leur valait mieux renoncer aux pendants d'oreilles et aux bijoux, à l'exception d'une montre et d'un anneau (s'ils sont mariés), et j'ai tenté de leur montrer à quel point leur attitude, leur bonne humeur, leur sourire et leur empressement à répondre aux questions et à accepter de poser de petits gestes gratuits pouvaient contribuer à créer l'ambiance tant recherchée. Je leur ai dit qu'ils pouvaient ainsi assurer le succès ou entraîner l'échec d'une soirée. Je pense avoir vraiment convaincu ces jeunes gens, parce qu'à la fin du cours tous souriaient et plusieurs m'ont remerciée de leur avoir communiqué mon enthousiasme et suscité en eux un sentiment de valorisation, de satisfaction et de fierté à exercer leur profession. Voilà qui élève un travail ordinaire au rang d'une profession et permet d'y mener une carrière fructueuse.

Par ailleurs, les organisateurs de réceptions se rappelleront qu'il est de leur devoir de motiver le personnel de table avant une réception et de le féliciter pour son bon travail après l'événement. Ces manifestations de reconnaissance inciteront chacun à se surpasser pour que la fête soit une réussite. En fait, les serveurs et serveuses sont les garants d'une soirée agréable, tant par leur comportement que par leur souci du travail bien accompli. On évitera de les presser, de les brusquer et de les engueuler. Cela les rendrait d'ailleurs nerveux et tendus et pourrait provoquer des incidents plutôt embarrassants. Il revient à la personne qui supervise le service de voir à ce que les assiettes apportées à table soient chaudes et de relever la moindre imperfection et d'en faire part au serveur en chef (ou au maître d'hôtel) responsable du service aux tables, afin que soient apportés les correctifs nécessaires.

Lors d'une réception très élégante ou protocolaire, on ne déposera pas les tasses à café sur la table avant le repas; on les y apportera après le service du dessert et on utilisera alors plutôt les demi-tasses. (Si on ne dispose pas de demi-tasses, les tasses usuelles feront l'affaire.) On servira le café à la table et on offrira aux invités un choix de lait, de crème, de sucre et d'édulcorant. C'est une marque de raffinement que d'offrir à ses invités le choix entre café, café décaféiné et thé. Le soir, on sert souvent des liqueurs avec le café. On offrira la plupart du temps un choix de cognac, de brandy et de quelques liqueurs sucrées. Mais on n'en servira pas lors d'un déjeuner, à moins qu'il ne s'agisse d'un événement diplomatique. On sert les liqueurs dans des verres à liqueur, posés sur un plateau; si l'on dispose d'une desserte, on les y servira sur demande.

À la maison, *le service du vin* ne se fait pas exactement de la même manière qu'au restaurant. Selon le cas, on servira un ou deux vins, peut-être même un xérès (sherry) avec le consommé et un champagne avec le dessert; tout dépendra du caractère plus ou moins formel du dîner, des plats servis et du budget consacré à l'événement. Certaines gens préfèrent en toute occasion les vins blancs, alors que d'autres préfèrent les vins rouges. L'hôte attentionné offrira toujours à ses invités des vins rouges et des vins blancs. On sert les vins blancs avant les vins rouges, et l'invité qui préfère continuer à boire du blanc pendant le repas pourra en informer le serveur au moment où celui-ci commencera le service des rouges; ceux qui préfèrent les rouges pourront en aviser le serveur au moment où il entreprendra le service des blancs. Tout personnel bien formé veillera, bien sûr, à accommoder chaque invité. (Pour plus de détails sur le service du vin au restaurant, veuillez vous reporter plus loin dans ce chapitre.)

Les dîners d'affaires très élégants ou protocolaires (dans une salle de banquets) comprennent quatre services, contrairement aux dîners priés offerts dans une maison privée, qui en comptent toujours cinq. On utilise d'abord les ustensiles les plus éloignés de l'assiette: en premier lieu, la cuillère à potage; vient ensuite le service du poisson, pour lequel on se sert de la fourchette et du couteau à poisson; en troisième lieu, on utilise le couteau et la fourchette à viande, pour le service de la viande; pour le quatrième service, celui de la salade, on utilise le couteau et la fourchette à salade. Les ustensiles à dessert sont disposés au-dessus de l'assiette lors des dîners d'affaires très élégants, mais ne sont apportés à table qu'au moment du service du dessert lors des dîners priés dans une maison privée. Le petit

La disposition des couverts

Dîner d'affaires
(protocolaire)

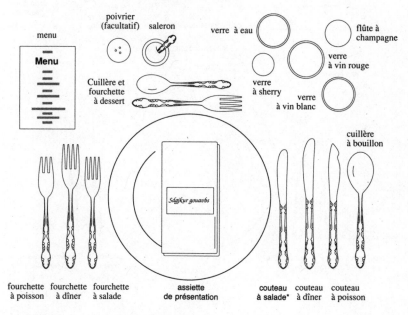

menu

poivrier
(facultatif)   saleron

verre à eau

flûte à
champagne

Menu

verre
à vin rouge

Cuillère et
fourchette
à dessert

verre
à sherry

verre
à vin blanc

cuillère
à bouillon

Sdgjkur gouavbs

fourchette   fourchette   fourchette   assiette   couteau   couteau   couteau
à poisson   à dîner   à salade   de présentation   à salade*   à dîner   à poisson

* Le service de la salade est facultatif lors d'un dîner de ce genre dans une salle de banquets.

verre à xérès servira à accompagner le consommé. (Pour plus de détails sur le dîner prié dans une maison privée, veuillez vous reporter au début de ce chapitre.)

Le dîner d'affaires (dans une salle de banquets) comporte la plupart du temps trois services. Comme toujours, on utilise successivement les ustensiles les plus éloignés de l'assiette: d'abord, pour les entrées, le petit couteau et la petite fourchette; ensuite — il s'agit généralement de viande —, le grand couteau et la grande fourchette. Les ustensiles à dessert sont placés au-dessus de l'assiette. Comme il ne s'agit pas d'un dîner très élégant ou protocolaire, on offre aussi du pain et du beurre; on disposera donc sur la table, légèrement à gauche et

Dîner d'affaires
(simple)

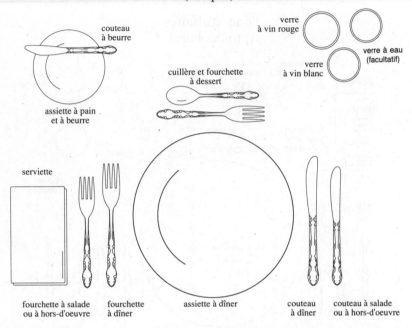

couteau à beurre

verre à vin rouge

verre à eau (facultatif)

verre à vin blanc

cuillère et fourchette à dessert

assiette à pain et à beurre

serviette

fourchette à salade ou à hors-d'oeuvre

fourchette à dîner

assiette à dîner

couteau à dîner

couteau à salade ou à hors-d'oeuvre

au-dessus de l'assiette à dîner, l'assiette à pain et à beurre et le couteau à beurre. Aux dîners simples, on ne sert que deux vins. Dans certains cas, on offre un potage, soit avant, soit après le premier service, juste avant le service de la viande; on aura alors disposé la cuillère à potage à droite de l'assiette, comme premier ou deuxième ustensile, selon le cas, ou on l'apportera en même temps que l'assiette à potage.

Un luncheon ou déjeuner d'affaires peut constituer un événement très élégant ou même protocolaire, particulièrement si des diplomates y sont conviés. Comme toujours, on utilisera successivement les ustensiles les plus éloignés de l'assiette: on offrira d'abord une coupe de fruits qu'on mangera en se servant de la cuillère à thé, et, pour le service du poisson qui suit, le couteau et la fourchette à poisson; pour la viande, le couteau et la fourchette à viande. Les ustensiles de déjeuner sont plus petits que les ustensiles de dîner. Puisqu'il s'agit d'un événement élégant, les ustensiles à dessert ne seront apportés qu'au

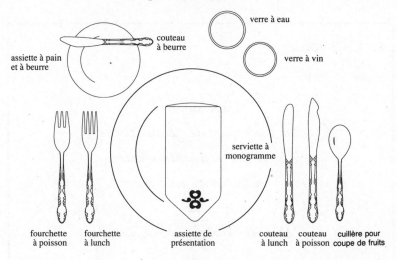

Luncheon d'affaires avec nappe de table
(protocolaire)

verre à eau

couteau
à beurre

assiette à pain
et à beurre

verre à vin

serviette à
monogramme

fourchette   fourchette   assiette de   couteau   couteau   cuillère pour
à poisson   à lunch   présentation   à lunch   à poisson coupe de fruits

moment du dessert; mais, par souci de commodité, souvent on les placera au-dessus de l'assiette à déjeuner (voir les illustrations du dîner d'affaires); enfin, le pain et le beurre ont toujours leur place au déjeuner. Dans la plupart des cas, on ne sert qu'un vin; mais lors d'un déjeuner diplomatique, on offrira (parfois) un digestif à la fin du repas. On ne dispose pas les tasses à café sur la table avant le repas; on les y apporte plutôt au moment du service du café.

Contrairement aux luncheons et dîners très élégants, qu'on présente sur une nappe blanche, on sert souvent le luncheon d'affaires simple sur des napperons individuels. La tasse de café est facultative, et on pourra la disposer sur la table dès le début d'un luncheon simple (c'est l'usage chez les Américains). Mais ce sont surtout le thé glacé ou l'eau embouteillée qui sont offerts lors d'un luncheon simple; on peut d'ailleurs les servir dans un verre à vin blanc. Pour ce genre de repas, le pain et le beurre sont toujours de mise. Encore une fois, on utilisera successivement les ustensiles les plus éloignés de l'assiette: d'abord, pour le premier service, composé de hors-d'oeuvre ou de salade, le couteau et la fourchette à l'extrême droite et à l'extrême gauche respectivement; le deuxième service

233

Exemple de menu
pour réception d'affaires

20 août 1990

Déjeuner
En l'honneur de Jean Dubé
pour ses cinquante années
d'éminents services
chez
Dennis Wright Associates

*

Vichyssoise
Rosé de Provence
Grillades
Légumes frais du jardin
Pommes de terre nouvelles au beurre

Laitue de Boston
Vinaigrette au champagne

Framboises avec leur coulis

Demi-tasse

Luncheon d'affaires avec napperon
(simple)

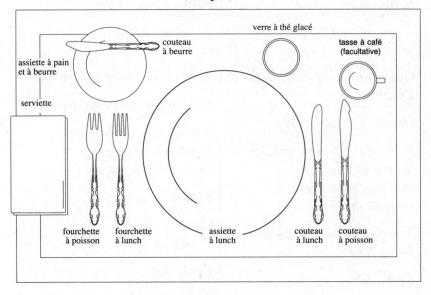

verre à thé glacé

couteau
à beurre

tasse à café
(facultative)

assiette à pain
et à beurre

serviette

fourchette
à poisson

fourchette
à lunch

assiette
à lunch

couteau
à lunch

couteau
à poisson

se compose presque toujours de viande et on utilisera alors le couteau et la fourchette à viande. Les ustensiles et couverts utilisés pour le déjeuner sont plus petits que ceux dont on se sert pour le dîner. Si on offre un dessert, les ustensiles à dessert seront disposés au-dessus de l'assiette à luncheon, tel qu'illustré pour les dîners d'affaires.

Les exemples de menus qui suivent ont été gracieusement fournis par le directeur des banquets de l'hôtel Bonaventure Hilton International, de Montréal.

Déjeuner – Luncheon

Consommé brunoise	*Potage Jeannette*
Longe de porc au calvados	*Filet de doré amandine*
Sauce aux pommes	*Pommes persillées*
Pomme fondante	*Haricots verts au beurre*
Épinards en branche	
	Gâteau de crème glacée aux
Mousse aux bleuets	*fraises*

Café, thé	Café, thé
Petits pains, beurre	Petits pains, beurre

Dîner

Galantine de canard à l'orange	Jambon prosciutto et melon
Oxtail clair au sherry	Minestrone, croûtons, fromage
Filet de saumon poché au beurre blanc	Rôti de veau milanaise
Pommes persillées	Pomme fondante
Brocoli au beurre	Zucchini provençale
	Salade de saison
Bombe glacée brésilienne	
Petits fours	Cassata
	Coulis de fraise
Café, thé	
	Café, thé
Petits pains, beurre	
	Petits pains, beurre

Dîner

Filet de truite fumée à la mousseline de raifort	Saumon parisienne
	Consommé double au xérès
Potage Crécy	Tournedos au poivre vert
Entrecôte marchand de vin	Pommes Berny
Pommes amandine	Jardinière de légumes frais
Haricots verts au beurre	
	Salade de saison
Salade mimosa	
	Bavarois William
Omelette norvégienne	
Coulis de fraise	Café, thé
Café, thé	Petits pains, beurre
Petits pains, beurre	

236

Dîner – Buffet

HORS-D'OEUVRE

Céleri, olives, radis
Marinades
Antipasto
Oeufs farcis
Hareng mariné
Sardines portugaises
Mayonnaise de poisson
Crevettes de Matane
Fine Champagne

SALADES

Tomates en tranches
Salade de choux
Pommes de terre
Salade panachée
Salade niçoise
Salade de poulet aux ananas

VIANDES FROIDES

Rôti de boeuf en tranches
Jambon en tranches
Poitrine de dinde en tranches
Flétan Bellevue
Saumon à la mode
Pâté de campagne
Charcuteries assorties

PLATS CHAUDS

Cuisseau de boeuf de l'Ouest
rôti au jus
Fruits de mer Créole
Riz pilaf
Jardinière de légumes

DESSERTS

Gâteau chocolat
Gâteau moka
Gâteau bavarois
Tarte aux fruits
Gâteau au fromage
Salade de fruits frais
Gâteau praliné
Tarte aux pommes à l'ancienne
Plateau de fromages et biscuits
Café, thé
Petits pains, beurre

Le protocole d'un grand dîner d'affaires très élégant ou protocolaire

• Invitations et réponses

Modèle d'une invitation d'affaires réussie

Logo de la compagnie
(ou nom ou marque de commerce de la compagnie)

Nom de l'hôte (des hôtes)	....
Formule d'invitation	a (ont) le plaisir de vous inviter
Genre d'invitation	au dîner (réception, etc.)
Objet de la réception	en l'honneur de l'honorable .... ministre d'État
Date	le mardi dix juin
Heure	à vingt heures trente
Lieu	Salon .... Hôtel .... adresse complète

R.s.v.p.   «Cravate noire»
(adresse où répondre)   (détails particuliers)

L'invitation formelle pour un dîner prié, très élégant ou protocolaire, mais privé, est gravée sur un papier blanc ou blanc cassé de très grande qualité:

Monsieur et Madame Jean-Guy de Brun
ont le plaisir d'inviter
Monsieur et Madame Karl-Heinz von Oppenheimer
au dîner
qu'ils donnent le samedi quatre juillet
à vingt heures trente

R.s.v.p.
1455, Sherbrooke ouest
Montréal   «Cravate blanche»

238

L'abréviation R.s.v.p. est correcte. Elle signifie: «Répondez, s'il vous plaît.» Dans les milieux diplomatiques, on emploie plutôt les majuscules: R.S.V.P.

Une invitation moins formelle peut être écrite sur du papier blanc ou blanc cassé, sur une petite carte de bonne qualité pliée en deux, ou peut être faite par téléphone. Si l'hôtesse désire contacter rapidement les invités, elle peut envoyer des télégrammes d'invitation. Les cartes avec espaces à remplir, que l'on peut se procurer dans les papeteries, sont très en vogue de nos jours. Elles sont de mise pour la plupart des invitations.

On répond de la manière précisée sur l'invitation. Si un numéro de téléphone suit la formule R.s.v.p., on répondra par téléphone. S'il s'agit d'une invitation formelle, où il n'y a jamais de numéro de téléphone sous la formule R.s.v.p., on répondra de la manière suivante (une secrétaire exécutive qui répond pour son patron formulera également sa réponse à la troisième personne).

(Écrite à la main, sur du papier blanc ou blanc cassé, chaque ligne étant soigneusement centrée.)

Monsieur et Madame Karl-Heinz von Oppenheimer
acceptent avec plaisir l'invitation de
(ou regrettent de ne pas pouvoir accepter l'invitation de)
Monsieur et Madame Jean-Guy de Brun
pour le samedi quatre juillet.

Une invitation moins formelle appelle une réponse également moins formelle. On répond toujours à une invitation dans la semaine qui suit sa réception. Laisser une invitation sans réponse est extrêmement impoli, parce que l'hôte ne saura pas quelles quantités de nourriture et d'alcool commander, combien de places préparer à table, etc. Vous n'avez pas à répondre si on vous demande de participer aux frais en fournissant un montant d'argent ou en achetant des billets.

Des événements différents commandent des invitations différentes. Il existe tant de sortes d'invitations: à un dîner prié, à un cocktail, à une dégustation de vins, à un concert, à une soirée dans un jardin botanique, ou même à une réception dans un immeuble en construction. L'invitation s'appariera au style de la réception et reflétera son importance. Si on donne une réception dans une brasserie pour lancer un livre sur le hockey en présence de célébrités sportives qui y tiendront le rôle d'invités d'honneur, on commet une erreur en adressant une invitation formelle. Par ailleurs, dans le but de créer une impression de dignité et d'intégrité et d'inspirer confiance, des entreprises conservatrices utilisent l'invitation classique, gravée (ou parfois seulement imprimée), comme l'invitation classique à un mariage.

Les invitations à un petit déjeuner devront être particulièrement originales afin d'attirer de nombreux convives. Les manufacturiers, les couturiers et les importateurs de mode invitent souvent pour le petit déjeuner, parce que le matin est à leurs yeux le meilleur moment de la journée pour présenter leurs nouveaux articles. J'ai été invitée plusieurs fois à des défilés de mode tôt le matin, dans le cadre de la Foire internationale de la Fourrure de Montréal, et j'ai toujours noté en particulier l'originalité des invitations et l'agréable façon de commencer la matinée par un merveilleux tonique: un jus d'orange fraîchement pressée, additionné de champagne, par exemple.

Lorsque vous invitez à une réception à bord d'un yacht, à un petit déjeuner de chasse — qui est en réalité un déjeuner sur l'herbe élaboré —, à une surprise-partie pour un employé qui prend sa retraite ou à un souper simple avant une partie de balle, le concepteur de l'invitation pourra très bien se servir du thème sportif ou de la marque de commerce de l'entreprise hôte pour enjoliver le carton et mieux attirer l'attention des destinataires. Il n'y a vraiment pas de limite à l'inventivité du concepteur.

• Les invitations

La conception d'une invitation d'affaires et sa présentation seront en accord avec l'image de la compagnie qui l'adresse. Une institution bancaire, une société commerciale ou un couturier opteront pour une conception reflétant fidèlement l'image très distinctive de leurs produits. Une invitation conçue et rédigée avec un goût suprême incitera toujours son destinataire à anticiper la joie d'assister à l'événement et rehaussera à ses yeux l'image de son hôte. J'étais récemment invitée à une réception prestigieuse où l'invité d'honneur était le gouverneur général du Canada. Le format du carton d'invitation, sa texture, sa couleur blanc cassé très discrète, la conception graphique et la formulation de l'invitation se conjuguaient pour produire l'effet désiré: je me sentais fière d'avoir été invitée.

L'étiquette des invitations ne concerne pas uniquement l'hôte, mais également les personnes qu'il convie. On adressera toujours les invitations longtemps à l'avance (préférablement quatre semaines, compte tenu de la lenteur de notre service postal), et elles devront préciser clairement la nature de l'événement. La personne qui reçoit une invitation doit savoir comment y donner suite. Sa façon d'y répondre est aussi révélatrice de son éducation et du savoir-vivre de sa société que l'est l'invitation reçue des bonnes manières du destinateur et du savoir-vivre de sa compagnie.

• L'envoi par la poste

Les noms et adresses apparaissant sur les enveloppes des invitations d'affaires seront toujours dactylographiés (on n'utilisera jamais l'ordinateur ni les autocollants). Pour les invitations plus importantes, une personne à l'écriture soignée transcrira les adresses à l'encre noire, et elles devront être calligraphiées dans le cas d'événements très importants qui requièrent la plus grande formalité. N'oubliez pas d'indiquer l'adresse de retour, y compris le code postal. Et, par-dessus tout, utilisez les formules d'appel appropriées.

• La mise sous enveloppe

Le carton d'invitation doit être placé dans l'enveloppe de façon à ce que le destinataire le trouve à l'endroit en le retirant. Si d'autres feuillets doivent être ajoutés, par exemple un plan pour se rendre à destination, ils seront placés à la suite, par ordre d'importance.

- L'affranchissement

On n'envoie jamais une invitation importante dans une enveloppe affranchie mécaniquement au bureau; on l'affranchit plutôt à la main en prenant soin de bien apposer le timbre (on ne le mettra pas à l'envers, par exemple). Pour ajouter une touche soignée, on pourra même se rendre au bureau de poste et y choisir les timbres les plus appropriés à l'événement. Pour un cocktail dans un jardin botanique, choisissez une belle fleur; pour un dîner après un match de polo, un cheval, etc.

À quel moment poster les invitations?

Pour les réceptions en soirée, les luncheons très élégants, les cocktails, les déjeuners destinés à des groupes nombreux: de trois à quatre semaines à l'avance. Pour un dîner important, une réception prestigieuse où seront présents des invités venus d'une autre ville: de quatre à six mois à l'avance.

Pour une conférence importante ou un séminaire important auquel assisteront des personnes venues d'autres villes ou d'autres pays: de six à huit mois à l'avance.

- Changement de date

Changer la date d'un événement exige beaucoup de travail, surtout s'il s'agit d'un grand dîner élégant pour de très nombreux invités. Ce changement requiert aussi beaucoup de tact ainsi que les plus belles manières de la part du personnel chargé de cette tâche. Si les invitations ont déjà été envoyées et les réponses reçues, on communiquera sans tarder par téléphone avec toutes les personnes qu'on peut rejoindre ainsi. Quant à celles qui habitent hors de la ville, on leur adressera une lettre recommandée. La compagnie qui change la date d'une réception devra en donner le motif. On indiquera clairement la nouvelle date et l'heure, et on terminera la lettre par une phrase d'excuses, en exprimant l'espoir que ce changement ne causera aucun désagrément aux invités et que la nouvelle date leur conviendra. Quand on procède à un deuxième envoi d'invitations pour cette raison, tous ceux qui ont décliné la première invitation devront recevoir la nouvelle invitation.

• Annulation d'un événement

S'il vous faut annuler un événement, les règles de conduite qui suivent vous aideront à vous sortir de ce mauvais pas.

- S'il reste suffisamment de temps, l'entreprise hôte adressera une lettre personnelle à chacun des invités.
- Dans le même cas que ci-dessus, mais si la liste des invités est vraiment trop longue, on fera imprimer et adresser à chaque invité un carton expliquant les circonstances.
- S'il reste peu de temps, on communiquera par téléphone avec chacun des invités.
- Si l'invité ne répond pas lui-même au téléphone, on notera le nom de la personne qui aura reçu le message, ainsi que la date et l'heure de l'appel.
- On fera parvenir une lettre recommandée à tout invité qu'on n'aura pu rejoindre au téléphone.
- On donnera le véritable motif de l'annulation.

S'il faut annuler un événement mi-mondain mi-professionnel et si on dispose du temps nécessaire, on adressera à tous les invités un carton gravé (si le carton d'invitation était gravé) ou imprimé (si le carton d'invitation était imprimé), qui se lira comme suit:

Nom de l'hôte

son poste et

le nom de la société

regrette sincèrement

qu'en raison de ... (les circonstances) ...

le dîner en l'honneur de

nom de la personne

date annoncée de l'événement

soit décommandé.

L'art de recevoir un grand nombre d'invités selon les règles du protocole n'a certainement pas été inventé par un individu; il s'agit plutôt d'une tradition qui s'est transformée au fil des siècles, inspirée des réceptions offertes aux empereurs, aux rois et aux reines de même qu'aux personnalités les plus vénérables partout dans le monde.

L'histoire de la table, qui est une branche de l'histoire de l'art, nous révèle que durant le XVIIᵉ siècle, en Europe, l'art de la table était déjà considéré comme l'un des beaux-arts. C'est à cette époque que la table devint un endroit d'où émane la beauté artistique et que le centre de la table devint chargé de victuailles. La coutume jusqu'au XVIIᵉ siècle était d'étaler sur la table, dès le début du banquet, tous les aliments, de la soupe au dessert. Pour s'alimenter, les nombreux convives saisissaient les mets disposés dans les plats les plus proches. Les auteurs des livres de table de l'époque commencèrent à déplorer cette coutume disgracieuse et prônèrent bientôt un repas savamment orchestré et servi correctement. Le centre de la table, maintenant libre de plats de service à moitié vides et exempt de taches répugnantes provenant de sauces renversées et de reliquats de nourriture, servit alors de cadre aux plus magnifiques compositions, où figuraient fleurs et fruits, or et argent, chocolat et sucre filé. Les tableaux de l'époque illustrent ces fabuleux arrangements.

Une réception, pour être réussie, exige de la générosité, une planification méticuleuse et beaucoup de travail. Le bon hôte ou la bonne hôtesse est une personne affable, dépourvue d'égoïsme, qui se soucie véritablement du bien-être et de l'agrément de ses invités. Les hôtes doivent être vigilants et remédier à tout ce qui fait défaut, de même qu'ils doivent éviter toute situation ou incident pouvant provoquer de l'embarras à quiconque. Ils doivent se montrer attentifs et faire le nécessaire pour assurer le déroulement harmonieux d'une réception. On peut faire appel aux services du traiteur le plus cher et aboutir au pire fiasco. Souvenez-vous avant tout que la nourriture n'est que l'un des nombreux éléments qui font qu'une réception est vraiment réussie. Si la nourriture est excellente, mais que tout le reste est un désastre, vous pouvez considérer votre réception comme ratée. Si la nourriture laisse un peu à désirer mais que l'atmosphère, les décorations, la planification, la musique, les invités — et surtout les hôtes — sont parfaits, votre réception peut être considérée comme réussie.

Pour une grande réception à laquelle sont conviés les conjoints, l'épouse de l'hôte sera tout naturellement cohôte, et, dans le cas de réceptions strictement professionnelles, le cohôte pourra être un pair ou un subalterne de l'hôte. Mais quelle que soit la personne qui tient ce rôle, l'hôte et le cohôte devront toujours être bien informés en matière d'étiquette et pouvoir indiquer ce qui est bienséant à ceux qui travaillent avec eux. Ils devront connaître aussi les règles du protocole et la façon de traiter les personnes de haut rang en conformité avec ces règles. Dans le cas d'une très grande réception comptant vingt tables rondes ou plus, un représentant de la compagnie tiendra à chaque table le rôle d'hôte délégué et pourra être assisté dans sa tâche par un cohôte (assis en face de lui). On s'assurera ainsi que chaque invité recevra toute l'attention qu'il mérite, qu'il sera convenablement présenté aux autres convives, et que tous passeront un moment agréable. Évidemment, on ne choisira pas pour ce rôle quelqu'un de timide, mais plutôt quelqu'un qui a une belle personnalité, qui s'exprime bien et qui sait comment se comporter en société. Dans les grandes réunions, ces gens accompliront un travail très important puisqu'ils veilleront à ce que les convives à leur table passent une soirée agréable.

La présentation des invités

Sans ligne de réception: s'il n'y a pas suffisamment d'invités pour justifier l'existence d'une ligne de réception, la présentation des invités se fera de la même manière que lors de petites réceptions ou d'un dîner à la maison.

Tout convive qui ne connaît pas son hôte, ou que son hôte ne connaît pas, doit lui être présenté dès son arrivée. Cette tâche importante est confiée à un membre du personnel de la compagnie. Il ne s'agira évidemment pas d'une personne qui oublie facilement les noms et les visages. Comme dans sa maison privée, l'hôte doit se tenir près de la porte de la salle pour pouvoir faire la connaissance de chacun de ses invités. La personne chargée des présentations doit rester à proximité de lui, prête à intervenir lorsque l'hôte et l'invité ne se connaissent pas. Il est souvent impossible à l'hôte de connaître tous ses invités lors de réceptions d'affaires, alors que chez lui ce ne sera jamais le cas.

L'hôte doit consacrer le même temps à tous ses invités et éviter de converser plus longuement avec des gens particulièrement importants ou intéressants. Entre-temps, l'employé chargé des présentations reste à la porte pour s'assurer que chaque personne qui fait son entrée dans la salle se dirige vers l'hôte. Il veille aussi à présenter tout nouveau venu aux autres convives, pour lui éviter de se retrouver isolé dans un coin de la salle. Une fois que les invités ont été présentés à l'hôte, on les dirige vers le bar ou on appelle un serveur qui leur offre un premier verre. Personne n'aime faire tapisserie, et l'hôte courtois veillera toujours à accueillir chaleureusement ses invités et à les mettre à l'aise.

Avec une ligne de réception: dans le cas de grandes réceptions sociales et mondaines, de mariages ou de réceptions mi-mondaines mi-professionnelles où sont conviées plus de cent personnes, la ligne de réception sera incontestablement d'un grand secours. Plusieurs des invités ne connaîtront pas alors personnellement leur(s) hôte(s) et se sentiront perdus dans une salle remplie de visages inconnus. La ligne de réception permet aux invités de mieux s'identifier et facilite les premiers échanges. Lors d'événements purement professionnels, les cartons d'identification portés sur le vêtement sont de mise, mais ils n'ont pas leur place dans les réceptions mi-mondaines mi-professionnelles. Si des invités ayant défilé devant la ligne de réception sont présentés à des gens d'un autre groupe par des personnes chargées de le faire, ils pourront plus facilement lier conversation avec eux.

246

- *Où installer la ligne de réception?* À l'intérieur de la salle de réception, près de la porte d'entrée, dans un coin tranquille où il y a peu de va-et-vient.
- *Combien de temps la ligne de réception restera-t-elle en place?* Cela dépendra du nombre d'invités. Si la majorité des invités arrivent dans un court laps de temps, comme ce sera le cas pour un dîner assis, la ligne pourra se disperser assez rapidement. Pour un cocktail accueillant quatre cents invités ou plus, la ligne restera en place pendant environ une heure, après quoi l'hôte circulera dans la salle.
- *Composition de la ligne de réception:* elle sera aussi courte que possible et constituée conformément aux règles du protocole. Les lignes de réception interminables ennuient tout le monde. Les conjointes ne font pas partie de la ligne de réception lors d'événements strictement professionnels. Mais si un invité d'honneur est accompagné de sa conjointe, la conjointe de l'hôte sera aussi de la ligne.
- *Si une femme cadre se trouve dans la ligne de réception,* elle y est pour des raisons d'affaires. Ni son conjoint ni les conjoints des autres cadres, qui ne sont pas directement associés à l'événement, ne prendront place dans la ligne de réception.
- *Un seul hôte ou couple hôte sera dans la ligne de réception* même si figuraient sur l'invitation les noms de plusieurs hôtes; cela, afin de limiter la longueur de la ligne et de permettre aux invités de défiler plus rapidement. Les autres hôtes se tiendront en petits groupes et se présenteront eux-mêmes aux invités après que ceux-ci auront passé devant la ligne de réception.
- *Il revient au personnel auxiliaire et au chef du personnel* d'assurer le défilé rapide des invités. S'ils s'acquittent bien de leur tâche, ils accéléreront même le mouvement et détourneront les invités de la tentation d'entreprendre une conversation.
- *Mieux vaut ne pas boire lorsqu'on participe à la ligne de réception.* Dans le cas d'une réception très nombreuse, on pourra toutefois avoir à sa portée un verre posé sur une petite table derrière soi et avaler une gorgée de temps en

temps, mais très discrètement. Lorsqu'on accueille un invité en lui tendant la main, on ne doit jamais tenir un verre dans l'autre main.

- *Les invités ne doivent pas non plus tenir de verre à la main* lorsqu'ils défilent devant la ligne de réception. Si l'on doit rester debout dans une ligne pendant une heure, on souhaitera tout naturellement avoir un verre, mais on s'en débarrassera avant d'arriver à la hauteur de ses hôtes.
- *On disposera à cet effet de petites tables* à la portée des invités, et les serveurs n'oublieront pas de passer de temps en temps devant la ligne pour débarrasser ces tables des verres vides.

Le présentateur

À un dîner prié dans une maison privée ou dans un salon luxueux d'hôtel de grande classe, on ne présente pas les invités de la même manière qu'à des réunions nombreuses, où ils défilent plutôt devant la ligne de réception. Lors d'un de ces dîners très élégants et importants pour une quinzaine de convives accompagnés de leur conjoint, on observe le protocole suivant: la femme précède son mari au salon et le majordome (présentateur) annonce d'abord le nom de l'épouse, puis celui du mari. S'il ne connaît pas leurs noms, il demande, à voix basse: «Quel nom, s'il vous plaît?» L'un des deux répond: «Monsieur et Madame de Brun.» Il annonce alors, à haute voix, «Madame de Brun», et, après une courte pause, «Monsieur de Brun». Le mari est annoncé avant son épouse seulement s'il détient un titre officiel.

Lors d'une réception pour de très nombreux invités, un membre du personnel pourra faire office de présentateur ou annonceur. Cette personne (homme ou femme) se tiendra au début de la ligne de réception, légèrement en retrait derrière l'hôte. Elle devra connaître les noms de tous les invités et pouvoir les reconnaître à leur visage; il s'agit donc là d'une tâche très exigeante. De plus, elle devra aussi être informée de leurs titres et des formules de politesse appropriées dans chaque cas. Bien entendu, elle pourra aussi compter sur les bonnes manières des invités, qui auront l'amabilité de lui apporter leur concours en énonçant clairement, lentement et d'une voix audible leur nom et celui de leur entreprise. Le présentateur se tournera alors vers la première personne dans la ligne de réception et lui dira, par exemple: «Monsieur Dupont, je vous présente Monsieur Jean-Guy François, directeur général des Laboratoires de recherche Merlinbois.» Puis, se tournant vers l'invité, il ajoutera: «Monsieur François, voici Monsieur Dupont, le président de notre conseil d'administration.» Monsieur Dupont et Monsieur François échangeront alors une poignée de main et une formule de salutation brève et courtoise. Monsieur Dupont se tournera ensuite vers la personne à sa droite dans la ligne de réception et lui présentera Monsieur François. Ils se serreront la main et échangeront aussi quelques mots polis. À ce moment-là, Monsieur François tendra la main et dira son nom et celui de son entreprise à chacune des autres personnes dans la ligne de réception, qui, à leur tour, se présenteront elles-mêmes tout en lui serrant la main. Pendant ce temps, le présentateur continuera de présenter rapidement les invités à mesure qu'ils s'approcheront de la ligne de réception.

On ne présente pas toujours les invités aussi formellement lors des réceptions d'affaires, bien que cette façon de procéder soit très flatteuse, très chic et très digne. Si toutefois il se trouve, parmi les invités d'honneur d'un important événement d'affaires, des gens importants venus de très loin, on songera toujours à constituer une ligne de réception adéquate et à engager un présentateur chevronné. Cette dépense supplémentaire en vaut la peine.

L'attribution des places à table

Attribuer correctement les places est une partie très délicate et très importante de la tâche de l'hôte avisé, que ce soit à une réception privée, à une réception de mariage ou à une réception offerte par une entreprise. Les imprévus peuvent parfois bouleverser l'aspect protocolaire d'une réception. Il y a plusieurs années, un personnage officiel à qui j'avais attribué, selon lui, une place indigne de son rang refusa d'assister au dîner si je ne modifiais pas sur-le-champ l'ordre des places; je vécus alors un moment d'intense désarroi et d'angoisse alors que je devais trouver rapidement la solution qui s'imposait. Une autre fois, lors d'une noce où je n'étais pas au fait des convictions politiques et linguistiques de certains invités que j'avais assis à la même table, je n'ai réussi à sauver la situation qu'in extremis, pendant que les invités prenaient l'apéritif. Des erreurs comme celles-là peuvent évidemment s'avérer fatales, même si elles ne sont pas intentionnelles. On ne s'imagine pas à quel point il peut être difficile d'attribuer les places lors d'une réunion nombreuse, particulièrement quand des invités acceptent l'invitation puis se désistent à la dernière minute pour finalement revenir sur leur décision et, sans prévenir, faire leur apparition à l'heure des cocktails.

L'ordre de préséance des convives

Si l'on assoit tous les invités à une seule table et qu'ils sont accompagnés de leur conjoint, maris et femmes se retrouveront aux côtés opposés de la table. Si on utilise plus d'une table, maris et femmes prendront place à des tables différentes.

Aux tables de huit personnes ou tout autre multiple de quatre, les cohôtes (l'hôte et son conjoint) ne s'assoiront pas face à face si hommes et femmes sont en nombre égal, cela afin de maintenir la règle de l'alternance homme-femme. L'épouse (cohôte) s'assoira donc une place plus bas, au lieu de faire face à son époux:

	Hôte	
Invitée		*Invitée*
Invité		*Invité*
Hôtesse		*Invitée*
	Invité	

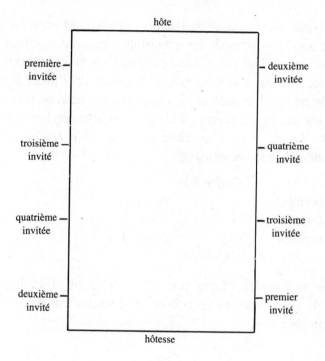

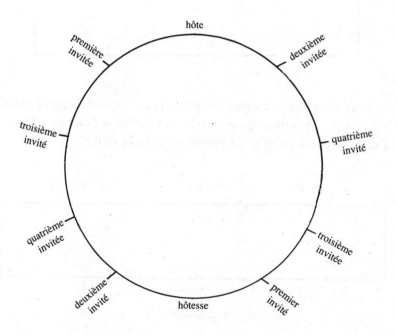

251

Lors de dîners ou de luncheons strictement professionnels où ne sont pas conviés les conjoints, les invités seront assis en fonction *de leur rang*. Même s'il ne se trouve qu'une femme à table, elle ne s'assoira pas à la droite de l'hôte, à moins qu'elle ne soit l'invitée la plus importante, surclassant en rang tous les autres convives. Puisque hommes et femmes sont égaux, *la place la plus importante à table reviendra à la personne du plus haut rang*.

Cadre hôte

Invité 1	*Invité 2*
Invité 5	*Invité 6*
Invité 4	*Invité 3*

Cohôte

Attribution des places lors d'un dîner ou d'un luncheon formel, s'il n'y a pas de cohôte et si seulement des hommes y participent:

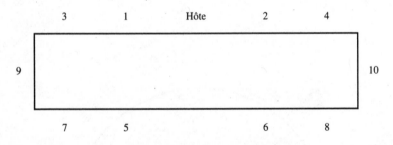

Lors d'un repas auquel ne participent que des hommes afin de rendre un hommage spécial à un invité d'honneur, l'hôte fait partager à celui-ci la présidence de la table:

```
    9      5      1      Hôte      3      7      11
  ┌─────────────────────────────────────────────────┐
  │                                                   │
  │                                                   │
  │                                                   │
  └─────────────────────────────────────────────────┘
   12      8      4     Invité      2      6      10
                       d'honneur
                        spécial
```

Repas mixte — table en fer à cheval — où hôte et cohôte (hôtesse) sont placés vis-à-vis:

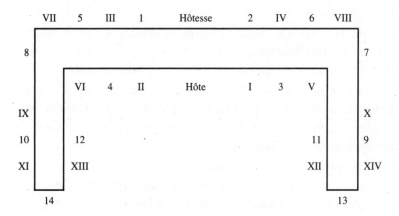

(Les chiffres romains désignent les dames.)

Repas mixte — table en fer à cheval — où hôte et cohôte (hôtesse) sont placés côte à côte:

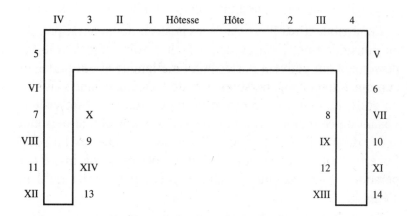

(Les chiffres romains désignent les dames.)

Lors d'un repas de cérémonie, quand un chef d'État doit présider seul la table, cette disposition est obligatoire, car il ne peut avoir de vis-à-vis.

253

Pour déterminer quelle personne occupera la place d'honneur, on s'en remettra à la logique; méritent la place d'honneur:

- un titulaire d'une fonction officielle (homme politique, officier militaire, etc.);
- un personnage de la haute aristocratie, membre éminent du corps diplomatique;
- un membre de la hiérarchie ecclésiastique, etc.

Mais on saura aussi offrir, le cas échéant, la place d'honneur à des personnes qui n'occupent aucune fonction officielle mais à qui revient quand même le siège à la droite de l'hôte. On attribue la place d'honneur à:

- un invité venu de l'étranger;
- une personne qui occupe un poste supérieur dans l'administration publique ou dans l'armée;
- une personne qui a mené une carrière remarquable;
- la veuve ou le veuf d'une personne qui a occupé un poste de prestige ou qui s'est distinguée par sa carrière;
- une personne qui célèbre une promotion, un anniversaire de naissance, etc.;
- une personne âgée (mais attention: une femme de 50 ans ou plus pourra ne pas apprécier qu'on l'honore de la sorte!).

En attribuant les places aux invités, on devra aussi prendre en considération d'autres détails: on assoira côte à côte des personnes qui peuvent parler la même langue et qui partagent certains intérêts; une personne timide et une personne volubile; un collègue tout juste rentré d'un pays étranger et un visiteur venant de ce même pays; une personne jeune et une personne âgée, de manière à ce que celle-ci ne se sente pas laissée à l'écart — mais on assoira de l'autre côté du jeune invité une personne d'un âge plus proche du sien, pour éviter qu'il ne s'ennuie.

Si une femme surclasse son mari par son rang et son titre, elle mérite la meilleure place.

Si, en attribuant les places, vous ne pouvez déterminer avec certitude qui a préséance sur qui parmi vos invités de l'administration municipale, téléphonez au bureau du maire. Dans le cas où vous recevez un personnage politique provincial, adressez-vous au parlement de la province concernée et demandez à parler au chef du protocole, responsable de ces questions.

S'il s'agit de hauts dignitaires fédéraux, communiquez avec le Secrétariat d'État, à Ottawa. Quant aux ambassadeurs de pays étrangers, classez-les selon leur ancienneté à ce poste dans votre pays. On peut aussi s'informer auprès du Secrétariat d'État à ce sujet.

En matière de protocole militaire, la préséance est fonction du rang de l'officier. Mais si vous recevez plusieurs officiers du même rang, l'ordre de préséance sera dicté par le nombre d'années de service de ;acun à ce grade. Pour obtenir les renseignements voulus à ce sujet, il faudra alors téléphoner au bureau de chaque officier.

Les cartons de table

Les cartons de table mesurent généralement 5 cm sur 8 cm et sont gravés, thermogravés, manuscrits ou, mieux encore, calligraphiés. J'ai vu récemment des cartons de table dactylographiés; ils sont sans doute moins longs à préparer (et moins chers), mais ne sont pas très élégants, particulièrement s'il s'agit d'un dîner protocolaire ou diplomatique (ou d'une réception dans une salle à manger de cadres), auxquels cas, à mon sens, ils sont tout à fait inconvenants. On disposera les cartons au centre de la serviette de table, ou sur la nappe, au-dessus de l'assiette de présentation. Les cartons de table illustrés ne doivent être utilisés que lors de fêtes spéciales, comme à Noël; ils ne sont pas indiqués pour les dîners et les luncheons élégants ou d'affaires. Les cartons de table sont une nécessité pour tout repas de dix personnes ou plus et on ne saurait s'en passer lors d'un dîner prié dans une maison privée. Dans ce dernier cas, on n'en mettra pas pour l'hôte et l'hôtesse, car ils sont censés savoir où prendre place.

Sur un carton de table, on n'inscrit que le titre et le nom de famille de l'invité:

M. (Mme ou Mlle) Bernard
Dr Dupont

On prévoit naturellement un carton pour le mari et un autre pour l'épouse, puisqu'ils ne s'assoiront pas côte à côte. Si deux convives portent le même nom de famille, on inscrira aussi leur prénom sur le carton:

> M. Daniel Hébert
> M. Claude Hébert

Plan de table / Plan de salle de banquets

Lors de grands dîners élégants où l'on utilise un carton pour chaque convive, la façon la plus polie d'informer les invités de leur place est d'exposer un *plan de salle détaillé* sur lequel

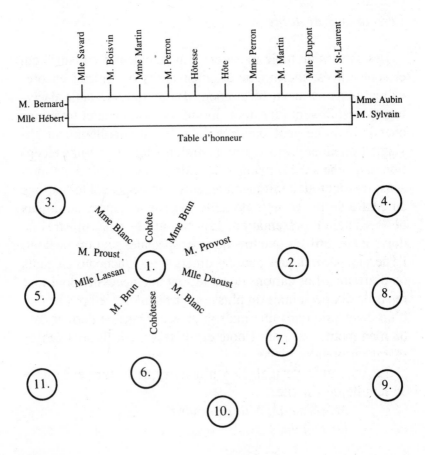

figureront toutes les tables avec leur numéro ainsi que la place assignée à chaque convive. Un membre du personnel se tiendra près du tableau, posé sur un chevalet et à la vue de tous, et indiquera à chaque invité sa place sur le tableau avant qu'un aide le conduise jusqu'à son siège. Si un invité n'apprécie pas la place qu'on lui a assignée, il n'en changera pas dans le but d'occuper un siège mieux situé. Un tel comportement est des plus méprisables.

En établissant un plan de salle comme celui illustré ci-dessus, on fera l'attribution des places à chaque table en collaboration avec chacun des cohôtes et son épouse (ou cohôtesse). Les tables de banquet peuvent recevoir généralement dix convives, de sorte qu'on pourra toujours respecter la règle de l'alternance homme/femme.

Lors de très grands banquets moins formels, on remplace souvent les cartons de table par un numéro de table qu'on dépose en plein milieu de celle-ci et qui en dépare souvent la jolie décoration. Mais comme cette méthode semble incontournable dans certaines circonstances, efforçons-nous au moins de l'utiliser convenablement. À l'entrée de la salle, on remettra à chaque convive un carton portant le numéro de sa table et son nom, et il devra y avoir un personnel assez nombreux pour accompagner chacun des invités jusqu'à sa table, afin d'éviter une grande confusion. Dans ce cas, on disposera malgré tout sur la table d'honneur des cartons au nom de chaque convive. Ces cartons devraient être calligraphiés afin de donner plus de classe à l'événement.

Les cartes de menu sont indispensables pour tout dîner élégant et elles confèrent toujours un cachet spécial à l'événement. Le menu utilisé lors d'une noce ou d'un dîner élégant constitue souvent un précieux souvenir, particulièrement s'il a été signé personnellement par les nouveaux mariés pour un invité très spécial ou par l'hôte d'un important dîner d'affaires pour un invité venu de l'étranger et qui pourra le rapporter dans ses bagages.

Les menus doivent être gravés, écrits à la main ou calligraphiés sur un carton blanc ou blanc cassé de très bonne qualité. Les menus dactylographiés n'ont pas plus mon assentiment que les cartons de table dactylographiés, mais un hôte qui reçoit à dîner cent convives ou plus et qui veut se donner la peine d'offrir à ses invités des cartes de menu sera peut-être dans l'impossibilité de faire autrement.

On peut placer les menus entre les couverts de deux invités de façon à ce qu'ils le partagent, et on peut aussi les poser au-dessus de l'assiette à dîner de chaque convive. On place également parfois deux ou quatre menus au centre de chaque table, autour de l'arrangement floral, lors de très grands dîners dans une salle de banquets. On doit rédiger le menu en français; mais qui songe à entretenir des relations d'affaires internationales (et donc des relations sociales) et a le souci des bonnes manières aura la délicatesse d'ajouter au verso des cartes de menu une traduction dans la langue que tous les convives, ou la majorité d'entre eux, comprennent le mieux. On ne doit jamais profiter d'un dîner, surtout pas d'un dîner d'affaires, pour faire valoir ses opinions nationalistes, aussi justifiées soient-elles.

Le texte du menu sera toujours très simple, ne comportant que les éléments suivants: les hors-d'oeuvre, chacun des plats et sa sauce d'accompagnement, le dessert, les vins, et, pour terminer, la demi-tasse et les liqueurs (le cas échéant). (Pour plus de détails, voir le début du présent chapitre.) Les menus présentés dans les hôtels et les restaurants sont souvent différents, mentionnant parfois jusqu'aux noix et aux craquelins. Si vous avez prévu des divertissements pendant le repas, utilisez une carte repliée, le menu apparaissant à l'intérieur sur la page de droite, et les détails du spectacle, sur la page de gauche.

La table d'honneur (estrade) / Le lutrin

Être invité à s'asseoir à la table d'honneur est un privilège. Un tel hommage n'est réservé qu'aux convives distingués. Les conjoints des personnes invitées à s'asseoir à la table d'honneur n'y prendront pas place, mais le conjoint d'un conférencier renommé sera parfois invité à le faire. On réunira les convives de la table d'honneur dans une pièce particulière où des employés de l'entreprise les accueilleront, les présenteront les uns aux autres de même qu'à leur hôte, leur exposeront le déroulement de la soirée et leur serviront à boire, habituellement du champagne. On leur dira aussi dans quel ordre ils devront faire leur entrée dans la salle de banquets. Quand tous les convives auront pris place aux tables et que tout sera prêt, le présentateur en préviendra la personne responsable de la table d'honneur, se rendra au microphone et annoncera: «Mesdames et Messieurs, voici les invités d'honneur.» Les convives se lèveront ou resteront assis, selon l'importance des invités de la table d'honneur, et les applaudiront à leur entrée dans la salle. On aura pu disséminer dans la salle des membres du personnel pour applaudir, le moment venu, et inciter ainsi les convives à le faire. Pour que l'entrée des invités d'honneur soit plus réjouissante, on pourra la faire en musique.

L'attribution des places à la table d'honneur

Chaque événement requiert évidemment un ordre d'attribution des places bien particulier selon les personnalités présentes à la table d'honneur. Mais il y a également certaines règles fondamentales à suivre dans la majorité des cas:
- les moins bonnes places se trouvent aux extrémités de la table, parce que ceux qui les occupent n'ont personne avec qui converser pendant presque tout le repas; on peut rapprocher un peu les couverts et disposer en couple, à chaque extrémité, deux invités;
- on n'assoit jamais un convive derrière le lutrin; cela semble aller de soi, mais malheureusement ce n'est pas toujours le cas;
- le premier invité d'honneur doit prendre place à la droite de l'hôte; le deuxième invité d'honneur, à la droite du deuxième cadre de la compagnie ou de la société qui offre la réception;
- tous les autres invités prennent place suivant leur rang.

Si un invité d'honneur est empêché, à la dernière minute, d'assister à la réception, il en préviendra l'hôte. En société, c'est l'une des fautes les plus graves que de ne pas prévenir son hôte en pareil cas et de laisser une chaise vide à la table d'honneur. Même si l'hôte peut alors demander aux autres invités de se rapprocher les uns des autres afin que l'absence ne se remarque pas, cette solution manque de chic et laisse une impression de désorganisation. Un invité d'honneur qui est forcé de se décommander à la dernière minute ne doit pas déléguer à sa place un proche ou une relation. Cette décision appartient à l'entreprise hôte.

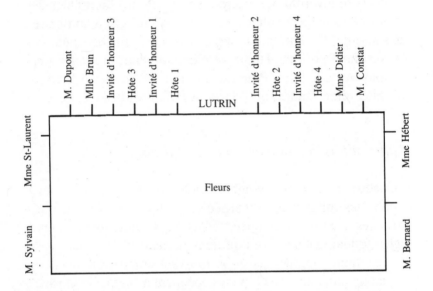

Je me suis retrouvée un jour avec huit autres victimes et un maître de cérémonie autour d'une grande table ronde, sur une estrade, au milieu d'une salle occupée par plus de cinq cents convives. Le maître de cérémonie nous présenta à tour de rôle, en tant qu'invités d'honneur, par un discours interminable pendant lequel chacun de nous dut rester debout sous des projecteurs aveuglants. Ce fut une situation des plus embarrassantes, particulièrement lorsqu'un de nous faillit tomber de l'estrade. Il va sans dire que je ne recommande pas très fortement ce genre de table d'honneur.

Le planificateur d'une réunion, le coordonnateur des événements spéciaux ou un cadre de la haute direction (homme ou femme) qui connaît parfaitement les bonnes manières et le protocole et qui sait réagir rapidement dans toute situation d'urgence peut assumer le rôle de maître de cérémonie. Il devra aussi pouvoir présenter les vedettes de l'événement et assurer le bon déroulement de la soirée avec finesse et un certain sens de l'humour. Cette lourde responsabilité vous paraîtra plus facile à assumer si vous songez qu'on vous fait un grand honneur en vous demandant d'être le maître de cérémonie d'un événement prestigieux. On peut s'inspirer des maîtres de cérémonie de la télévision, tout en faisant preuve de discernement parce que certains d'entre eux ne sont pas vraiment des exemples à suivre. Un bon maître de cérémonie se présente d'abord à l'assistance de façon spirituelle et lui rappelle la raison de sa présence et l'objectif de la réunion. S'il sait entretenir une bonne atmosphère, conserver l'attention du public et aider chacun des convives à passer un bon moment, il aura fait du bon travail.

La disposition des drapeaux (au Canada)

(Les renseignements qui suivent s'inspirent en partie de l'ouvrage *Les Armoiries, Drapeaux et Emblèmes du Canada*, publié par le Secrétariat d'État, copyright Ministère des Approvisionnements et Services du Canada, 1981.)

Les règles protocolaires du drapeau au Canada

Généralités
1. «Il convient tout à fait que des particuliers et des organismes arborent ou déploient le drapeau canadien; mais, en toutes occasions, il faut le déployer selon les règles et le manier avec égards et respect.»
2. «Règle générale, le drapeau flotte depuis le lever jusqu'au coucher du soleil sur tous les immeubles, aérogares, bases et établissements militaires du gouvernement fédéral, à l'intérieur et à l'extérieur du Canada. Il n'est toutefois pas contraire à l'étiquette de faire flotter le drapeau durant la nuit.»

3. «On peut déployer le drapeau à plat ou le hisser à un mât. S'il est déployé à plat, on peut le suspendre horizontalement ou verticalement. Lorsqu'on le suspend verticalement à un mur, la pointe de la feuille doit se trouver à gauche et la tige à droite, aux yeux des spectateurs.»

4. «On peut déployer le drapeau dans une église, un auditorium ou autre lieu de réunion. Lorsqu'on le déploie dans le sanctuaire d'une église ou sur une tribune, le drapeau doit se trouver à la droite de l'officiant ou de l'orateur. Si le drapeau est déployé dans la nef d'une église ou dans un auditorium, il doit se trouver à la droite des fidèles ou de l'auditoire. Le drapeau ne doit pas servir à recouvrir le pupitre de l'orateur ni être drapé devant la tribune. Il ne faut pas non plus qu'il touche le plancher. S'il est déployé à plat sur le mur au fond d'une tribune, il doit se trouver derrière et au-dessus de l'orateur.»

5. «À l'occasion du dévoilement d'un monument, d'une plaque, d'un tableau, etc., le drapeau doit être drapé convenablement, et il faut veiller à ce qu'il ne tombe pas sur le sol ou le plancher.»

6. «Dans un défilé où l'on porte plusieurs drapeaux, le drapeau canadien doit occuper la place d'honneur à droite de la colonne de marche ou en avant au centre.»

7. «Il ne faut jamais utiliser le drapeau à des fins de publicité commerciale. Il peut être déployé dans des établissements commerciaux ou arboré pour identifier des étalages canadiens dans des expositions. Dans ces cas comme dans tous les autres, il faut le manier avec respect.»

Lors d'une réunion, d'un banquet ou de tout autre événement où quelqu'un doit prendre la parole, on déploie le drapeau canadien à gauche du lutrin, vu de la salle.

Déploiement en même temps que d'autres drapeaux

8. «Aucun drapeau, aucune bannière ni fanion ne doivent flotter ou paraître à un niveau supérieur à celui du drapeau canadien.»

9. «Les drapeaux arborés ensemble doivent avoir à peu près la même dimension et flotter à la même hauteur à des mâts distincts.»

10. «Le drapeau canadien doit occuper la place d'honneur lorsqu'il est déployé ou exposé en même temps que d'autres drapeaux.»

Lorsqu'on dispose trois drapeaux côte à côte, le drapeau canadien doit se trouver au centre; le deuxième drapeau en importance, à sa droite (à sa gauche, vu de la salle), et le troisième, à sa gauche (à sa droite, vu de la salle).

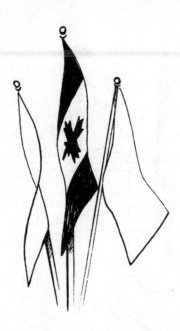

Lorsqu'on dispose deux ou plus de trois drapeaux côte à côte, le drapeau canadien sera placé à droite (à gauche, vu de la salle). Si des représentants officiels de plusieurs pays sont présents, deux unifoliés encadreront la rangée de drapeaux.

Le cocktail-party

Trois types d'événement s'accompagnent d'un cocktail: le cocktail-party, le cocktail-buffet et le cocktail-réception, qu'on appelle le plus souvent tout simplement «réception».

Quand on convie de 25 à 50 personnes pour un cocktail à la maison, on les invite simplement par téléphone à s'y présenter entre dix-sept et vingt heures. Au Québec, on appelle cela un «cinq à sept» et on s'attend à ce que les invités y assistent en costume de ville.

Ce genre de party se termine avant le repas du soir. Donc, on n'y sert que des petits hors-d'oeuvre sur plateau. Ils se mangent avec les doigts ou sur des baguettes. Les petites serviettes à cocktail sont de rigueur, mais il n'y a pas d'assiettes.

La liste qui suit montre les quantités de boissons alcoolisées qui sont nécessaires pour un cocktail de deux heures avec 25 invités. Pour 50, doublez les quantités, sauf pour le vermouth, le Campari, le Dubonnet et le sherry. Pour 75 personnes, doublez le vermouth, le Campari, le Dubonnet et le sherry, et triplez les autres quantités:

2 litres environ (2 pintes) de vodka	1 bouteille de vermouth sec
1 litre environ (1 pinte) de gin	1 bouteille de Campari
1 litre environ (1 pinte) de rhum blanc	1 bouteille de Dubonnet
2 litres environ (2 pintes) de scotch	1 bouteille de sherry sec
2 litres environ (2 pintes) de whisky	6 bouteilles de vin blanc sec
canadien	4 bouteilles de vin rouge

4,5 litres environ (4 pintes) de Club Soda
4,5 litres environ (4 pintes) de Tonic Water
2 litres environ (2 pintes) de Ginger Ale
2 litres environ (2 pintes) de Coca-Cola
4,5 litres environ (4 pintes) d'eau embouteillée
Zestes de citron et quartiers de lime

16 kilos (35 livres) de glace – 75 verres en comptant 3 cocktails par invité.

Pour un cocktail de 25 personnes ou moins, on retiendra les services d'un garçon de comptoir, qui servira également les hors-d'oeuvre dès que l'employé des cuisines les aura apprêtés.

Pour un cocktail de plus de 25 personnes, on embauchera au moins un aide-cuisinier, un garçon de comptoir et une serveuse, ou, mieux encore: un aide-cuisinier, un garçon de comptoir, une serveuse et un serveur (selon l'importance de l'événement et le nombre d'invités).

Si vous invitez environ 25 personnes à dîner dans une salle d'hôtel ou au restaurant, c'est une excellente idée de les recevoir chez vous pour le cocktail avant le dîner, si vous habitez une belle demeure et que vous pouvez y accueillir confortablement tous vos invités. Si votre maison ne s'y prête pas, un très bon ami que vous aurez également convié au dîner pourra peut-être vous offrir d'utiliser la sienne pour le cocktail. Mais vous fournirez tous les hors-d'oeuvre et les boissons et vous embaucherez le personnel nécessaire. Vous prendrez vous-même les dispositions requises et vous tiendrez vos hôtes au fait de tous vos plans, leur demandant leur assentiment pour chaque détail. Vous assumerez également tous les frais supplémentaires, comme les préparatifs, le ménage, les services de buanderie et toute autre dépense liée au party. Avec un peu de chance, personne n'aura laissé de brûlures de cigarette sur les fauteuils Louis XV ni de taches de vin rouge sur le Hamadan inestimable. Et n'oubliez pas, dès le lendemain, d'envoyer un mot aimable de remerciement, de même qu'un cadeau ou un splendide bouquet de fleurs fraîches.

On planifiera avec autant de soin que tout autre événement les grandes réceptions qui s'accompagnent d'un cocktail. Chacun de ces trois types de cocktail diffère par son protocole, son code vestimentaire, ses plats, ses boissons et son horaire.

- *Le cocktail-party*
  On adresse des invitations informelles pour un cocktail ou un cinq à sept qui commence à 17 heures ou après et se termine vers 20 heures. Le costume de ville y est de rigueur; on y sert du vin, des cocktails, des boissons non alcoolisées, des hors-d'oeuvre chauds et froids. Les invités restent généralement debout et circulent dans la pièce. C'est la réception la plus usuelle pour les groupes nombreux.

• *Le cocktail-buffet*
Pour cet événement plus formel, on adresse des invitations imprimées ou manuscrites. Le cocktail-buffet dure approximativement trois heures, débutant généralement à 18 heures pour se terminer vers 21 heures. Les invités y viennent vêtus élégamment, les hommes en costume foncé, les femmes en tenue très élégante (mais pas en robe longue). On y offre les mêmes boissons qu'à un cocktail-party, mais on y sert également un buffet sur une table bien garnie où sont posés deux ou trois plats chauds. Le cocktail-buffet remplace le repas du soir. On dispose de petites tables et des chaises pour que les invités puissent s'y asseoir et manger. Il s'agit d'un événement spécial destiné, par exemple, à honorer quelqu'un, ou à souligner l'ouverture ou la clôture d'un séminaire ou d'un congrès important.

• *Le cocktail-réception*
Pour cette réunion formelle, qui commence à 18 heures ou après, ou à 22 heures si elle suit un événement, on adressera des invitations gravées ou calligraphiées. Les invités se conformeront au code vestimentaire mentionné sur l'invitation: cravate noire ou parfois même costume foncé (pour accommoder plus d'invités). Les femmes portent alors de belles robes de cocktail (mais pas la robe longue). Il peut s'agir d'une réception très mondaine, ou, après un événement, d'un souper tardif où l'on offrira un menu raffiné. Parce qu'il s'agit généralement d'une réception donnée en l'honneur d'un invité très distingué ou lors d'un événement très spécial comme l'inauguration d'un musée, un concert de gala ou le lancement d'une importante campagne de financement en présence d'un invité d'honneur, le champagne s'impose. Les convives se servent eux-mêmes à un buffet disposé sur une table joliment apprêtée et décorée; ils sont assistés par des serveurs et le chef, debout derrière la table. Les invités ont accès à des tables recouvertes d'une nappe où l'on aura disposé à leur intention des couteaux, des fourchettes, des cuillères, des serviettes de toile et des verres à vin et qu'on

aura décorée d'un arrangement floral en son centre; chaque convive pourra trouver place à l'une de ces tables pour y manger à son aise. Le service du champagne (et des vins) sera assuré par des serveurs.

Pour réussir *un bon cocktail-party* qui plaira à tous les convives, on le préparera toujours soigneusement. On dressera la liste des invités avec le plus grand soin, choisissant des gens intéressants, sans oublier d'y inclure de nouveaux visages. On adressera les invitations assez longtemps à l'avance pour que les invités puissent planifier leur emploi du temps en conséquence. On choisira une salle assez vaste pour accueillir le nombre d'invités attendus et disposer sur son pourtour de petites tables et des chaises où ils pourront s'asseoir quand ils seront las d'être debout. Pour un grand cocktail-party où les hôtes et les invités ne se connaissent pas tous, on prévoira une ligne de réception. Adjoignez-vous des assistants pour la réception, qui présenteront les invités les uns aux autres ainsi qu'à l'hôte, et qui veilleront à ce que personne ne fasse tapisserie dans un coin, à ce qu'on serve les plats comme convenu et à ce que personne n'ait à se battre pour obtenir un verre. Pour éviter de tels désagréments, prévoyez un nombre suffisant de bars dans la salle et de serveurs pour offrir les hors-d'oeuvre. Ou, s'il s'agit d'un cocktail-buffet, un nombre suffisant de tables de buffet en divers endroits de la salle, de sorte que les invités ne soient pas obligés de faire longuement la queue pour obtenir quelque chose à manger. J'ai été invitée à tellement de cocktail-parties dans des salles surpeuplées où il était impossible d'obtenir la moindre boisson et où il fallait supporter de longues files d'attente pour ne se faire servir que quelques craquelins et des restes de crudités lorsqu'on accédait enfin à la table de buffet. Ce n'est pas précisément ce qu'on peut appeler une réception réussie. L'hôte, le cohôte et/ou l'hôte délégué veillera à ce qu'on ferme le bar une demi-heure après l'heure de fermeture indiquée sur l'invitation. S'il s'agit d'un cinq à sept, on fermera donc le bar à 19 h 30.

• Les responsabilités de l'hôte et/ou de l'organisateur

La plupart des grands cocktail-parties, cocktail-buffets et réceptions se tiennent dans un hôtel; dans ce cas, le personnel de l'établissement s'occupe de tout. Communiquez néanmoins avec le directeur des banquets ou des restaurants, pour discuter avec lui des plats et des boissons qui seront offerts, du service et de l'organisation de la salle. Il vous faudra aussi parler de la décoration avec le fleuriste, prévoir de la musique d'ambiance, vous enquérir des appareils de sonorisation mis à votre disposition, discuter du type de verres utilisé (surtout pas de plastique), des nappes des petites tables ou des couverts des grandes tables dans le cas de réceptions plus élégantes. Vous verrez également à ce qu'il y ait de jolies serviettes à cocktail ainsi que des serviettes de table pour les buffets et réceptions plus élaborés. On devra disposer d'un nombre suffisant de chaises et de porte-manteaux dans le vestiaire. Assurez-vous également de la propreté des salles de toilettes, et disposez des fleurs en pot dans celle des dames. Je n'aime pas tellement qu'on utilise des cure-dents pour la présentation des hors-d'oeuvre et des boissons; je préfère les tiges de bambou, surtout lors d'événements élégants. À mon avis, les cure-dents n'ont pas leur place à table, même lorsqu'on ne s'en sert (bien entendu) que dans les plats et les boissons. Veillez enfin à ce que le bar soit bien fourni et demandez à goûter quelques-uns des plats avant qu'on les serve.

• Les responsabilités et les bonnes manières de l'invité

Lors de très grandes réceptions impersonnelles où sont rassemblées des centaines de personnes, l'invité se devra d'assumer ses responsabilités et d'avoir de belles manières tout comme s'il s'agissait d'une réunion plus intime.
- On répondra aussi promptement à une invitation à un cocktail-party qu'à une invitation à dîner.
- On ne viendra jamais accompagné sans autorisation; l'hôte prévoit les quantités de nourriture et de boissons, ainsi que la disposition et le nombre de tables et de chaises, en fonction du nombre d'invités.

- On circule dans la salle sans accaparer les célébrités présentes ni les hôtes.
- On ne doit jamais arriver très en retard de manière à faire une entrée remarquée.
- Si on se trouve parmi un groupe, on présente toujours les invités les uns aux autres, même si on ne se souvient pas de leurs noms.
- Si on boit une boisson glacée, on tient son verre de la main gauche, enveloppé dans une serviette à cocktail. On ne doit jamais tendre à quelqu'un une main glacée et humide.
- Mangez et buvez avec modération, et offrez à ceux qui vous entourent de leur rapporter un verre ou quelques savoureuses bouchées du buffet avant qu'il n'ait été pillé.
- On ne se tient pas près des gens lorsqu'on fume, car c'est à la fois dangereux et impoli. On ne répand pas ses cendres sur le plancher; on se donne la peine de chercher un cendrier.
- Si on ne peut assister à un cocktail auquel on a été convié, on s'en excuse dès le lendemain en téléphonant pour expliquer son absence.
- On peut même adresser un mot de remerciement, ce qui est extrêmement gentil et fait toujours très bonne impression; sinon, faites au moins savoir à votre hôte votre plaisir d'avoir été invité, la prochaine fois que vous lui parlerez au téléphone.

Les petits déjeuners d'affaires

Les invitations à des petits déjeuners d'affaires gagnent rapidement en popularité. Ces réunions matinales ont pour object de discuter d'affaires importantes qui doivent être réglées d'urgence sans interrompre le cours normal des activités quotidiennes et perdre ainsi un temps précieux. Pour être un succès, un petit déjeuner d'affaires se tiendra à 8 heures et ne durera pas plus d'une heure et demie. Seules les personnes concernées par un projet particulier et celles qui y sont directement engagées seront présentes, afin de limiter les discussions à un petit nombre de participants et d'éviter qu'elles ne se prolongent indûment.

Pour un petit déjeuner rapide et expéditif, le menu sera simple; il pourra être plus élaboré pour ceux qui désirent sauter le déjeuner et qui, en conséquence, ont besoin d'un repas matinal plus soutenant.

Menu de petit déjeuner simple

Jus d'orange frais

Croissants, danoises
Beurre, confitures

Café, thé, lait

Menu plus élaboré

Jus d'orange frais	**ou**	*Jus d'orange frais*
Oeufs brouillés		*Oeufs bénédictine*
Bacon grillé et		*Demi-tomate grillée*
saucisses		
Rôties, croissants		*Croissants, danoises*
Beurre, confitures		*Beurre, confitures*
Café, thé, lait		*Café, thé, lait*

Les menus qui précèdent ont été gracieusement fournis par le directeur des banquets de l'hôtel Bonaventure Hilton International, Place Bonaventure, à Montréal.

On peut tenir des petits déjeuners d'affaires élégants dans différents lieux, même à la maison du président du conseil d'administration d'une société, ou d'un cadre supérieur d'une entreprise. Ils ont souvent lieu dans la salle à manger des cadres ou dans la salle du conseil, dans un club privé ou dans un grand hôtel dont les salons particuliers assurent calme et intimité. On invite souvent des associés venus de l'étranger à participer à une réunion d'affaires matinale, ce qui constitue une excellente façon de commencer la journée.

Si l'on donne un petit déjeuner d'affaires dans une maison privée, mieux vaut embaucher un serveur, qui assurera un service rapide, efficace et courtois pendant que les invités seront rassemblés autour de la table de la salle à manger. On entamera les discussions d'affaires pendant le repas. Puis on desservira la table et les convives sortiront leurs dossiers et leurs notes pour prendre les décisions importantes. L'épouse du cadre ne sera pas présente au repas. Elle fera une brève apparition à la fin de la réunion, en compagnie des enfants (le cas échéant), au moment où les invités s'apprêteront à quitter les lieux pour se rendre au bureau. Le cadre présentera son épouse à chacun d'eux; elle leur adressera quelques phrases joliment tournées, les enfants feront un petit salut, et elle souhaitera à tous une bonne journée avant qu'ils se retirent.

Qu'il reçoive des associés chez lui ou dans tout autre lieu plus approprié, l'hôte de la réunion indiquera toujours à ses invités où s'asseoir. Il est toujours responsable de leur confort.

Le thé d'affaires

Cette invitation nouveau style pourra en étonner plusieurs, mais sa popularité s'est confirmée outre-Atlantique. Les auteurs du *Guide du savoir-vivre en affaires* écrivent: «Pour les plus avant-gardistes, pensez au thé d'affaires qui se pratique déjà, avec succès, dans certains milieux new-yorkais. Cocktails et *long drinks* dans les bars des grands hôtels permettent également une transition heureuse entre les *business hours* et la soirée.» Si les Français approuvent, ce ne peut qu'être chic!

Les Britanniques savent depuis des siècles que le thé le plus banal est un événement spécial. Ce genre de réception exige un superbe environnement, soit dans une maison privée, soit dans un lieu hors de l'ordinaire, par exemple le jardin japonais du Jardin botanique, qui est à mes yeux l'endroit le plus approprié et le plus enchanteur pour une réunion de ce genre. Le thé est toujours un événement élégant; on le donne entre 16 et 18 heures, et les hommes qui se présentent à une telle invitation portent le costume de ville habillé, et les femmes, une jolie robe d'après-midi ou un élégant tailleur. Les invitations à un thé sont souvent gravées, thermogravées, manuscrites ou calligraphiées; on y répond par écrit, ou par téléphone si cela est précisé sur l'invitation.

On doit toujours, en plus du thé, servir une autre boisson, comme du café ou du chocolat chaud. Comme il ne s'agit pas d'un thé d'après-midi réservé aux dames mais d'un thé d'affaires auquel seront présents des hommes, je trouve approprié de mettre à la disposition des invités une carafe de rhum et une carafe de brandy, dont ils pourront verser quelques gouttes dans leur thé, et/ou une carafe de sherry et de petits verres à sherry.

Il y a deux façons de servir le thé
- La table de thé est dressée joliment: elle est recouverte d'une nappe de lin blanche ou avec des motifs en couleur, drapée en dentelle jusqu'au sol, et elle est garnie de fleurs. Un grand plateau est déposé à chaque bout, l'un pour le thé et l'autre pour le café (ou le chocolat chaud). Le plateau à thé et toutes les pièces du service devraient être en argent ou faire partie de votre plus beau service en porcelaine. De chaque côté de la table, il y a des piles de tasses avec soucoupes et de petites assiettes à thé sur chacune desquelles est pliée une serviette à thé assortie à la nappe (pas en papier). Les plats de nourriture sont joliment disposés sur la table, de même que les couverts requis pour remuer le thé et le café, et pour manger les gâteaux. De petits sandwiches et des gourmandises sucrées sont également servis. Si la table dressée pour le thé n'est pas assez grande pour qu'on y dépose toutes les assiettes, elles peuvent être empilées sur une table de service placée à un endroit facilement accessible aux invités. La nourriture servie au cours d'un thé est bien différente de celle que l'on sert lors d'un cocktail. Il y a beaucoup d'aliments sucrés, et les aliments salés comprennent de très délicats sandwiches faits de pain tranché mince dont

on a enlevé la croûte, légèrement tartinés avec des préparations de fantaisie: concombre tranché mince, mélange de cresson et de mayonnaise, caviar doré, mousse de saumon, etc. Les sandwiches sont généralement froids, mais il y a souvent aussi des plateaux de profiteroles au fromage, de fines crêpes, de bouchées aux champignons, de mousse chaude au saumon et au crabe, etc.

Chaque convive s'approche de la table, prend une tasse et la présente pour qu'on la remplisse de la boisson de son choix. Puis il se sert à même les plateaux avant d'aller s'asseoir à l'une des petites tables disposées à cette fin dans la pièce. Les invités ne seront pas à l'aise s'ils doivent rester debout et tenir leur tasse, leur soucoupe et leur assiette, sans compter leur sac à main dans le cas des femmes.

• On peut aussi faire le service du thé à chaque table, après que les invités y ont pris place. Des serveurs et serveuses circulent alors avec le thé, le café et les plateaux. On dressera préalablement les tables avec tout le nécessaire: serviettes, coutellerie, tasses et soucoupes à thé, et, le cas échéant, petit verre à sherry. Les tables seront joliment agrémentées de fleurs; on offrira une variété de petits fours, de gâteaux secs raffinés et de chocolats artistiquement présentés dans un compotier sur pied.

S'il y a un invité d'honneur, vous devez lui présenter vos invités à leur arrivée. Vous vous tenez debout avec lui près de la porte et vous échangez quelques mots avec chaque invité au moment de son arrivée. Les invités devraient converser avec tout le monde, qu'ils aient été formellement présentés ou non. Personne n'est tenu de rester jusqu'à la fin de la réception. Les invités peuvent simplement prendre congé environ une demi-heure après leur arrivée, en remerciant l'hôte et après avoir dit au revoir à l'invité d'honneur.

L'invitation à un thé d'affaires excite toujours la curiosité; il s'agit d'une réception différente et on veillera à ce que les invités en gardent un souvenir durable. Le service du thé sous sa forme la plus noble est un rituel exécuté par des serveurs et des serveuses spécialement formés, pour une société polie et raffinée dont le comportement s'harmonise avec le riche environnement qui l'accueille. Comme on n'invite pas n'importe qui à ce genre de réception, on choisira ses invités avec le plus grand soin. Pour ce genre d'invitation, l'envoi d'un mot de remerciement s'impose.

L'étiquette au restaurant

La manière dont vous vous comportez en public affecte votre image et celle de votre entreprise. Vous devez toujours vous rappeler que vous êtes en devoir, même lorsque vous mangez seul, parce qu'on observe vos moindres gestes, même à votre insu. Vous devez connaître les différences subtiles entre les bonnes manières d'un hôte et celles d'un invité et agir conformément à votre rôle. Surveillez chacun de vos gestes, aussi anodin soit-il, qui pourrait entacher votre image ou celle de l'entreprise que vous représentez. On voit souvent au restaurant des gens qui gesticulent, couteau ou fourchette à la main, qui posent leurs coudes sur la table en mangeant et y appuient même leur tête, comme si elle pouvait tomber, ou qui commandent des plats hors de prix quand un client les invite, ou un deuxième Martini lorsqu'ils dînent avec un client potentiel. Non seulement de tels comportements sont-ils impolis, mais ils nuisent aux relations d'affaires. Une secrétaire intelligente, efficace et très jolie, pressentie pour un poste de cadre, fut un jour invitée pour le lunch par son patron, qui s'apprêtait à lui apprendre qu'il l'avait choisie pour ce poste. Elle commença à grignoter son pain avant qu'on ait servi un plat, le tartina de beurre et mordit à belles dents dans une tranche complète, avala quelques gorgées de vin la bouche pleine et annonça au serveur ce qu'elle désirait sans même attendre que son patron ait pu lui proposer une des spécialités de la maison. Avant même qu'elle n'eût trempé son pain dans la sauce et nettoyé son assiette jusqu'à la dernière goutte puis déposé son couteau sur la nappe, son patron avait compris que cette femme, par ailleurs bien gentille, ne pouvait représenter l'entreprise. Décision injuste? Pas vraiment, parce que cette femme aurait très mal représenté sa compagnie et en aurait du même coup ruiné l'image.

• Comportement

Lorsqu'il lance une invitation, *l'hôte* doit préciser clairement la date et le lieu de l'événement, et ne laisser subsister aucun doute sur le fait qu'il réglera la note.

On lance une invitation pour un luncheon au moins quelques jours à l'avance. Les invités auront ainsi suffisamment de temps pour planifier leur emploi du temps en conséquence. Si vous devez reporter le luncheon ou l'annuler, que ce soit pour une très bonne raison, et informez-en vous-même vos invités. Il n'est pas bien de laisser cette besogne à votre secrétaire.

En tant qu'hôte, arrivez à l'heure, c'est-à-dire un peu plus tôt que prévu, pour pouvoir accueillir vos invités et que ce ne soit pas l'inverse.

Pendant que vous attendez vos invités, ne commandez pas de boisson et ne grignotez pas de pain. La table devra être encore impeccable lorsqu'ils se présenteront.

Si votre invité n'est pas à l'heure, attendez environ vingt minutes sans commander quoi que ce soit. Appelez son bureau, et, si personne ne semble connaître le motif de son retard, commandez un verre et attendez encore trente minutes. Alors, ou vous commanderez votre repas ou vous quitterez le restaurant. Si vous décidez de partir, laissez au moins dix dollars, et, dans un bon restaurant, expliquez la situation dans laquelle vous vous trouvez. (N'oubliez pas que vous avez occupé une table pendant toute l'heure du lunch.)

Faites toujours asseoir vos invités avant vous. Les meilleures places sont la banquette ainsi que les chaises qui font face à la salle ou qui donnent sur une fenêtre. Faites asseoir vos invités selon l'ordre imposé par le protocole, soit l'invité le plus important à votre droite et le deuxième à votre gauche. Si vous occupez une table de quatre, l'invité le plus important prendra place à votre droite et le deuxième en face de vous.

Lorsque vient le moment de commander les plats, l'hôte mentionnera à ses invités les spécialités du restaurant, leur suggérera un premier plat et les incitera habituellement à prendre un repas un peu spécial. Si l'un de vos invités opte pour un plat très cher et que personne d'autre ne commande rien d'aussi dispendieux, choisissez en tant qu'hôte le même plat ou quelque autre d'un prix comparable. Vous devez absolument éviter que l'un de vos invités se sente embarrassé. S'il n'y a que deux ou trois personnes à table, l'hôte transmettra lui-même les commandes au serveur. Si les invités sont plus nombreux, il verra à ce qu'on prenne d'abord leur commande avant de placer la sienne.

C'est l'hôte, homme ou femme, qui commande les vins. Il (elle) demandera toutefois à ses invités si son choix leur convient et pourra même suggérer deux vins. Si l'hôte ne s'y connaît pas beaucoup en vins, il (elle) pourra charger l'un des invités d'en proposer un. Dans ce cas, l'invité s'en tiendra à un vin d'un prix raisonnable et pourra aussi en suggérer plusieurs. Les très bons restaurants offrent presque tous un bon vin maison qui s'avérera un choix judicieux dans la plupart des cas, pour un simple luncheon. Mais si vous êtes forcé de choisir vous-même le vin, demandez au serveur quels vins accompagneraient agréablement les plats commandés par vos invités et choisissez-en un parmi ceux suggérés.

Quel que soit le repas, l'hôte attendra que tous ses invités aient été servis avant de manger ou de boire quoi que ce soit.

Lors de réunions nombreuses, l'hôte doit inciter ses invités à commencer à manger dès qu'ils sont servis, pour ne pas que leur plat refroidisse. (Cela ne se fait qu'au restaurant. Lors de dîners à la maison ou de banquets, les invités attendront toujours que tous soient servis à leur table et que l'hôte (ou l'hôtesse) leur donne le signal de commencer à manger.)

Il est toujours malséant de critiquer la qualité des aliments ou du service devant ses invités ou de s'en montrer insatisfait. Parlez-en plutôt au gérant de l'établissement, loin de votre table, et excusez-vous auprès de vos invités, mais ne le faites qu'une fois et sans insister. Essayez de compenser cette déception par un bon dessert ou digestif. Veillez toujours à régler une telle question poliment mais fermement.

La personne qui a fait l'invitation et a pris toutes les dispositions agit donc en qualité d'hôte ou d'hôtesse et c'est elle qui règle la note du repas. Elle peut payer comptant ou à l'aide d'une carte de crédit. Même si le nombre de femmes occupant des postes de direction a considérablement augmenté, certains hommes se sentent encore mal à l'aise lorsque l'égalité entre les sexes les oblige à accepter qu'une femme paie la note d'un repas auquel elle les a conviés. On recommande dans certains cas à la femme hôte, spécialement dans les très bons hôtels et restaurants où elle aura invité des hommes bien connus, de régler la note loin de la table, de manière à ne pas embarrasser ses collègues masculins. À un moment donné, elle pourra s'excuser, soi-disant pour placer un appel téléphonique, et s'occuper de la note au comptoir du maître d'hôtel. Certains grands restaurants et hôtels acceptent encore de facturer à crédit leurs très bons clients, et des femmes d'affaires bien en vue savent tirer profit de ce service.

Dans les industries des services et de la restauration, le pourboire est nécessaire et représente souvent une partie importante des revenus de l'employé. Il sera de 15 pour cent dans un restaurant modeste et pourra atteindre jusqu'à 20 pour cent dans les établissements plus chics. Si vous avez requis les services du sommelier, vous lui laisserez de trois à cinq dollars par bouteille (selon la qualité du vin). Mais, dans un restaurant de grand luxe, il recevra 15 pour cent du prix de chaque bouteille. La plupart du temps, on laisse un dollar au préposé au vestiaire, un dollar à l'employé qui appelle le taxi et deux dollars au préposé au stationnement (en 1990).

Puisqu'on les a *invités*, les convives ne doivent pas insister pour régler la note ni s'en saisir rapidement lorsque le serveur l'apporte à la table. C'est manquer de politesse à l'égard de son hôte et du serveur que de se disputer pour déterminer qui paiera le repas. Laissez votre hôte s'en charger et, la prochaine fois, invitez-le à votre tour. Cela vaut aussi dans le cas où une femme serait votre hôte. Si elle vous a invité, elle paiera le repas. Notre société a reconnu dans les faits l'égalité entre les sexes; prouvez donc aux femmes, messieurs, que cette reconnaissance est bien réelle.

Si vous avez accepté une invitation, ne tentez pas, dans la mesure du possible, d'en changer la date ou de vous désister. Mais si une raison importante vous empêche de respecter votre engagement, décommandez-vous vous-même (plutôt que de confier cette tâche à votre secrétaire), expliquez cette raison et présentez vos excuses.

Soyez ponctuel. Il est toujours embarrassant de se trouver seul dans un lieu public à attendre quelqu'un. On considère comme grossier un retard de quinze minutes sans raison valable. Si vous prévoyez être en retard, prévenez-en votre hôte, si cela est possible. Et si vous vous joignez tardivement à un groupe, commandez un plat du service que viennent d'entamer les convives, même s'il s'agit du dessert. Sinon, ils pourraient être contrariés d'avoir à attendre que vous ayez terminé.

Si vous attendez votre hôte à table, ne commandez ni nourriture ni boisson, et ne grignotez pas non plus de pain ni de craquelins. Attendez votre hôte. La table doit demeurer impeccable jusqu'à ce qu'il arrive.

Comme toujours, attendez que votre hôte vous désigne une chaise. Ne vous assoyez jamais avant d'y avoir été invité.

Pour commander, attendez que votre hôte vous y invite. Il n'est pas toujours approprié de commander une entrée. Pour éviter d'être le seul convive à commander deux services, ne demandez rien avant que l'hôte n'ait fait quelques suggestions. Elles vous indiqueront clairement ce qu'il convient de choisir. Ne commandez jamais le plat le plus cher ni le plus économique. Attendez de voir ce que choisissent les autres convives et optez pour des plats de prix comparable, à moins que l'hôte ne dise, par exemple: «Pour célébrer cette occasion très spéciale, je ne vois rien de mieux que des huîtres Rockefeller. Qui se joint à moi?» Dans ce cas, bien entendu, acceptez son offre, si vous aimez les huîtres.

Les invités commencent à manger après que l'hôte en a donné le signal. Cela peut vouloir dire que chaque invité commence dès qu'il est servi. En cette matière, l'étiquette au restaurant diffère de celle qui est observée dans les maisons privées ou lors de banquets.

Si vous êtes un invité, ne vous permettez aucune critique. N'appelez pas le serveur à votre table. Cette prérogative appartient à l'hôte. Si on a oublié de vous servir ou s'il vous manque certains ustensiles, signalez-le à votre hôte, qui s'en occupera. N'essuyez jamais vos ustensiles sur votre serviette de table. Ne critiquez ni les plats ni les boissons. Si quelque détail ne vous satisfait pas ou si la laitue n'a pas été bien lavée, n'en faites pas toute une histoire et mangez les autres aliments qui se trouvent dans votre assiette. Si un cheveu flotte sur votre soupe, ne la mangez pas. Et si votre hôte vous demande si vous voulez autre chose à la place, vous pouvez toujours lui répondre: «Oui, s'il vous plaît.»

Quelques règles fondamentales que tous doivent observer

- Lorsque le code vestimentaire est précisé, tous doivent s'y conformer. Les invités porteront toujours des vêtements appropriés et en accord avec l'ambiance formelle ou informelle du restaurant où on les convie.
- Si un couple se dirige vers l'intérieur d'un restaurant sans être précédé d'un hôte, d'une hôtesse ou d'un maître d'hôtel qui accompagne généralement jusqu'à la table, l'homme passe le premier et la femme le suit. S'il y a un maître d'hôtel (ou un hôte ou une hôtesse) qui précède le couple, l'homme passe le dernier.
- On laisse toujours les meilleurs sièges aux invités. S'il y a une banquette, le couple invité y prend place et le couple hôte occupe plutôt les chaises, de l'autre côté de la table. Il n'est pas correct que les deux femmes s'assoient sur la banquette et que les deux hommes s'assoient sur les chaises. S'il y a des fauteuils, on les laissera également aux invités.
- L'hôte occupera toujours la place la moins avantageuse, par exemple près d'une porte battante, ou une chaise avec vue sur les cuisines.
- Les places de choix seront données aux personnes âgées ou infirmes, pour qu'elles soient le plus à l'aise possible.
- À table, la conversation doit être intéressante et amusante pour tous; il est impoli de parler constamment affaires en

présence d'autres personnes à une réunion mondaine, surtout si les conjoints sont présents.

- Les personnes bien éduquées n'attirent pas l'attention sur elles en parlant fort ou en se comportant d'une manière inconvenante.

- On ne fera apporter un téléphone à table qu'en cas d'extrême urgence ou si un convive qui ne peut pas se déplacer facilement jusqu'à l'appareil doit absolument placer un appel, par exemple pour s'assurer que ses enfants se portent bien. Le téléphone n'a pas sa place à table. Aucun appel d'affaires ne devrait être placé ni accepté «entre le potage et le dessert». Le cadre bien élevé se rendra toujours au téléphone public du restaurant ou de l'hôtel où il (elle) dîne, s'il n'a pas d'autre choix. Faire apporter un téléphone à table peut paraître tout à fait convenable à un certain type de patron, mais pas à un cadre influent qui a le souci des bonnes manières.

- On doit toujours s'efforcer de manger au même rythme que les autres convives, spécialement si on est l'hôte. Il est indélicat de manger trop vite ou trop lentement.

- Il est préférable de s'informer des plats au menu d'un restaurant lorsqu'on y invite plus de dix personnes et de commander le dîner quelques jours à l'avance. L'hôte et le serveur pourraient vivre un cauchemar si tous les convives commandaient en même temps des plats différents. Dans ce cas, mieux vaut opter pour des plats traditionnels plutôt que pour l'alligator à la Louisiane (mets délicieux, par ailleurs). J'ai vraiment pris goût à une vieille coutume qui consiste à informer les convives, en chaque occasion, du menu qui leur sera présenté. On peut le faire par téléphone lorsqu'on appelle les gens pour les inviter, ou on peut écrire le menu sur la page de gauche d'un carton d'invitation replié, ou tout simplement le glisser dans l'enveloppe avec l'invitation. On procédait toujours ainsi aux époques les plus courtoises. Cela évite à l'hôte, comme aux invités, des situations fort embarrassantes. Sinon, l'hôte informera du menu ses invités au restaurant avant que le repas ne soit servi, et si l'un d'eux préfère ne pas consommer l'un ou l'autre plat (pour quelque raison que ce soit), l'hôte pourra lui proposer autre chose. Mais les invités se montreront raisonnables et s'efforceront d'être *très* coopératifs, même si les mets qu'on leur sert ne leur plaisent pas. Bien entendu, si vous êtes mortellement allergique aux crustacés, faites-le savoir.

• On l'a déjà dit ailleurs dans cet ouvrage, mais on ne le répétera jamais assez: à table (pas plus d'ailleurs qu'en toute autre situation en société), les femmes ne doivent jamais retoucher leur maquillage ni s'appliquer du parfum, et les hommes comme les femmes ne doivent jamais se passer la main dans les cheveux ni se coiffer. On ne doit pas déposer sur la table à dîner les sacs à main, les attachés-cases ni les dossiers. Si vous devez vous lever de table pour placer un appel, excusez-vous, repliez votre serviette et déposez-la sur votre chaise, que vous rapprocherez de la table avant de vous en éloigner. On doit aussi, bien sûr, observer parfaitement toutes les autres bonnes manières à table (voir également l'appendice). Il est extrêmement malséant et même offensant pour un chef ou pour un hôte ou une hôtesse qui a préparé un repas à la maison de demander du ketchup ou de la sauce soja pour en napper un «steak flambé au cognac, sauce au poivre vert» ou une «caille au vinaigre de framboise».

• Le service du vin au restaurant

Au restaurant, on ne sert pas le vin de la même manière qu'à la maison. Dans les restaurants modestes, le serveur ou le maître d'hôtel apporte la carte des vins et en fait également le service, mais dans les restaurants très élégants, le sommelier se charge seul de ce service, vous aidant d'abord à choisir les vins appropriés à chaque plat, puis débouchant la bouteille et goûtant lui-même le vin avant de laisser l'hôte donner son assentiment au rituel du service lui-même. On ouvrira une bonne bouteille de rouge, on la présentera à l'hôte pour que ce dernier s'assure qu'il s'agit bien du vin commandé, puis on lui tendra le bouchon pour qu'il le sente (et vérifie si le vin sent le musc ou si le bouchon est sec, auxquels cas le vin ne sera pas très agréable à boire). Mais il ne s'agit là que d'une formalité et l'hôte s'y prêtera d'un air détaché et d'une façon très discrète. D'un signe de tête, il signifiera son approbation au sommelier ou au serveur. Après que ce dernier aura versé une petite quantité de vin dans son verre, l'hôte en avalera une gorgée et hochera encore une fois la tête, très simplement. Il ne fera pas tourner le vin dans sa bouche ni ne jouera au dégustateur professionnel sélectionnant des vins pour ses clients. Si quelques parcelles de liège sont tombées dans la bouteille, elles se retrouveront dans le verre de l'hôte après qu'on lui aura versé un peu de vin pour qu'il le goûte. Il n'y a pas là de quoi fouetter un chat: l'hôte pourra les en retirer lui-même si ce détail a échappé au sommelier ou au serveur, ou ce dernier lui offrira un nouveau verre. On sert les invités avant l'hôte. Celui-ci goûte aussi les vins blancs, particulièrement pour s'assurer qu'ils sont à la bonne température. Ils ne doivent pas être glacés. S'ils sont trop froids, on les retirera un peu de leur seau à glace afin qu'ils parviennent à la température souhaitée. Si l'hôte confie le choix des vins à l'un des invités — parce que lui-même ne s'y connaît pas —, c'est cette personne qui procédera à leur dégustation. Pour arroser un luncheon, on pourra très bien commander un vin maison (il en existe aujourd'hui de très agréables); mais dans le cas d'un repas du soir très élégant dans un grand restaurant, on optera plutôt pour un vin à la carte. Évidemment, on s'en doute, on ne goûte jamais un vin maison servi dans un carafon. On le boit sans plus de cérémonie et on le savoure... ou pas; de toute façon, on ne pourrait en changer. Si vous avez commandé un vin raffiné (et dispendieux) et que vous jugez qu'il a tourné, appelez le sommelier et faites-lui part de votre déception. Dans les bons restaurants, on vous offrira aussitôt une nouvelle bouteille. Si vous ne commandez qu'un vin pour le repas, demandez à vos invités s'ils préfèrent le blanc ou le rouge et tenez compte de leur préférence, ou commandez du blanc et du rouge et veillez à ce qu'on verse à chacun le vin de son choix. Si votre hôte a commandé un bordeaux millésimé absolument exceptionnel, n'insistez pas pour qu'on vous serve plutôt du blanc: ce serait faire insulte à son bon goût en matière de vins, tout en montrant que vous manquez de raffinement. Vous remarquerez qu'au restaurant on enveloppe la plupart des bouteilles dans une serviette de toile blanche et qu'on couche presque toujours dans un panier verseur les rouges rares et exquis (et coûteux). On ne présente pas les vins de la même façon que dans une maison privée, parce qu'au restaurant on les décante pas. L'usage du panier verseur, qui donne au vin un petit caractère spécial, a également pour but de flatter la vanité du client.

Au restaurant, l'hôte veillera en particulier à un autre détail important: qu'on remplisse toujours son verre en dernier. Il devra s'assurer que tous ses invités sont servis avant lui et que leurs verres sont remplis aussi souvent que nécessaire par le préposé au service des vins.

Le protocole des hôtes et des invités

Faire une invitation à partager un repas est une décision très personnelle et délicate. L'invitation, tant professionnelle que privée, doit toujours correspondre au type de relations qu'entretiennent l'hôte et l'invité. En d'autres mots, on n'invite pas à un dîner élégant chez soi une personne dont on vient à peine de faire la connaissance, ni à un simple déjeuner dans un casse-croûte un associé avec qui on prévoit entretenir dans l'avenir d'importantes relations d'affaires. Un dîner élégant à la maison, avec conjoints, est une invitation très raffinée, contrairement au repas très informel, à la bonne franquette, en compagnie d'amis ou de collègues de bureau que l'on connaît de longue date. Si vous rendez une invitation, conviez la personne concernée dans un restaurant de classe comparable à celui où elle vous a reçu, et si vous espérez brasser des affaires avec quelqu'un, choisissez un excellent restaurant. La femme cadre qui invite un collègue sans sa femme optera plutôt pour une invitation à un luncheon; elle ne le conviera pas à un dîner en soirée, car, en plus d'être impoli, cela pourrait avoir l'air suspect. Si elle invite à dîner un collègue ou un associé qui est marié, elle doit aussi inviter sa femme. Si on vous a reçu à déjeuner ou à dîner, rendez la pareille; il serait malséant d'offrir simplement un cocktail en retour. Si une personne moins fortunée vous invite dans un restaurant modeste, invitez-la en retour dans un restaurant également modeste, parce qu'elle pourrait se trouver embarrassée d'être reçue dans un établissement de grand luxe. Le jeune directeur inexpérimenté, nouveau venu dans une entreprise, commettrait une erreur en invitant son supérieur chez lui ou au restaurant: la chose aurait l'air trop intéressée. Quand on cherche à s'attirer des faveurs, cela se voit toujours.

• La réaction de l'exclus

Si on ne vous a pas invité à une soirée à laquelle vous auriez beaucoup aimé assister, n'essayez pas de corriger la situation en tentant trop ostensiblement d'obtenir une invitation, quelle qu'en soit la raison. Vous commettriez ainsi une erreur en donnant l'impression de vouloir assister à toutes les réceptions. On a peut-être tout simplement oublié votre nom par inadvertance. Stratégiquement, il vaudrait mieux que la personne qui a commis l'erreur soit tenue de vous présenter ses excuses, ce qui serait bien plus avantageux pour vous. Si vous avez noué une relation d'amitié avec un employé ou un cadre de la compagnie hôte, vous pouvez lui demander de chercher discrètement à savoir la raison pour laquelle votre nom n'apparaît pas sur la liste des invités. Mieux vaut rater une occasion que de trop chercher à se faire inviter à une réception où sa présence n'est ni requise ni désirée. Quand vous acceptez une invitation, respectez votre parole, à moins d'être obligé de vous décommander à la dernière minute pour une raison majeure. Dans ce cas, prévenez-en votre hôte immédiatement. Ne déléguez jamais quelqu'un pour vous remplacer à une réception d'affaires sans en avoir obtenu au préalable l'autorisation (cela vaut également pour une invitation privée). Téléphonez à votre hôte, exprimez-lui vos regrets et demandez-lui si vous pouvez lui être de quelque secours en déléguant un collègue du bureau. L'hôte préférera probablement faire occuper la place libre à table par un membre de sa propre équipe plutôt que par quelqu'un qu'il ne connaît pas. Mais s'il accepte votre offre, transmettez-lui le nom du collègue en question, ainsi que son titre.

• Inviter son patron / Être invité par lui

Comme je l'ai mentionné précédemment dans ce chapitre, il n'est pas correct pour un jeune cadre ou directeur, nouvellement arrivé dans une entreprise, d'inviter son patron et son conjoint à dîner chez lui. Bien sûr, si vous êtes de ses amis ou des amis de sa famille, ou si vos familles sont voisines depuis toujours, vous pouvez alors l'inviter chez vous avec son conjoint. Mais attention: soyez discret, ne parlez pas de ce détail de votre vie privée au bureau (et assurez-vous que la secrétaire de votre patron n'en parlera pas non plus), parce que cette situation pourrait provoquer le ressentiment et la jalousie de certains de vos collègues. Lorsque vous invitez votre patron et son conjoint, songez aussi à inviter d'autres couples. L'atmosphère n'en sera que plus détendue. Choisissez des couples qui s'entendront bien avec votre patron et son conjoint; pour assurer une conversation intéressante et cordiale, invitez un couple du même âge que votre patron et un autre du même âge que vous. De cette manière, tous passeront un bon moment.

Si un jeune cadre occupe un poste dans une entreprise depuis environ un an et n'a jamais eu l'occasion de mieux connaître son patron et sa femme au cours d'une réunion mondaine, il est préférable qu'il offre avec son conjoint un cocktail-party plutôt qu'un dîner. Le patron pourra plus facilement décliner son invitation. Et s'il consent à y assister avec sa femme, leur présence ne pourra pas être jugée aussi compromettante que s'ils avaient accepté une invitation à dîner.

Il arrive que de jeunes cadres et directeurs, célibataires ou mariés, figurent régulièrement sur la liste d'invités de leurs supérieurs à des dîners élégants et à des cocktail-parties. Dans la plupart des cas, surtout s'ils se démarquent ainsi du reste des employés de l'entreprise, cela s'explique par le fait qu'on trouve leur présence très agréable et qu'ils contribuent grandement au succès des réceptions de leur patron. Les cadres célibataires, intelligents, spirituels et bien éduqués, qui savent aussi se vêtir correctement en chaque occasion, se retrouvent sur les listes de plusieurs hôtesses qui les considèrent comme de précieux invités pour compléter la table lors de dîners où la règle de l'alternance homme/femme est de rigueur. Si vous êtes de ces personnes recherchées dont on aime s'entourer et si cela vous plaît de bien vous habiller et d'assister fréquemment à des dîners et à toutes sortes de réceptions, vous avez de la chance, mais il vaudrait mieux ne pas trop vous en vanter. Votre popularité auprès de vos collègues pourrait en souffrir si jamais ils avaient quelque raison d'être jaloux de votre succès auprès du patron. Il n'est pas nécessaire de rendre la pareille chaque fois qu'on vous invite; en fait, votre présence rend service à votre patron. Mais vous devriez, comme tous les autres invités, lui adresser un mot de remerciement chaque fois que vous avez accepté l'une de ses invitations. Une personne célibataire ou un jeune couple qui ne peut recevoir confortablement chez lui pourra de temps à autre inviter son patron et sa femme à un (bon) restaurant ou à son club (si cela se fait). C'est la meilleure façon de les remercier pour leurs invitations répétées.

• Qui inviter: le patron ou sa femme?

Si vous invitez votre patron et son conjoint à un dîner élégant, l'invitation sera adressée à leurs deux noms, mais si vous leur faites l'invitation verbalement, l'usage approprié variera selon que vous connaissez ou non le conjoint du patron. Si vous êtes une femme et n'avez pas fait la connaissance de l'épouse de votre patron, mieux vaut inviter ce dernier à un luncheon pendant la semaine, ce qui est plus simple et vous évitera les soucis occasionnés par un dîner auquel vous le convieriez avec sa conjointe. Si vous connaissez sa femme, invitez-les tous deux à un repas du soir. Dans ce cas, téléphonez à la femme de votre patron et priez-la de lui transmettre personnellement l'invitation. Si vous faites une invitation pour le soir ou pour un week-end, invitez alors toujours le patron et son conjoint. En agissant autrement, vous courriez à la catastrophe. Si votre conjoint et vous-même invitez une personne célibataire, priez-la d'emmener avec elle un(e) invité(e) (l'expression «petit(e) ami(e)» manque d'élégance). Cela vaut bien mieux que de chercher soi-même à trouver une compagne ou un compagnon à un(e) invité(e) célibataire. Le choix d'un partenaire de table pour un dîner élégant ou une réunion nombreuse ne porte évidemment pas autant à conséquence. Si vous invitez un collègue d'une autre ville à discuter d'affaires importantes, vous songerez à inviter aussi son conjoint si celui-ci l'accompagne dans son voyage. Il serait extrêmement grossier d'abandonner cette autre personne à sa solitude pendant toute la soirée dans sa chambre d'hôtel. Sans compter qu'un cadre (ou tout autre employé occupant un poste supérieur) marié, homme ou femme, qui invite un collègue marié du sexe opposé à un repas du soir donnera ainsi prise à des rumeurs pernicieuses. (Pour ce qui concerne les invitations au cours d'un voyage, voir la section 3 du chapitre II.) Mieux vaut donc inviter à déjeuner. Un cadre marié perdra rapidement sa réputation s'il se présente à une réception professionnelle avec une compagne ou un compagnon autre que son conjoint. (Voir aussi la section 1 du chapitre II.) Quelle que soit la permissivité de nos sociétés, les chefs d'entreprise et les hommes d'affaires sont fondamentalement conservateurs et soucieux de leur image et leur respectabilité. Ils considèrent toujours comme une conduite indigne qu'un individu marié se présente en public en compagnie d'un(e) amant(e).

• Être accompagné ou non

Il est extrêmement impoli de se présenter à un cocktail-party accompagné d'un ami ou d'un parent si l'invitation ne s'adressait qu'à une personne. Cela peut désorganiser une réception, particulièrement un dîner où chaque place à table a été préalablement attribuée. Mais s'il est précisé sur l'invitation que vous pouvez emmener un invité, vous pouvez évidemment y venir accompagné. Lorsque vous répondez par téléphone à une invitation, on vous demandera souvent si vous souhaitez emmener un invité. Dans ce cas, si vous le désirez, n'hésitez pas à accepter l'offre qui vous est faite. Dans un cas comme dans l'autre, communiquez toujours à votre hôte ou à son bureau le nom de votre invité et, si nécessaire, celui de son entreprise. Lorsqu'on vous invite à dîner, ne demandez même pas si vous pouvez venir accompagné; il est évident que non.

• La conversation à table

L'hôte qui reçoit à dîner est responsable de la conversation qu'on y tiendra. Il doit s'assurer que les propos échangés respectent les règles de la conversation à table et que tous les convives sont présentés les uns aux autres avec suffisamment de détails pour pouvoir communiquer entre eux facilement. Si l'un des convives est exclus de la conversation, l'hôte ne manquera pas de le remarquer et il fera alors ce qu'il faut pour remédier à la situation. Si vous êtes l'hôte et que vous recevez à dîner dix personnes ou plus, songez à inviter un fin causeur qui vous aidera à alimenter la conversation. Si vous êtes du genre peu loquace, vous aurez besoin de deux fins causeurs pour vous assister. Lors de dîners d'affaires, l'hôte signalera clairement le moment où peuvent s'amorcer les discussions sérieuses, et il détendra l'atmosphère si les esprits s'échauffent trop.

Tourner la table est une merveilleuse coutume civilisée qui est pratiquée depuis des générations et à laquelle ont encore recours les grandes hôtesses d'aujourd'hui, même si elles le font avec une telle discrétion que personne ne s'en aperçoit. En théorie, aucun invité ne devrait être condamné à supporter la conversation d'un même voisin de table pendant toute la durée d'un dîner (ce qui peut s'avérer plutôt pénible dans certaines situations). C'est le devoir de l'hôte (l'hôtesse) de tourner la table. Aujourd'hui comme autrefois, à l'occasion des dîners importants, l'homme converse avec la dame qui se trouve à sa droite. Cependant, au milieu du dîner, l'hôte (l'hôtesse) se tourne vers l'autre voisin et tous les invités suivent alors son exemple.

Ce procédé donne de si bons résultats qu'on l'a même adopté lors de dîners mi-professionnels, parce qu'on s'assure ainsi que les invités consacrent autant de temps, pendant le repas, au convive assis à leur droite qu'à celui qui se trouve à leur gauche. L'hôte (homme ou femme) indique le sens dans lequel se font les échanges, pour éviter que les invités ne se parlent d'un côté de la table à l'autre. J'ai constaté dernièrement qu'à certains dîners d'affaires cette coutume de tourner la table a été quelque peu modifiée: les invités changent d'interlocuteur à chaque service plutôt qu'une seule fois au cours du repas, ce qui me semble une heureuse variante. Mais comment savoir à quel moment changer d'interlocuteur? Il suffit d'imiter l'hôte.

Quand parler affaires? Cela dépend de la manière dont vous vous y adonnez et des circonstances. *À un cocktail-party*, par exemple, si la salle est si bruyante que vous ne vous entendez même pas parler, il est évident que vous ne pouvez avoir aucune conversation suivie avec quelqu'un. Faites donc aussi votre deuil d'une conversation d'affaires; ce n'est ni le moment ni l'endroit. Tenez-vous-en à des banalités, comme de dire que vous passez une soirée agréable et que les gens sont vêtus avec goût. Vous pouvez peut-être échanger des cartes d'affaires et prendre rendez-vous pour un luncheon où vous aurez la possibilité de discuter affaires tout à votre aise. *À un déjeuner d'affaires*, on commence à parler affaires pendant le repas lui-même, puis on sort les dossiers, rapports, etc., pour les discussions sérieuses quand la table a été desservie et nettoyée. *À un luncheon d'affaires*, commencez par converser simplement, faites-vous servir un verre (même si ce n'est que de l'eau minérale), prenez connaissance du menu, puis commandez votre repas. Après seulement, vous pourrez entamer les discussions d'affaires. On attendra de préférence après le repas, ce qui est d'ailleurs le plus logique, pour sortir les rapports, dossiers et diagrammes; qui veut salir ses dossiers et diagrammes informatisés? *À un dîner mi-mondain mi-professionnel dans une maison privée ou dans un grand restaurant* auquel sont conviés les conjoints, les conversations d'affaires seront réduites au strict minimum et auront lieu loin de la table, peut-être après le repas, alors qu'on sert le café, le brandy et les liqueurs. Dans la plupart des cas, il vaut mieux, pour le bénéfice d'éventuelles relations d'affaires, n'utiliser les réunions mondaines que pour ce à quoi elles doivent servir, soit rencontrer des gens, et prendre les arrangements nécessaires pour tenir les discussions d'affaires au bureau ou à tout autre endroit approprié. Les dîners priés et très élégants ont pour but de réunir des gens afin qu'ils puissent mieux se connaître et ainsi envisager peut-être d'éventuelles relations d'affaires. *À un dîner d'affaires convoqué d'avance*, on prendra au moins trente à quarante-cinq minutes pour faire connaissance et parler de choses et d'autres. Les discussions d'affaires devront attendre. Le moment venu, l'hôte donnera le signal de les amorcer. Les gens trop pressés qui insistent pour parler affaires tout de suite sont considérés comme excessivement agressifs, et ceux qui ne savent que parler affaires sont extrêmement ennuyeux. Ils donnent l'impression d'être des partenaires désagréables et difficiles en affaires.

• Si les invités ne se retirent pas

À tous les cours, séminaires et conférences que j'ai donnés en ce pays au cours des quinze dernières années, on m'a demandé des centaines de fois comment amener les invités à se retirer après un dîner. «Est-il impoli de mettre en marche mon lave-vaisselle?» Évidemment que oui. Mais alors, que peut-on faire sans manquer à la politesse et à la bienséance? En fait, la réponse est très simple si le dîner a lieu au restaurant. L'hôte demande alors simplement l'addition. Cela signifie manifestement que la fête est terminée. Je préfère régler l'addition loin de la table, spécialement s'il s'agit d'un dîner organisé à l'avance pour plusieurs invités. Si ceux-ci ne peuvent voir l'expression de désarroi sur le visage de l'hôte quand on lui remettra l'addition ni être témoins des calculs auxquels il devra se livrer pour déterminer le montant du pourboire, chacun s'évitera une situation embarrassante. Une femme hôte devrait toujours régler l'addition loin des convives, même si elle utilise sa carte de crédit et y ajoute le pourboire. Cela n'a rien à voir avec le fait d'être une femme émancipée ou de ne pas l'être. Il s'agit plutôt ici de se comporter comme une femme moderne et élégante qui a des manières raffinées, et non comme une femme qui a tellement appris à s'affirmer qu'elle en a perdu tout son charme.

Signifier à ses invités que le temps est venu de se retirer après un dîner dans une maison privée est plus compliqué et un peu moins commode. On ne peut évidemment pas faire retentir le détecteur de fumée, mais il est possible de suggérer subtilement à ses invités de se diriger vers la sortie quand le moment est venu. Si vous avez un invité d'honneur, il sera le premier à partir, ce qui sera le signe, pour les autres, qu'ils doivent se retirer à leur tour. Les invités d'honneur connaissent le protocole et savent qu'un dîner qui commence à 20 heures se termine vers 23 heures (particulièrement les dîners élégants qui ont lieu d'autres jours que le vendredi et le samedi). Si vous n'avez pas d'invité d'honneur ou s'il n'est pas rompu aux règles du protocole, vous pouvez, en tant qu'hôte, vous lever et vous permettre très gentiment ce commentaire, en arborant un sourire: «Il se fait tard, n'est-ce pas? Je présume que chacun a une dure journée de travail devant lui, et nous avons tous besoin de repos.» Si vous vous exprimez poliment et avec un sourire aimable, vos invités vous seront vraisem-blablement reconnaissants de pouvoir rentrer chez eux à une heure raisonnable.

• Les toasts

Certaines personnes sont douées pour porter des toasts, et d'autres ne le sont pas. Seuls ceux qui savent porter un toast bref, spirituel et pertinent se permettront de le faire; les autres s'en abstiendront. On ne devrait jamais presser quelqu'un de porter un toast si cela le rend visiblement mal à l'aise. Il est impoli d'insister auprès de quelqu'un pour qu'il fasse quelque chose qu'il n'a pas envie de faire et de le mettre ainsi dans l'embarras.
- Un toast doit être bref, ne durant pas plus d'une minute.
- On le portera exactement au bon moment, généralement après le service du dessert, quand tous les verres de vin ont été remplis, ou quand le champagne vient d'être servi.
- On ne doit pas le porter trop tard, alors que les convives commencent à se lever de table.
- Celui qui s'apprête à porter un toast fera un signe au serveur en chef pour qu'il assure un certain silence dans la salle

(les serveurs éviteront alors de faire du bruit avec les assiettes, les ustensiles et les verres).

Il revient à l'hôte de porter le premier toast. Selon les règles du protocole, il n'est pas convenable pour quiconque de porter un toast trop tôt, que ce soit à l'hôte ou à l'invité d'honneur. Si personne ne semble s'apprêter à porter un toast et que les convives achèvent leur dessert, un cadre supérieur qui désire en porter un à l'hôte ou à l'invité d'honneur demandera très discrètement à son hôte: «Auriez-vous objection à ce que je porte un toast?» L'hôte lui répondra très probablement: «Faites, je vous prie.» L'invité d'honneur répondra aussitôt à un toast porté par l'hôte ou l'hôte délégué en le remerciant de ses paroles gentilles et en formulant un commentaire agréable sur la soirée. On appréciera d'autant plus sa réponse si elle est amusante et spirituelle. La personne qui porte un toast se lève de sa chaise. Habituellement, les autres invités ne se lèvent pas, mais si l'invité d'honneur est un personnage politique, une personnalité de haut rang, un visiteur d'une entreprise étrangère ou toute autre personnalité de renom, tous les invités se lèveront au moment du toast. Si quelqu'un porte un toast alors que votre verre est vide, levez votre verre comme s'il était plein et faites semblant d'y boire. Agir autrement serait très impoli et même insultant pour la personne à qui on porte le toast.

Ce qu'il faut éviter: proposer un toast quand vous avez trop bu; faire des blagues de vestiaire en portant le toast; rabaisser quelqu'un ou le dénigrer; faire un commentaire politique en proposant un toast; discourir sur tout, depuis les sous-marins nucléaires jusqu'aux pluies acides.

Ce qu'il est particulièrement gentil de faire: si on est invité à déjeuner ou à dîner au restaurant, lever son verre pour saluer son hôte et le remercier de son invitation; ce faisant, on restera assis. Il est également très gentil de lever son verre, de se tourner vers chacun des convives en lui souriant et de faire un petit signe de tête avant de prendre sa première gorgée de vin. Il est indélicat de boire seul; aussi, lorsque vous désirez prendre une gorgée de vin, ayez la gentillesse de vous tourner vers votre partenaire de table, de lever votre verre, de lui faire un petit signe de tête en souriant et de boire en même temps que lui. Évidemment, les femmes peuvent en faire autant. L'égalité entre les sexes, cela vous dit quelque chose?

Lorsqu'on porte un toast à votre santé: ne vous levez pas et ne buvez pas. Après que les autres convives ont bu à votre santé, levez-vous et buvez en retour à la santé de celui qui vous a porté un toast, en le remerciant, ou à la santé de tous ceux qui vous ont ainsi salué. Les femmes sont parfaitement capables et libres de porter un toast elles aussi, mais elles peuvent également se contenter de lever leur verre à l'intention de celui qui les a ainsi honorées, dans un geste qui signifie: «Merci et à la bonne vôtre.»

La coutume de porter un toast a pris naissance en Europe et on la pratique encore plus largement là-bas qu'en Amérique du Nord et dans les autres parties du globe. La connaissance des formules les plus fréquentes pourra s'avérer utile à l'homme et à la femme d'affaires qui voyagent beaucoup. On traduit communément les formules qui suivent par l'expression «À votre santé»:

Anglais	*To your health*
Espagnol	*Salud*
Allemand	*Zum Wohl*
Suédois	*Sköal*
Yiddish	*L'Chayim*
Irlandais	*Sláinte*
Italien	*Salute*
Russe	*Na Zdorov'e*
Polonais	*Nazdrowie*

• Le toast au souverain *(Loyal Toast)*

Au Canada, les organisateurs de certaines réceptions d'affaires seront inévitablement amenés un jour à l'autre à se soumettre au protocole relatif au toast au souverain; il en sera de même pour ceux qui voyagent pour affaires dans le monde entier et qui assisteront un jour à une réception où l'on portera un tel toast. Les précisions qui suivent pourront alors leur être utiles.

Immédiatement après que les assiettes à dessert ont été retirées de la table, que le porto a été servi et que l'annonceur

294

des toasts a obtenu de la salle un silence relatif (parfois en disant: «Je demande le silence pour notre président»), on portera le toast «La Reine». Tous se lèvent alors et boivent le toast. Il est incorrect d'utiliser une formule comme celle-ci: «Je porte un toast à Sa Majesté la Reine.» Les invités ne fument pas avant qu'on ait porté ce toast. Mais il n'est pas nécessaire d'annoncer, après le toast: «Mesdames et Messieurs, libre à vous de fumer», à moins que la reine ou la reine mère ne soit présente, et alors on annoncera: «Mesdames et Messieurs, Sa Majesté vous autorise à fumer.» Pour le toast au souverain, on peut évidemment utiliser du champagne, et je l'ai vu faire récemment (par des gens qui connaissaient bien le protocole) alors que les assiettes à dessert n'avaient pas encore été retirées de la table. (Les passages entre guillemets sont extraits de *Debrett's Correct Form.*)

• Consommation et tempérance

Quiconque est invité à déjeuner ou à dîner dans une maison privée ou au restaurant s'attend à ce qu'on lui offre des boissons alcoolisées. Cela vaut également pour les invitations à des repas d'affaires. Il va de soi que chaque hôte est libre de s'abstenir de servir des boissons alcoolisées, aussi bien à des réunions d'affaires qu'à des réceptions privées. Toutefois, même s'il ne boit pas, il aura l'amabilité d'offrir un kir ou un vin blanc comme apéritif et même un peu de vin pendant le repas. Certains de vos invités préféreront ne pas boire d'alcool, pour diverses raisons. En conséquence, prévoyez toujours quelques boissons non alcoolisées. N'insistez pas pour que vos invités goûtent un vin, même exceptionnel; ils pourraient ne pas apprécier votre insistance. Mais n'oubliez pas que, même si vos invités viennent d'un pays où la consommation de boissons alcoolisées est interdite, il se peut qu'ils en consomment avec plaisir lorsqu'ils se trouvent à l'étranger. En cas de doute, demandez: «Que désirez-vous boire?» et attendez la réponse. Pour avoir séjourné plusieurs années en Afrique du Nord, je sais que l'expression «thé froid» y signifie «scotch sur glace», ce qui peut étonner le non-initié.

Qu'il s'agisse d'un dîner d'affaires, d'une rencontre, d'un séminaire ou du party de Noël du bureau, le but n'est pas que tout le monde s'enivre, car ce n'est sûrement pas ce qui fait qu'un événement est réussi. Quel que soit le genre de réception, la période pendant laquelle on peut y boire doit être brève. Il est impoli de servir des boissons contenant plus d'une once de liqueur ou plus de trois onces et demie de vin. On doit toujours fermer le bar trente minutes après l'heure prévue pour la fin de la réception. À un cinq à sept, on doit donc fermer le bar à 19 h 30. C'est la responsabilité de l'hôte de repérer ceux qui ont trop bu et de les faire rentrer chez eux sans accident. L'hôte et ses aides doivent veiller à ce qu'aucun invité ne soit l'objet d'avances indésirables de la part d'un autre invité qui serait en état d'ébriété, et faire cesser tout échange de propos injurieux avant qu'il ne donne lieu à une scène disgracieuse. Une personne bruyante et grossière brise le plaisir de tous et prive son hôte de la satisfaction d'avoir donné une réception agréable. On ne devrait pas inviter à un cocktail-party, où on sert de l'alcool à volonté, les gens qui sont réputés pour leur intempérance; on devrait plutôt les inviter à un dîner, où on peut contrôler le service du vin.

Comment doit-on agir envers un invité qui essaie de vaincre son alcoolisme? De la même façon qu'envers tous les autres invités. Évitez surtout toute allusion à ses progrès ou à sa guérison. Demandez-lui ce qu'il désire boire comme à tous vos autres invités. Il vous demandera alors une boisson gazeuse, du thé ou du café. Placez un verre à vin à son couvert et servez-lui sa boisson gazeuse ou son jus de fruit dans son verre, tout comme s'il s'agissait de vin, comme pour les autres invités.

L'utilisation de vins et de liqueurs dans la préparation de plats est sans danger pour l'alcoolique abstinent, parce que l'alcool s'évapore pendant la cuisson. Par ailleurs, arroser de vin ou de liqueur un plat apprêté n'est pas sans conséquences pour ces personnes. Si vous désirez servir une sauce additionnée d'alcool, ou du kirsch ou du brandy pour arroser des framboises fraîches ou un diplomate (bagatelle), offrez-les à part dans une petite saucière en vous assurant que tous vos invités savent parfaitement ce que c'est. L'alcoolique abstinent n'y touchera pas. Au moment des toasts, il prendra son verre à vin rempli d'eau et le lèvera comme les autres convives, le contenu du verre n'ayant aucune importance. Ceux qui ne boivent pas d'alcool feront de même. Ils accepteront qu'on verse de l'eau (ou toute autre boisson non alcoolisée) dans leur verre à vin et feront comme s'ils buvaient du vin comme tous les autres invités. Personne ne désire savoir pourquoi vous ne buvez pas de vin à une réception. Ce n'est certes pas l'endroit pour discuter des bienfaits et des méfaits de l'alcool ni même pour y faire la moindre allusion.

• La cigarette

Toute personne est en droit de ne pas permettre aux gens de fumer dans sa maison. Cependant, quand on fait une invitation à des gens qu'on sait être des fumeurs invétérés, on les préviendra qu'«on ne fume pas à la maison». Ainsi prévenu, l'invité qui fume pourra accepter ou décliner l'invitation. S'il l'accepte, il ne fumera pas; c'est aussi simple que cela. L'hôte qui n'a pas avisé de la sorte ses invités fumeurs fait preuve d'indélicatesse s'il insiste ensuite pour que ceux-ci s'abstiennent de fumer toute une soirée durant. Comme le non-fumeur, le fumeur a des droits inaliénables et on évitera d'entraver sa liberté de choix. Plusieurs hôtes n'aiment pas la cigarette mais n'en permettent pas moins à leurs invités de fumer. L'hôte n'est plus tenu, comme par le passé, d'offrir des cigarettes ou d'en disposer sur la table de la salle à manger (comme le suggéraient des illustrations de mes livres écrits voilà quinze ans), mais il se fera un devoir, le cas échéant, d'offrir des cendriers aux fumeurs et d'en disposer sur la table après le dessert lorsque les invités sont libres de fumer. J'aimais bien l'ancienne coutume selon laquelle les femmes et les hommes se séparaient après le dîner pour prendre la demi-tasse et le brandy, des liqueurs, et fumer des cigares et des cigarettes. Les dames occupaient le salon, et les hommes, la bibliothèque ou le fumoir. Les hommes parlaient affaires tandis que les femmes lisaient des poèmes, jouaient du piano et parlaient de ce qui les intéressait. Aujourd'hui, à cette coutume très élégante en a succédé une autre qui sépare désormais les fumeurs des non-fumeurs quand vient le moment de la demi-tasse et du brandy; elle se perpétuera jusqu'à ce que les fumeurs abandonnent enfin leur déplorable et malsaine habitude.

De nos jours, comme fumer est terriblement mal vu et dangereux, tant pour les non-fumeurs que pour les fumeurs, les bonnes manières en cette matière se sont radicalement transformées. Voici quelques réflexions sur le sujet et quelques recommandations.

Mieux vaut toujours se montrer aimable avec ses semblables, même si on se sent obligé de défendre ses droits de fumeur ou de non-fumeur. Nul ne se permettra donc d'imposer sa loi aux autres. Si un écriteau porte «Défense de fumer», les fumeurs se plieront à l'interdiction. Par ailleurs, dans les lieux publics où la cigarette est permise, les non-fumeurs ne s'entêteront pas à y faire valoir leurs droits; ils changeront plutôt de place pour s'éloigner d'un fumeur. Des remarques comme «Votre fumée m'étouffe» sont malséantes. Si un non-fumeur dit gentiment et poliment à un fumeur (dans une automobile, par exemple): «Votre fumée m'incommode vraiment. J'y suis allergique. Pourriez-vous baisser la vitre, s'il vous plaît», probablement que le fumeur éteindra même sa cigarette.

Même s'il y a des cendriers partout, un fumeur demandera toujours la permission avant de s'allumer une cigarette; mais s'il n'y a pas de cendriers et qu'il ignore si son hôte permet que l'on fume dans sa maison, il lui en coûtera davantage de demander cette permission. Si on lui remet alors un cendrier, c'est qu'on n'a aucune objection à ce qu'il fume; dans le cas contraire, il devra s'abstenir de fumer jusqu'à ce qu'il quitte cette maison. Si vous vous trouvez dans une maison où l'on ne fume pas, n'allez pas vous allumer une cigarette dans la salle de bains; l'interdiction s'applique partout dans la maison. Même si votre hôte ne s'oppose pas à ce qu'on fume et qu'il fume lui-même, n'allumez jamais avant qu'on ait retiré de la table les assiettes à dessert.

Tout fumeur sait qu'il ne peut fumer n'importe où, qu'il doit éviter de répandre de la cendre, et qu'il doit exhaler sa fumée loin du visage des autres. Si vous constatez que votre cigarette incommode quelqu'un, excusez-vous et changez de place. Un non-fumeur poli ne rabrouera jamais un fumeur bien élevé et attentionné qui lui demande: «Cela vous ennuierait-il *beaucoup* si je fumais?» Cette phrase joliment tournée appelle une réponse tout aussi polie, même si le non-fumeur souffre d'une terrible allergie à la fumée et *n'a d'autre choix* que de signifier son refus.

Les fumeurs doivent se plier aux règlements, et les non-fumeurs, se montrer polis, particulièrement en société, même si la fumée les incommode. Ils éviteront donc de faire une scène parce qu'une personne fume. Le non-fumeur qui s'emporte peut ruiner un luncheon ou un dîner, par ailleurs parfaitement réussi, au grand dam de son hôte et des autres invités.

Pour ce qui est des cigares, la première règle pour tout invité est de ne jamais en fumer dans la maison de son hôte ou au restaurant, à moins que l'hôte ne lui en offre un ou ne l'invite à fumer le sien. Personne ne se permettra jamais de fumer le cigare alors que d'autres personnes mangent à proximité. L'odeur entêtante du cigare rend physiquement malades bien des gens. En conséquence, au restaurant, même dans la section réservée aux fumeurs, on n'allumera aucun cigare tant que des gens attablés à proximité (les sections des fumeurs et des non-fumeurs sont parfois très rapprochées l'une de l'autre) n'auront pas terminé leur repas. En tant qu'hôte, n'allumez jamais un cigare sans en offrir à vos invités masculins. L'hôte n'offrira jamais de cigares avant la fin du repas et il invitera toujours les fumeurs à se rendre dans une autre pièce, idéalement dans la bibliothèque ou le fumoir, loin des autres invités. Les fumeurs rejoindront ceux-ci dès qu'ils auront terminé leurs cigares. Tout fumeur de cigare trouvera lui-même un endroit où disposer de son mégot. Il ne l'abandonnera jamais dans un cendrier; les beaux cendriers délicats (et parfois très dispendieux) ne sont pas destinés à recevoir les mégots de cigares, pas plus d'ailleurs que l'âtre sans feu.

- Être invité pour le week-end à la maison de campagne de son patron

Bien des gens éprouvent une certaine appréhension lorsqu'ils sont invités à passer le week-end en compagnie de leur patron et de sa famille, particulièrement si c'est la première fois. En pareil cas, la première règle est de savoir vous adapter à toutes les circonstances: s'il est prévu un repas de grillades sur charbon de bois en plein air, vous devez montrer que vous adorez ce genre de repas (même si ce n'est pas le cas) et en donner la preuve en participant avec enthousiasme aux préparatifs. Vous devez proposer de faire ce à quoi vous excellez: préparer le brasier, surveiller la cuisson ou dresser la table. D'autre part, si personne ne semble vouloir organiser quoi que ce soit, lisez un livre ou une revue, ou bien faites une promenade.

Vous devez vous plier aux habitudes de la famille au sein de laquelle vous êtes invité: respecter l'heure à laquelle ses membres prennent leurs repas, manger les mets qui vous sont servis, vous lever et vous coucher à l'heure prévue selon l'horaire planifié par vos hôtes. Peu importe à quel degré ces arrangements sont en conflit avec vos propres habitudes, vous devez garder le sourire et paraître ravi de tout pendant toute la durée de votre séjour. Vous devez au moins essayer de vous amuser, et, avec un peu d'effort, vous y arriverez sûrement.

C'est une marque de courtoisie que d'apporter un petit cadeau à l'hôtesse et, si vos hôtes ont des enfants, d'apporter aussi un cadeau à ces derniers; c'est facile et toujours apprécié. Mieux encore, vous pouvez apporter quelque chose qui plaira à tous les enfants, s'ils sont nombreux, et qui leur permettra d'en profiter ensemble. Un séjour pour la nuit nécessite un petit mot de remerciement écrit à la main un jour ou deux après votre retour à la maison.

Si vos hôtes n'ont pas de domestiques — ce qui est le cas aujourd'hui pour la plupart des gens —, vous devez faire votre lit, tenir votre chambre en ordre, nettoyer la baignoire et offrir votre aide pour préparer les repas, desservir la table et tout ranger dans la cuisine.

Si l'invitation mentionne des activités telles que le tennis, le golf ou l'équitation, apportez les vêtements requis, vos balles de tennis ou de golf, ou tout autre équipement nécessaire.

L'invité courtois

- N'arrivez pas avec vos enfants s'ils n'ont pas été invités.
- Laissez vos animaux domestiques à la maison (aux bons soins d'une personne fiable).
- Arrivez à l'heure prévue, partez à l'heure fixée, ne prolongez pas votre séjour au-delà des termes de l'invitation.
- Annulez votre visite si vous êtes malade. N'imposez pas votre présence à vos hôtes si vous ne vous sentez pas bien.
- Apportez un cadeau de bon goût, ou envoyez-le au retour.
- Veillez à ce que votre chambre et la salle de bains soient propres et en ordre.
- Soyez empressé et offrez de rendre service en tout temps, sans toutefois réitérer constamment l'assurance de votre empressement.
- Présentez-vous chez vos hôtes muni de ce dont vous avez besoin, par exemple avec vos propres balles de tennis et de golf.
- N'abusez pas du téléphone de vos hôtes; si vous avez à faire un appel interurbain, utilisez votre carte de crédit ou réglez sur-le-champ les frais d'appel.
- Présentez-vous à l'heure fixée pour les repas; ayez une tenue vestimentaire convenable pour toutes les activités prévues.
- Si vous avez eu la malchance de casser quoi que ce soit, faites-en part à vos hôtes et ayez soin de le remplacer.
- Faites preuve de considération.
- Adressez un mot chaleureux et personnel — écrit à la main — et remerciez vos hôtes pour le merveilleux séjour passé chez eux, en ayant la délicatesse de souligner ce que vous avez davantage apprécié.
- Si vous n'avez pas apporté de cadeau, faites-le parvenir à ce moment-là.

- Faites votre invitation suffisamment à l'avance afin que vos invités ne prévoient pas d'autres occupations pour ce week-end-là.
- N'invitez que des personnes qui soient bien assorties.
- Spécifiez l'heure à laquelle vous souhaitez qu'ils arrivent chez vous et le moment où vous voulez que la visite se termine. Vous pouvez dire: «Nous vous attendons avant le dîner vendredi et espérons que vous serez des nôtres jusqu'après l'heure du cocktail dimanche.» Vous devez leur donner des indications précises sur la manière de se rendre à la maison ou à votre domaine. Mieux encore, envoyez-leur un plan pour leur indiquer la route à suivre.
- Soumettez-leur une liste des activités prévues, afin qu'ils sachent de quels vêtements appropriés ils devraient se munir.
- Mentionnez à vos invités si les soirées risquent d'être fraîches ou les journées très chaudes... et l'endroit infesté de mouches noires...

- La chambre d'invité

1. *Les éléments essentiels*
   - Les lits confortables et garnis de suffisamment d'oreillers et de couvertures.
   - Les fenêtres faciles à manoeuvrer, munies de moustiquaires.
   - Un ventilateur s'il n'y a pas de climatisateur.
   - Une corbeille à papier dans la chambre et la salle de bains.
   - Une lampe de chevet ou une lampe de poche à côté de chaque lit.
   - Si vos invités sont des fumeurs, y a-t-il suffisamment de cendriers dans la chambre et sont-ils suffisamment grands?
   - Le placard est-il bien rangé et y a-t-il assez de cintres de tous genres?
   - Les tiroirs sont-ils vides, propres et recouverts de papier frais?

- Y a-t-il un poste de radio ou un réveil-radio dans la chambre (ou un réveille-matin)?
- Veillez à ce qu'il y ait des livres et des revues dans la langue qui est la plus familière à vos invités.

2. *Les attentions délicates*
- Un bouquet de fleurs, des fruits, quelques menthes.
- Un petit appareil de télévision.
- Un plateau avec une cafetière électrique, de jolies tasses, des cuillères, du café, du lait en poudre et du sucre.

3. *La salle de bains pourvue de commodités*
- Un éclairage permettant aux femmes d'appliquer leur maquillage et aux hommes de se bien raser.
- Un porte-serviettes pour chaque invité avec une quantité suffisante de serviettes de toilette.
- Un bonnet de douche (toujours fort apprécié).
- De menus articles de pharmacie.
- Une éponge pour laver la baignoire.
- N'oubliez pas le papier hygiénique, une boîte de mouchoirs de papier et, si possible, un séchoir à cheveux électrique.
- Avant tout, montrez à vos invités où se trouvent les sorties de secours, et donnez-leur une liste complète des numéros de téléphone pour appels d'urgence.

Suggestions de cadeaux à offrir au maître de maison

Les ouvrages traitant des passe-temps favoris de l'hôte, ou les revues consacrées aux arts, à la décoration, à l'art culinaire ou aux vins. Les accessoires associés aux activités sportives pratiquées par l'hôte, les disques et les cassettes (informez-vous au préalable du type d'électrophone qu'il possède). Les articles, les livres ou les ustensiles de cuisine, mais seulement si votre hôte aime cuisiner et y réussit bien; les bouquets d'aromates et les boîtes de savonnettes de fantaisie; un panier d'osier pour le pique-nique, un seau à glace, des ustensiles de barbecue (voir aussi les gourmandises et les vins rares dans la section consacrée aux cadeaux d'affaires).

2. LA TENUE VESTIMENTAIRE AUX RÉCEPTIONS

(Pour plus de détails, voir la section 4 du chapitre I.) Les habits du soir doivent avoir de la classe; ils ont pour but de mettre en valeur le style personnel d'un individu, contrairement aux vêtements qui sont purement destinés à attirer l'attention par leur ton tapageur. Le style a peu à voir avec la mode (comme je l'ai souligné précédemment dans ce livre), parce que, en ce qui concerne cette dernière, il suffit de se procurer les dernières nouveautés en y mettant le prix. Le mauvais goût en matière d'habits du soir, et ce tant pour les hommes que pour les femmes, n'a pas de limites; mais la tenue à la mode connaît une vie éphémère, tandis que le style s'appuie sur la tradition. Une personne qui a du style a trouvé le parfait équilibre entre sa véritable personnalité et la nécessité de se vêtir correctement et convenablement. C'est ce que signifie la phrase d'Érasme: «Le vêtement est le corps du corps, et on peut en déduire l'attitude de l'âme.» Une personne qui a du style se conforme aux règles du bon goût classique. Il importe davantage qu'on se souvienne de *vous* que de votre toilette tape-à-l'oeil ou de votre diamant de dix carats; ces objets peuvent donner une impression totalement fausse de la personne que vous êtes vraiment, et, de ce fait, vous causer bien du tort. On peut apprendre à bien se vêtir, mais on ne parvient pas à développer un style personnel en suivant une simple recette; ce n'est pas une science mais un art.

Les suggestions qui suivent sont des indications de base quant à la tenue de soirée appropriée et à l'habillement correct en diverses occasions:

Si l'invitation spécifie	Les hommes portent	Les femmes portent
Frac (cravate blanche)	Noeud papillon blanc et queue-de-pie de laine et de soie noire (semblable à la queue d'une hirondelle), chemise blanche à plastron empesé et col cassé, boutons en or ou avec un diamant, chaussettes de soie noires, souliers vernis noirs — pour la danse, gants de cuir souple blancs (pour ne pas abîmer la robe du soir des dames).	La robe de bal la plus ouvrée qui soit, diamants, fourrures, coiffure élégante, gants mi-longs (facultatifs)*, chaussons de soie, bas diaphanes.

---

* Les gants mi-longs (en anglais: *18-button gloves*) n'ont que trois petits boutons nacrés à chaque poignet; ils sont faits de chevreau blanc, remontent jusqu'au-dessus du coude, et on les retire pour boire, manger et fumer. On ne porte ni bague ni montre sur des gants (la montre n'est pas de mise pour la grande tenue de soirée). On peut toutefois porter des bracelets de diamants sur les gants, et on peut porter des bagues en dessous ou les mettre après avoir retiré les gants (votre partenaire pourra garder vos bagues en sécurité jusqu'au moment où vous voudrez les glisser à vos doigts). Pourquoi appelle-t-on ces gants en anglais *18-button gloves* alors qu'ils ne comptent que trois boutons? En Europe, le *button* est une mesure standardisée d'environ deux centimètres, et si vous mesurez les diverses longueurs de gants à partir de la base du pouce, vous constaterez que ces gants dits *18-button* montent au-dessus du coude, alors que les *4-button* s'arrêtent au poignet, et les *36-button*, sous l'aisselle.

Si l'invitation spécifie	Les hommes portent	Les femmes portent
Smoking (cravate noire)	Smoking noir et cravate noire*, chemise à plis (jamais à dentelle, ni brodée, ni de couleur), ceinture d'étoffe également noire, jamais de couleur, chaussettes et chaussures noires. La chemise du soir a des petits boutons (ou on porte ses propres boutons en or ou avec un diamant), et le pantalon du soir a des bandes de satin noir sur les côtés. *Cravate noire d'été* Veston blanc et pantalon du soir noir.	*Pour un dîner élégant* Robe du soir (et non de bal) perlée ou d'un riche tissu. Le tailleur du soir se compose d'une jupe longue et d'une veste d'un tissu chic assortie. La robe décolletée longue ou trois-quarts avec veste d'un tissu chic (qu'on peut enlever à une réception privée, mais pas à une réception d'affaires). *Pour les cocktail-parties élégants* Robe de cocktail courte et d'allure moderne ou à la cheville (jamais longue). Escarpins du soir assortis, peu de bijoux, coiffure moins élaborée, pochette, gants de chevreau blancs courts (facultatifs); jamais de gants mi-longs ou longs. *En été* Tissus plus légers, plus fleuris et d'allure plus estivale.

---

* L'expression «cravate noire» désigne en fait le noeud papillon noir. Pour une soirée où la cravate noire est de rigueur, un homme portera le smoking

Si l'invitation spécifie	Les hommes portent	Les femmes portent
Tenue de fête (tenue de dîner) Le choix de la tenue est plus difficile parce que votre hôte compte sur votre imagination. Demandez ce qu'on entend par là ou consultez *Vogue, Homme.*	La tenue de dîner peut signifier le smoking, mais on porte aussi souvent un gilet du soir avec la tenue de dîner. Il est luxueux, souvent fait de soie damassée noire, de satin ou (en hiver) de velours, orné de boutons recouverts du même tissu. Cet accessoire n'accompagne toutefois qu'une veste droite; il ne se porte jamais sous un veston croisé.	Robe de cocktail chic ou robe de dîner longue (pas de robe de bal) et accessoires du soir.

On ne doit pas confondre le smoking (appelé *tuxedo* en anglais) avec le *smoking jacket,* veston d'intérieur que l'on porte pour un dîner élégant dans une maison privée ou un club privé, jamais dans un lieu public. Le veston d'intérieur s'accompagne du pantalon du soir noir, parfois d'un pantalon de flannelle gris, et de flâneurs vernis noirs ou de mocassins brodés ou de velours. Les vestons d'intérieur de damas luxueux sont d'un goût douteux, quelle que soit l'occasion.

---

traditionnel et la chemise blanche, ainsi que des accessoires exclusivement noirs. Le col du smoking sera de satin, jamais de velours! Tout accessoire de couleur est de mauvais goût. On recommande l'achat d'un smoking de tissu assez léger qu'on pourra porter en toute occasion.

Tenue correcte pour un petit déjeuner ou un luncheon d'affaires, un thé ou un cinq à sept

Les hommes portent | *Les femmes portent*

Tenue de ville:
Costume ou blazer
Costume de ville sombre (de tissu léger en été), sa cravate préférée, sa plus belle chemise, des souliers noirs avec chaussettes assorties.

Un tailleur de belle qualité et un chemisier de soie habillé ou une attrayante robe d'après-midi (non décolletée), des chaussures habillées, mais non recouvertes d'un tissu du soir.

En été
Un tailleur d'un tissu estival ou une robe de soie brute ou une robe de coton très jolie ou un ensemble (sans décolleté), et des chaussures d'été, mais habillées.

Tenue correcte pour une réception d'affaires en soirée, un cocktail-party à 18 heures ou un dîner à 19 heures

Costume foncé:
Costume de ville trois-pièces foncé, ou son meilleur complet foncé, sa plus belle chemise habillée (blanche), une très belle cravate de soie, chaussures noires avec chaussettes assorties.

Robe ou tenue de théâtre de satin, de velours, de brocart, de lamé, etc. Bijoux éblouissants (mais jamais en trop grand nombre), pochette du soir, bas de pure soie, escarpins du soir.

En été
La petite robe noire est toujours de mise, ou un imprimé en soie, sandales du soir, pochette, bas de pure soie.

Tenue appropriée pour une invitation à un mariage
Les mariages ont tendance à redevenir plus somptueux et plus classiques. Parallèlement, «l'art de la tenue de cérémonie», longtemps oublié, reprend sa place.

Voici des conseils pour vous guider.

1. Si la mariée porte	robe longue blanche, traîne (longue ou courte), voile, gants (facultatifs).
Le cortège de la mariée porte	robes longues, chaussures assorties; gants facultatifs (comme la mariée).
Le marié, son cortège, le père de la mariée portent	tenue du matin (*cutaway*), gants gris le jour; frac (cravate blanche), gants blancs le soir; chaussettes et souliers noirs.
Le père du marié porte	s'il se place dans la ligne de réception, la même tenue de cérémonie que le marié et son cortège; sinon, tenue vestimentaire au goût, comme les autres invités.
Les mères des mariés portent	robes longues ou courtes le matin – généralement, robes du soir ou de dîner longues (les robes de cocktail courtes et élégantes sont maintenant aussi de mise); voiles ou parures de tête avec robes longues; petits chapeaux avec robes courtes, gants (une robe noire ou blanche ne se porte jamais).
Les femmes invitées portent	robes de cocktail courtes (jamais noires ou blanches), parures de tête (facultatives), gants; si c'est la coutume locale, robes longues.

Les hommes invités portent	costumes de ville foncés, chemises et cravates sobres, si les femmes portent des robes courtes; smoking* (cravate noire) en hiver et veston blanc en été.
2. Si la mariée porte	robe blanche longue, voile court (facultatif).
Le cortège de la mariée porte	robes de la même longueur que celle de la mariée.
Le marié, son cortège, le père de la mariée portent	smoking* (cravate noire) en hiver et veston blanc en été, chemise à plis, ceinture d'étoffe, noeud papillon noir, souliers noirs, pas de gants; si la mariée porte une robe de dîner, costume foncé en hiver, costume plus léger en été.
Les mères des mariés portent	robes de la même longueur que celle de la mariée.
Les femmes invitées portent	robes d'après-midi ou de cocktail, gants, parures de tête pour l'église (facultatives).
Les hommes invités portent	costumes foncés en hiver, pantalons clairs et blazers foncés en été.

---

* Smoking, ceinture d'étoffe et noeud papillon de couleur ne sont pas conseillés.

Tenue vestimentaire pour les hommes

Tenue du matin
Cutaway

Veston blanc
d'été

Smoking
Cravate noire

Frac
Cravate blanche

Règles de base / Tenue vestimentaire

Les activités sportives sont excellentes pour le corps, pour l'âme et pour les affaires. Comme de très nombreuses relations d'affaires se créent et se développent dans le vestiaire du centre de conditionnement physique, sur le terrain de golf, dans le pavillon du club sportif et sur les terrains de jeu, l'esprit sportif que manifeste un cadre (ou toute autre personne) est de la plus haute importance. Ses partenaires et ses adversaires se feront vraisemblablement une idée du genre d'homme d'affaires qu'il est en observant son comportement, spécialement dans les sports de compétition. La plupart des gens croient que les qualités de coéquipier d'une personne sont les mêmes au bureau qu'au jeu. Dans les sports comme en affaires, l'agressivité, la rapidité, l'acharnement et la détermination sont des atouts indéniables, contrairement à la médiocrité, la tricherie et un comportement grossier. On considère généralement le bon esprit sportif comme l'une des qualités essentielles que doit posséder un individu, spécialement s'il occupe un poste important.

Chaque jeu a ses règles, qui régissent la conduite des participants. Mais, au-delà de ces règles, il y a certaines bonnes manières qui doivent être observées. Dans bien des cas, elles sont aussi importantes et inhérentes à l'exercice d'un sport que les règles mêmes du jeu. Comme il serait impossible ici de passer en revue les bonnes manières de rigueur dans chaque sport, j'ai arrêté mon choix sur le golf, le tennis et le ski alpin, en raison de leur grand nombre d'adeptes; et sur le polo, la chasse à courre et le yachting, parce que leur popularité a considérablement augmenté, tant auprès des sportifs que du public, et que plus de gens souhaitent en connaître les règles. Pour la majorité de ces sports, se conformer aux règles de l'étiquette est essentiel à la sécurité même des participants.

Le golf

Considéré à l'origine comme un sport de riche, le golf est aujourd'hui pratiquement à la portée de tous, grâce à la prolifération des terrains ouverts au grand public. En se joignant à un club d'excellente réputation, on augmente considérablement ses chances de se faire de fructueuses relations sociales, sans compter le plaisir qu'on tire de ce sport.

Les golfeurs connaissent les règles du jeu et les observent pour éliminer tout danger sur le terrain. Mais les visiteurs devraient savoir qu'il leur faut éviter de marcher sur le terrain, et ceux qui connaissent personnellement les joueurs ne devraient pas faire de remarques audibles pendant le déroulement de la partie. Lorsque le joueur s'apprête à porter son coup, on ne doit pas parler et on doit encore moins faire du bruit avec sa crosse. Bien des golfeurs semblent malheureusement manquer d'éducation sur le terrain. On ne laisse jamais un trou, aussi bien sur le vert que sur le sable.

En général, les hommes portent le pantalon de sport et le polo ou toute autre chemise de sport. Les femmes s'habillent de la même façon ou portent la jupe ou le short de marche, selon les règlements édictés par le club qu'elles fréquentent. Les chaussures à taquets sont presque de rigueur, même pour les invités qui accompagnent les joueurs sur le terrain. Le port du gant et de la visière ou de la casquette est fortement recommandé. Il est déplorable de voir des gens pitoyablement vêtus jouer une partie de golf lamentable sur des terrains mal tenus et se montrer sous leur pire jour. Enfin, il est inexcusable de jeter des ordures sur le terrain et de le quitter dans un état de désordre. Chacun est en droit de jouir pleinement de tous les lieux publics et on se fera un devoir de leur conserver leur beauté pour le plaisir de ses semblables.

Le tennis

Le tennis est un sport de compétition et on ne peut donc y jouer seul. En conséquence, les plus importantes règles de l'étiquette qui y prévalent sont la considération et le respect pour l'adversaire. Bien que certains des plus grands noms de ce sport soient réputés pour leur mauvais caractère, le savoir-vivre reste au premier rang des règles en vigueur sur un court de tennis.

Les joueurs ne doivent jamais remettre en question la décision de l'arbitre, puisque sa position lui assure la meilleure vue d'ensemble sur le court. Sa décision est sans appel. Si une

balle rebondit jusque dans le court voisin alors que des personnes s'y livrent un match, attendez qu'elles aient complété le
jeu en cours avant de vous avancer pour récupérer votre balle.
Même dans le cas d'une partie entre amis, on changera de côté
après chaque jeu si le soleil ou le vent procure un avantage
au joueur évoluant d'un côté du court. Dans plusieurs bons
clubs, les enfants et les débutants ne peuvent réserver des courts
pendant le week-end ou certains autres jours qui sont les seuls
où les gens d'affaires peuvent s'adonner à des activités sportives. Bien des novices prennent les dispositions nécessaires
pour jouer tôt le matin ou tard l'après-midi. Si vous avez réservé
un court et qu'à votre arrivée vous le trouvez occupé par des
joueurs, attendez qu'ils aient complété le match, sans vous
montrer impatient. Il serait encore plus aimable de votre part
de leur dire: «Vous pouvez continuer à jouer. Terminez votre
match. Il n'y a pas de problème.» Et si vous faites attendre
celui qui vous succédera sur un court, mettez fin le plus rapidement possible au jeu si vous en êtes presque à la fin d'un
set. Dans le cas contraire, libérez le court sans tarder. Et ne
bondissez pas par-dessus le filet comme vous avez pu le voir
à la télévision, mais rapprochez-vous-en plutôt, donnez la main
à votre adversaire et félicitez-le s'il a gagné ou remerciez-le
de cette bonne partie s'il a perdu.

Dans certains clubs, le blanc est toujours de rigueur; mais
sur la plupart des courts les shorts et les robes courtes, blancs
ou de couleur claire, sont maintenant admis.

Le ski alpin

La pratique du ski alpin exige l'observance de plusieurs
règles d'étiquette qui se sont imposées peu à peu pour des
raisons de sécurité. Sur les pentes de ski, presque toutes les
règles d'étiquette en vigueur — à l'exception des règles fondamentales du savoir-vivre, comme le respect et la considération
pour autrui — découlent d'un effort soutenu en vue d'éliminer
le plus possible les situations dangereuses et les accidents
déplorables.

• Ne skiez jamais seul; même le skieur expérimenté peut
  être victime d'un accident.

- N'empruntez jamais une piste peu fréquentée sans en prévenir quelqu'un.
- Ne vous aventurez jamais sur une piste fermée. Si on la laisse fermée, c'est qu'on la juge trop dangereuse pour les skieurs dans l'état où elle est.
- Ne vous lancez pas sur une piste ou un versant qui exige des capacités de skieur supérieures aux vôtres.
- N'essayez jamais d'impressionner en choisissant une piste destinée aux experts si vous n'êtes que novice ou de calibre intermédiaire.
- Si vous êtes un expert, tenez-vous loin des tracés pour novices et intermédiaires. Rien n'est plus terrifiant pour un débutant que de se faire doubler par un skieur filant à vive allure.
- Sur une piste étroite, quand vous dépassez un skieur plus lent qui vous précède, prévenez-le toujours en criant «Piste droite» ou «Piste gauche» pour lui indiquer de quel côté vous vous apprêtez à le doubler.
- Si vous provoquez la chute d'un autre skieur, arrêtez-vous, excusez-vous et assurez-vous qu'il n'est pas blessé avant de poursuivre votre descente.
- Si vous apercevez une personne en difficulté, arrêtez-vous pour lui porter secours, et, si nécessaire, demandez de l'aide.
- Si vous êtes témoin d'un accident, attendez l'arrivée d'un autre skieur. Alors, et seulement alors, après vous être assuré que ce dernier restera avec la personne blessée, allez prévenir la patrouille de ski. Les patrouilleurs ont la formation et l'équipement nécessaires pour apporter une aide professionnelle aux blessés.

Pour le reste, toutes les règles de l'étiquette sur les pentes de ski sont les mêmes que dans la vie de tous les jours. Si vous attendez en ligne pour prendre place dans le remonte-pente, ne vous faufilez pas devant les autres mais attendez patiemment et gaiement votre tour, comme vous le feriez dans une file d'attente à un arrêt d'autobus. Un débutant ne cherchera pas à accompagner des skieurs experts et ceux-ci n'insisteront pas pour que les suive un novice qui, manifestement, ne maîtrise pas encore sa technique.

Pratiqué selon les règles, le ski est un sport merveilleux qui vivifie le corps et favorise les rapports sociaux, surtout grâce aux nombreuses activités d'après-ski, agréables et divertissantes.

Le polo

Le polo n'est pas une forme de hockey pratiquée par des cavaliers se pourchassant de manière désordonnée sur un gigantesque terrain de football, mais plutôt un sport merveilleux auquel s'adonnent, dans un environnement soigneusement aménagé, des gens qui aiment l'action et la franche camaraderie et se passionnent pour les chevaux. En Amérique du Nord, les clubs de polo amateur sont en plein essor, et le nouveau jeu à buts bas attire partout des joueurs expérimentés et des novices. Même les amateurs de longue date sont en train de prouver que le jeu à buts hauts n'est plus le seul désormais. L'unique club entièrement féminin (aux États-Unis) se mesure à des clubs masculins. Le polo semble s'être répandu partout et on entend souvent les nouveaux-venus déplorer de ne pas s'y être adonnés plus tôt. Bien sûr, qui devient membre d'un club de polo y trouve les mêmes avantages que dans tout autre club sportif. Mais l'esprit de camaraderie et l'atmosphère détendue, combinés à un certain protocole, à l'amour du plein air et des paysages ruraux ainsi qu'à une passion certaine pour les chevaux, s'adressent à un type particulier d'individu: un joueur d'équipe, capable de jouer franc jeu, de maîtriser ses craintes et de faire preuve de vaillance et de courage devant le danger, l'hostilité et l'adversité. Tels sont également les traits de caractère qu'on doit trouver chez un cadre énergique ou chez un individu destiné à le devenir.

Le jeu. On n'exige plus désormais que les montures de polo soient de la taille d'un pony, même si on utilise toujours ce terme pour les désigner. Les pur-sang ne sont pas assez rapides pour ce sport. Les meilleures montures sont importées d'Argentine. Chaque équipe se compose de quatre joueurs: deux avants, un arrière et un demi-arrière qui joue à la défensive comme à l'attaque. Les joueurs portent un numéro au dos de leur chemisette. Ils frappent la balle du plat de leur maillet, un long bâton flexible terminé par un renflement. On ne tient le maillet que dans la main droite. L'objectif du jeu est d'envoyer une balle dans le but de l'équipe adverse. Les buts se trouvent à chaque extrémité du terrain. Les équipes changent de côté chaque fois qu'un point est marqué. Les cavaliers sont classés en fonction de leur adresse, et les règles du jeu s'appuient sur un système de points, de désavantages et de fautes que l'on déduit des points marqués pour déterminer le vainqueur de la partie. On permet aux joueurs de heurter et de pousser leurs adversaires pour faire dévier leurs coups. Il n'est toutefois pas permis de mettre sciemment en péril la vie d'une monture ou d'un joueur. Tout geste semblable est considéré comme un spectacle très disgracieux (un manque absolu de savoir-vivre).

Les spectateurs. On peut assister gratuitement à certains matches; pour d'autres, il faudra débourser un droit d'entrée, par spectateur ou par voiture. Les spectateurs doivent toujours se rappeler que des chevaux au galop et des balles frappées violemment représentent un certain danger. En conséquence, ils se plieront volontiers aux règles de sécurité. On ne peut prendre place qu'au-delà de la zone de sécurité, qui s'étend sur environ dix mètres de chaque côté du terrain et trente mètres à chacune de ses extrémités. On vous permettra parfois de garer votre voiture en bordure de la zone de sécurité, ce qui vous donnera un excellent point de vue si vous montez sur le toit de la voiture. Au polo, pique-niquer est un passe-temps très populaire. Mais comme le polo n'est pas un sport comme les autres et que les spectateurs n'y mangent pas n'importe quoi, vous en verrez savourer du champagne dans des flûtes de cristal et se régaler de mets raffinés dans des assiettes de porcelaine. Au polo, les spectateurs portent des vêtements d'allure très sport, mais néanmoins très chic, du genre, par exemple, de la ligne polo de Ralph Lauren. À des matches très prestigieux, on voit aussi des hommes en complet d'été et panama et des dames en jolie robe de plage et capeline. N'oubliez jamais qu'on demande aux spectateurs d'écraser les mottes, c'est-à-dire de piétiner les petits tas de terre et de gazon soulevés par les sabots des bêtes. Même la reine d'Angleterre s'y prête; alors, pourquoi pas vous? Les chiens qui aboient et les ponies de polo ne font pas bon ménage. Mieux vaudrait donc laisser votre chien à la maison.

La chasse à courre (au renard)

Les écuyers forment une race très spéciale, en raison du lien très étroit qui les unit à leur monture. La randonnée équestre à la campagne ou à la ville (sur le plat plutôt que sur les obstacles) peut s'avérer une merveilleuse expérience. Les activités liées à l'équitation constituent de superbes événements sportifs et mondains. Il existe de nombreux concours hippiques, épreuves de vitesse et championnats de dressage ici même, pour ainsi dire à notre porte. Les compétitions équestres ne sont pas une forme de divertissement compliquée. Bien que le spectacle se déroule selon un rituel bien établi, l'aura de caste qui entourait jadis les événements hippiques, qui avaient lieu dans la plus pure tradition aristocratique, s'est largement dissipée. Il ne s'agit plus désormais d'un sport réservé aux riches désoeuvrés. Les spectateurs remplissent leur panier à pique-nique pour jouir de l'un des plus grands plaisirs estivaux dans une atmosphère de foire. On exige généralement un droit d'entrée, par tête ou par voiture.

Chaque année, l'ouverture de la chasse à courre donne lieu à l'un des événements sportifs les plus excitants qui soient et dont la popularité ne cesse de s'accroître, tant auprès des participants que des spectateurs. Il ne s'agit absolument pas d'un sport snob, comme on le laisse souvent entendre, mais plutôt d'un sport démocratique ouvert à tous ceux qui ont les aptitudes nécessaires et qui s'engagent à observer les règles de conduite et le code vestimentaire imposés. Soumis l'un et l'autre à ces exigences, l'ouvrier agricole et le propriétaire terrien sont égaux sur le terrain, et les femmes comme les hommes n'y sont jugés qu'en fonction de leur adresse et de leur courage. Pour participer à une chasse à courre, on propose sa candidature au Maître et on lui paie un droit de participation. Il faut toutefois posséder ou louer un cheval, et il est absolument nécessaire

318

d'être un cavalier *très* expérimenté. La chasse est très rapide et serait dangereuse pour un débutant.

À la chasse à courre, le code vestimentaire et les règles de conduite m'ont toujours semblé aussi immuables et rigoureux que ceux imposés au XIXe siècle dans les écoles de ballet russes. Ainsi, chaque participant est tenu de saluer le Maître et de le remercier avant le départ. On ne s'adresse à lui que par le titre de Maître. Les invités portent la jaquette noire (ou d'un gris ou d'un bleu très foncé), le pantalon léger, les bottes et la bombe noires. La jaquette écarlate — dite *pink* en anglais, du nom du tailleur londonien qui l'a créée, M. Pink — n'est portée que par les participants qui en ont reçu l'autorisation du Maître. Seules ces personnes sont également autorisées à chausser les bottes noires à bordure marron et le chapeau haut de forme. Certaines écuyères montent encore en amazones. Leur couleur officielle est le noir et elles se coiffent du haut de forme à voilette. Les bijoux — à l'exception de la montre-bracelet et de l'épingle à cravate — de même que le parfum et l'eau de toilette sont prohibés. On incite vivement les cavaliers à avoir sur eux un flacon de brandy ou de sherry. Personne ne doit jamais se faufiler entre le Maître et la meute (ne dites jamais «les chiens»!); personne ne doit jamais couper un autre cavalier ni s'éloigner du groupe; personne ne doit jamais faire de commentaire personnel sur les qualités d'un autre cavalier ou d'une monture, à moins qu'il ne s'agisse d'un ami très proche, ni sur une prouesse spectaculaire et exceptionnelle, «superbement exécutée»; et personne ne doit jamais feindre de ne pas apercevoir un autre cavalier en difficulté. Du début à la fin, on joue franc jeu. Tous les participants savent que le cri «Taïaut» signifie que quelqu'un a repéré le renard. La personne qui pousse ce cri doit en même temps pointer du chapeau dans la direction du renard. Et quand le Maître déclare qu'il est temps de «se rapprocher du bloc de sel», cela signifie que la chasse est terminée.

Bien sûr, après chaque chasse à courre vient le splendide «petit déjeuner de chasse», grandiose événement mondain qui me remet toujours en mémoire mes premières années d'adolescence en pays balte (Kaliningrad et les forêts avoisinantes font maintenant partie de l'Union soviétique). Les longues tables anciennes étaient remplies de victuailles sous des arbres centenaires. La température automnale étant déjà plus que fraîche, les participants et les spectateurs se réchauffaient, côte à côte, sous des couvertures de fourrure, et ils buvaient du champagne dans de fines flûtes de cristal. Coupes d'argent et plateaux débordaient de pâté de saumon fumé, de caviar noir et blanc, de faisan exquis, de pâtés de lièvre et de perdreau, de bécasse, de caneton et de chapon rôti, sans oublier les fromages et les innombrables entremets sucrés, qui exigeaient une longue préparation pour cette occasion spéciale planifiée longtemps d'avance pour de merveilleux amis venus de très loin. De nos jours, les longues tables anciennes et les plats traditionnels ont largement fait place aux paniers de pique-nique destinés à régaler de petits groupes. Malgré tout, le contenu de certains de ces paniers n'a rien à envier au petit déjeuner somptueux d'autrefois. Mais le rapport étroit qui s'établissait entre tous les invités, de même qu'entre eux et les animaux, en souffre quelque peu. La chasse à courre reste toutefois encore aujourd'hui un merveilleux prétexte pour rendre visite à de vieux amis et pour faire connaissance avec d'autres personnes qui partagent toutes l'amour des chevaux, de la meute et du magnifique spectacle de couleurs que la nature offre en automne. On peut faire la connaissance de gens exceptionnels lors de tels événements.

Le yachting (la navigation de plaisance)

Le yachting, la voile et le canot automobile exigent des participants la stricte observance des règles de sécurité aquatique. Ces règles, de même que celles prescrites par le capitaine de l'embarcation dans laquelle on prend place, doivent être suivies à la lettre. Le capitaine est maître à bord; ses décisions font loi. Sur toutes les embarcations, sauf les yachts somptueux, l'espace est limité. En conséquence, on apportera le moins de bagages possible. On portera plusieurs couches de vêtements de sport ou de détente confortables, dont un coupe-vent ou un blouson imperméable. Il fait toujours plus frais sur l'eau que sur la terre ferme. Comme plusieurs capitaines ne permettent pas que les passagers mettent à sécher leur lessive sur le pont, prévoyez suffisamment de vêtements de rechange pour le nombre de jours passés en mer entre les escales (où vous trouverez une blanchisserie). Munissez-vous aussi d'espadrilles à semelle antidérapante, spécialement conçues pour les marins. Les semelles de caoutchouc sont glissantes. Si vous allez à terre pendant une escale, ayez la politesse de garder dans vos mains vos chaussures du soir jusqu'à votre arrivée sur la terre ferme. Servez-vous d'un sac de grosse toile pour ranger vos vêtements; les valises à armature rigide n'ont pas leur place à bord d'une embarcation.

Pour une croisière de longue durée sur un yacht de dimensions respectables où le service est assuré par un équipage, les hommes auront aussi besoin d'une élégante tenue de villégiature, ainsi que d'un blazer avec cravate et d'un veston habillé pour le soir. De leur côté, les femmes apporteront de jolies robes de plage et plusieurs robes de cocktail, peut-être même une toilette pour le soir. N'oubliez pas d'apporter votre maillot et un peignoir, et d'appliquer généreusement une crème solaire. À bord d'un yacht luxueux, traitez l'équipage exactement comme vous traiteriez un majordome et des valets de pied dans une grande résidence à terre: avec respect et aménité. Si l'agent de bord (steward) vous rend gratuitement de petits services, laissez-lui un pourboire avant de descendre à terre.

Ne jetez jamais rien par-dessus bord, ni allumettes ni mégots, afin de préserver la précieuse vie aquatique. Tous les contenants de matière plastique ont un effet particulièrement désastreux sur la vie aquatique, et la négligence en cette matière est inexcusable. On accumulera tous ses déchets dans des contenants dont on se débarrassera quand on sera descendu à terre.

Dans certains yacht-clubs, les règlements sont très formels, et certains ont même un code vestimentaire très rigoureux auquel doivent se conformer tous les membres et leurs invités. Certains yacht-clubs sont aussi réputés pour leurs réceptions très élégantes. (Pour plus de détails, voir «Les réceptions dans un club privé», dans la section 1 de ce chapitre.)

Appendice

LES BONNES MANIÈRES À TABLE

Voici quelques conseils utiles pour attaquer certains aliments difficiles à manger.

Artichauts

Retirez chaque feuille, trempez-la dans la sauce, dégustez la partie tendre et déposez le reste sur l'assiette. Quand vous arrivez au coeur, dégagez-le du foin à l'aide du couteau et de la fourchette et trempez chaque bouchée dans la sauce avant de la manger.

Asperges

Mangez les asperges avec les doigts. Les pointes d'asperges sont consommées uniquement à l'aide de la fourchette, ainsi que les asperges recouvertes de sauce hollandaise ou de vinaigrette.

Avocats

Ils se mangent avec une cuillère s'ils sont coupés en deux; avec une fourchette s'ils sont coupés en petits morceaux.

Bacon

Formellement, le bacon se mange avec une fourchette. Dans un contexte sans formalité, il est acceptable de le manipuler avec les doigts. (Mais pas à un petit déjeuner d'affaires!)

Caviar

Il se mange par cuillerée, avec une petite cuillère qui n'est pas de métal, car cela dénature le goût du caviar frais. (Seuls le vermeil et l'or pur ne changent pas le goût du caviar.)

Chiche-kebab

La brochette de métal est tenue avec la main gauche, alors que la fourchette (main droite) sert à dégager les morceaux d'aliments et à les faire glisser sur un lit de riz. Le tout se consomme à la fourchette.

Crevettes

Le cocktail de crevettes est traditionnellement servi avec les crevettes accrochées autour d'un bol à crevettes en verre. Vous trempez la crevette dans la sauce qui l'accompagne, croquez une bouchée, et retrempez.

Escargots

Ils se servent de plusieurs façons.

Les escargots servis dans de petites escargotières en poterie, sans leur coquille, se mangent simplement avec la petite fourchette qui les accompagne.

Quand ils sont servis en coquille dans de plus grandes escargotières en métal (ou poterie), vous tenez la pince dans la main gauche et extirpez l'escargot de sa coquille en utilisant une fourchette, tenue dans la main droite. Vous pouvez tremper les petits morceaux de pain dans la sauce au beurre et les manger avec les doigts.

Fondues

Piquer l'aliment sur une longue fourchette à fondue, plonger dans le caquelon, retirer et consommer à l'aide de la fourchette traditionnelle.

Fruits

Ils requièrent souvent une manoeuvre compliquée. Dans les dîners formels, rien n'est touché avec les doigts, et c'est pourquoi les fruits sont présentés tranchés ou découpés sur des plateaux en cristal ou en argent.

À la fin du repas à la table familiale, pour les réceptions au jardin, les repas au barbecue, les pique-niques, etc., on offre souvent le panier de fruits. Il existe donc une façon formelle et une façon informelle de manger les fruits.

L'ananas

Informelle — C'est une erreur de mordre dans une tranche d'ananas non pelée; cela peut produire une irritation désagréable de la peau autour de la bouche.

Formelle — Si la tranche est présentée non pelée, vous la coupez en quartiers, enlevez écorce et coeur à l'aide d'un couteau et d'une fourchette, et mangez la chair du fruit avec couteau et fourchette.

La banane

Informelle — Enlevez la pelure graduellement, coupez la chair en morceaux et mangez-les un à un avec les doigts.
Formelle — Enlevez complètement la pelure, coupez des tranches au couteau et mangez-les à la fourchette.

Les cerises

Informelle — Il y a une vieille règle qui dit que *ce qui entre dans la bouche avec les doigts en est retiré avec les doigts, et ce qui y entre avec une cuillère en est retiré avec une cuillère.* Les cerises se mangent, comme les baies, avec les doigts; vous en retirez donc les noyaux de la bouche avec les doigts.
Formelle — Servez-vous d'une cuillère pour manger et pour retirer les noyaux, surtout si les cerises sont pochées ou servies avec crème glacé, etc.

Le kiwi

Informelle — Coupez-le en deux et mangez-le à la cuillère comme un avocat.

Formelle — Ils sont si attrayants qu'ils sont toujours servis tranchés.

La mangue
Informelle — Enlevez la pelure en lanières en partant du haut jusqu'en bas. Coupez la chair en petits morceaux et mangez-la à la cuillère. À ce stade, vous avez besoin d'un bain!
Formelle — C'est un fruit qui est toujours servi coupé et qu'on mange sans autre apprêt, à l'aide de la fourchette et de la cuillère à dessert (la cuillère à droite, la fourchette à gauche).

La papaye
Informelle — Une fois la pelure et les pépins noirs enlevés, on la mange coupée en quatre, avec les doigts ou une fourchette.
Formelle — Comme la mangue, la papaye est toujours servie coupée.

La poire et la pomme
Informelle — Mordez dans le fruit et mangez jusqu'à ce qu'il ne reste que le coeur.
Formelle — *Crue:* coupez en quatre, pelez et mangez à l'aide du couteau et de la fourchette (pommes, poires et oranges ne se pèlent pas en spirale à table; cela se fait uniquement à la cuisine).

Pochée: avec cuillère et fourchette à dessert.

Les raisins
Informelle — Avec les doigts, et les pépins se retirent de la bouche avec les doigts.
Formelle — Détachez une grappe avec les ciseaux à raisins et procédez de la façon décrite ci-dessus. Oui, c'est correct!

Homard
Aux réceptions formelles, on ne sert le homard que sous forme de préparations, comme le Homard Thermidor ou le

Homard Newburg, etc.; on peut ainsi le déguster sans difficulté à l'aide d'une fourchette et d'un couteau à poisson.

Informelle — Les pinces devraient avoir été martelées au préalable à la cuisine pour vous faciliter la tâche. Si ce n'est pas le cas, vous aurez à les briser vous-même. La chair est extraite des extrémités des deux grandes pinces et des articulations avec le pic ou la fourchette à homard qui vous est fourni. La chair de la queue est retirée de la carapace en deux morceaux entiers, un côté à la fois. Coupez-les en petites bouchées à l'aide d'un couteau à poisson ou de votre fourchette, et trempez-les dans le beurre fondu (ou dans la mayonnaise, si le homard est servi froid).

La matière verte appelée *tomalley* et le corail (les petits oeufs roses) sont comestibles et très appréciés des connaisseurs. Détachez les petites pinces de la carapace et sucez les extrémités (sans faire de bruit) pour en extraire la chair délicate et le jus. Un rince-doigts avec de l'eau tiède et une tranche de citron ainsi qu'une grande serviette sont absolument indispensables.

Maïs en épi

C'est un aliment qui ne devrait être servi à aucun dîner assis formel. Le maïs en épi est agréable à manger à une réception dans le jardin, à un repas au barbecue, à un pique-nique autour de la piscine, etc. Autrement, il faut se contenter de servir du maïs libéré des épis. Inutile de décrire la façon de manger ce maïs en épi si populaire chez nous. Chaque personne a sa façon propre de déguster adéquatement son épi, tout en y trouvant un certain plaisir.

Oiseaux

Les petits oiseaux, telles les cailles, devraient être décortiqués autant que possible à l'aide de la fourchette et du couteau pour en détacher le plus de chair possible. Dans une ambiance sans aucune formalité, on peut grignoter la viande autour des petits os, en tenant ceux-ci entre les doigts (ce qui est contre-indiqué lors d'un dîner d'affaires!).

Olives

Elles se mangent avec les doigts. Les olives, les petits oignons et les cerises dans un verre à cocktail se retirent avec le petit pic destiné à cet usage. (Au bar, on peut réclamer un pic si on n'en a pas; autrement, laisser la décoration dans le verre.)

Palourdes et huîtres

Elles se servent généralement dans leurs coquilles ouvertes en deux et accompagnées d'une sauce ou simplement de jus de citron frais. On ne les coupe pas en morceaux si elles sont présentées sur la demi-coquille. Vous les trempez une à une dans la sauce ou vous les arrosez d'un peu de jus de citron. Vous vous servez de la plus petite fourchette prévue à cet effet.

À ce que l'on appelle communément un pique-nique de palourdes ou un festival de palourdes sur la plage, les palourdes sont ouvertes et mangées sans formalité et en quantité, tel un hors-d'oeuvre. Si on vous les sert dans un *clam bar* (comme il y en a tant à San Francisco), vous vous devez d'y goûter parce que c'est un grand privilège d'y être invité; vous devez prendre la coquille entre vos doigts et aspirer la palourde et son jus directement de la coquille (sans bruit).

Pizza

La pizza se mange avec les doigts, la partie en pointe en premier lieu. Si vous préférez, vous la dégustez à l'aide d'un couteau et d'une fourchette.

Poisson

La manière de manger le poisson est réglementée d'une façon bien spécifique. La règle générale est, comme on l'a vu, que toute matière indésirable doit être retirée de la bouche de la même manière qu'elle y est entrée. Un os de poulet qui a été introduit avec la fourchette doit être retiré de la bouche avec la fourchette; un pépin de raisin qui a été introduit avec les doigts est retiré avec les doigts. Le poisson, évidemment, a sa propre règle: une arête introduite avec la fourchette est retirée avec les doigts. L'arête est ensuite déposée discrètement sur le rebord de l'assiette. Le poisson nécessite aussi des ustensiles particuliers. L'ancienne manière de procéder consistait à utiliser deux fourchettes, comme s'il s'agissait d'un couteau et d'une fourchette. Je conseille cette méthode à ceux qui ne possèdent pas de couteaux ni de fourchettes à poisson. C'est beaucoup plus élégant — et correct — que de se servir d'une fourchette et d'un couteau ordinaires. La fourchette et le couteau à poisson étaient déjà en usage à l'époque victorienne. Les bons restaurants et les demeures élégantes devraient en être munis, surtout à notre époque où le poisson est devenu un mets extrêmement populaire, surtout à cause de ses bienfaits pour la santé et de sa faible teneur en calories!

Je n'aime pas que l'on me serve un poisson entier, tête comprise. Enfin, avec ou sans tête, le poisson entier se mange de la même façon. La queue est placée vers la droite, et on le fend en deux sur la longueur, de la nageoire à la queue. Si la chair est détachée délicatement de la grande arête dorsale, elle devrait être dépourvue d'arêtes indésirables. Lorsque vous avez fini de manger la chair détachée de l'arête dorsale, vous pouvez soulever celle-ci et la déposer sur le rebord de l'assiette, et manger l'autre moitié du poisson.

Les petits poissons, servis sous le nom de *tapas* en Espagne, au Portugal et dans la partie nord du Maroc, avec un sherry à l'heure du cocktail, se mangent, après qu'on en a détaché la minuscule tête avec les doigts, tout entiers, sauf la queue, que l'on met de côté. Soit dit en passant, ils sont succulents!

Pommes de terre

Il est correct de fendre une pomme de terre en robe des champs avec les doigts. Une fente en croix est préalablement pratiquée sur la pomme de terre à la cuisine, afin de permettre à la vapeur de s'échapper. On enduit de beurre cette surface rugueuse. Cela ne se fait pas avec le couteau mais avec la fourchette. Faites pénétrer le beurre à l'intérieur de la pomme de terre au moyen de quelques petits gestes rapides. Vous mangez la pomme de terre directement dans sa pelure avec la fourchette, en la maintenant en place dans l'assiette à l'aide de la main gauche. Si vous appartenez à la catégorie des mangeurs de pelure, vous coupez ensuite cette pelure avec le couteau et la fourchette, ajoutez du beurre et savourez.

Les pommes de terre bouillies ne doivent jamais être coupées au couteau. Elles doivent être séparées à la fourchette, trempées dans la sauce et consommées une bouchée à la fois.

Les pommes de terre frites, les allumettes et les croustilles se mangent avec les doigts. Si les pommes de terre frites se trouvaient servies à un dîner formel, ce dont je doute, elles devraient être mangées à la fourchette. Si elles sont très longues, vous devriez les couper avec la fourchette.

Salade

Elle est mangée à l'aide de la fourchette à salade. Si elle est servie en trop grandes feuilles, on peut les couper, avec la fourchette ou à l'aide du couteau (c'est la nouvelle étiquette).

Le radichio: une laitue rouge vin, de forme ronde, à la saveur douce-amère, et la plupart du temps combinée à la laitue de Boston ou romaine.

La laitue rouge de Savoie: se mange crue avec une laitue de Boston, ou est bouillie en entier et mangée à l'aide d'une fourchette et d'un couteau.

Sandwiches

N'importe quel sandwich se mange avec les doigts.

Steak

C'est faire injure au chef (ou à la maîtresse de maison) que de demander du ketchup pour en napper un steak avec sauce béarnaise ou un steak au poivre rose ou vert, rehaussé de beurre à l'ail, de fines herbes ou de vin rouge, etc.

Volaille (y compris pigeonneau, pintade, cuisses de grenouille)

On ne les mange jamais avec les doigts à table. Il est toutefois correct de se servir de ses doigts lors d'un pique-nique, d'un repas au barbecue ou de tout autre événement informel en plein air.

L'ÉTIQUETTE AU COMPTOIR DE *SUSHI*

À l'origine, on mangeait le *sushi* avec les doigts. On peut aussi se servir de baguettes, mais elles compliquent un peu la tâche.

Saisissez le *sushi* par l'extrémité, retournez-le côté poisson, trempez-le dans la sauce soja, puis portez-le à la bouche; la saveur du poisson stimulera vos papilles gustatives.

La bière japonaise, tout comme le thé et le saké, accompagne parfaitement le *sushi*. (Les Occidentaux apprécient aussi le vin blanc avec le *sushi*.)

Les autres plats japonais se mangent avec des baguettes. Si vous aimez la cuisine japonaise et les restaurants qui en ont fait leur spécialité dans votre pays, n'hésitez pas à y faire l'essai des baguettes; mais au Japon, spécialement lors d'un voyage d'affaires, vous devez maîtriser le maniement de ces ustensiles, parce que vous insulteriez votre hôte japonais en demandant une fourchette et vous l'offenseriez en demandant un couteau. (Pour plus de détails, voir la partie consacrée au Japon dans la section 5 du chapitre II.)

Les illustrations qui suivent montrent comment se servir des baguettes.

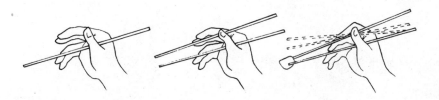

La cuisine japonaise est spécifique au Japon, où elle est née et s'est développée au fil des siècles. La majorité des plats japonais ont été conçus pour souligner la saveur naturelle des poissons et crustacés frais. La manière de les apprêter varie énormément selon la saison. On prend un soin extrême à disposer les aliments sur des assiettes de couleurs, de formes et de matériaux variés.

La présentation du *sushi* est considérée comme un art; on le dispose d'une manière élégante pour mettre en valeur sa simplicité et sa beauté naturelles. La méthode de préparation, la forme et le goût du *sushi* diffèrent quelque peu selon la région. Chaque *sushi* a ses caractéristiques et sa tradition propres. Les *shokunin* (maîtres chefs de l'art traditionnel du *sushi*) se sont transmis cet art au fil des siècles. Il s'agit de véritables artistes, qui sont soumis à plusieurs années de formation avant d'être autorisés à exercer d'une façon indépendante.

Le *sushi* est un plat très attrayant; le *shokunin* le prépare rapidement sous les yeux du client. (Pour rédiger ces lignes, je me suis inspirée de la *Sushi Encyclopedia*.)

Remerciements
Bibliographie

Écrit et mis à jour plusieurs fois au cours des dernières années, cet ouvrage est le fruit d'expériences et de recherches variées.

Mes longs séjours dans divers pays, sur cinq continents, où j'ai étudié, écrit, enseigné, m'ont permis d'observer les divers usages et coutumes propres à chaque société.

Mes rencontres avec des étudiants de tous les groupes d'âge et de tous les milieux, lors des nombreux cours, séminaires et colloques que j'ai dirigés, m'ont appris beaucoup; leurs questions et commentaires pertinents m'ont été d'une aide inestimable pour comprendre la culture complexe de leurs sociétés et son évolution jusqu'aux normes modernes de la civilité.

Je dois aussi beaucoup à plusieurs auteurs — depuis l'Antiquité et le Moyen Âge jusqu'aux temps modernes —, dont les écrits m'ont aidée à démêler en partie le processus complexe de civilisation dont découle l'étiquette en vigueur de nos jours. Un très grand nombre d'oeuvres, des traités de la Rome impériale aux ouvrages sur l'étiquette et le savoir-vivre modernes, en passant par les vers du *Hofzuchten* et du *Tischzuchten* (règles de conduite à la cour et à table au XIIIe siècle) de Tannhäuser, ont enrichi ma vision du sujet, et j'y ai trouvé des éclaircissements et des réponses à plusieurs questions complexes.

Plusieurs amis et professionnels dans de nombreux domaines, des articles publiés dans le monde entier sur une grande variété de sujets ainsi que des entrevues avec des spécialistes de diverses disciplines m'ont été d'un secours précieux. Il m'est impossible de tous les énumérer ici, car ils sont trop nombreux, mais je les remercie tous.

J'ai aussi tiré des renseignements de mes propres livres: *L'Art de la table* (1975), *Le Livre de l'étiquette* (1986) et *Notre mariage* (1986), de même que d'une étude que j'ai menée pendant deux ans (1986-1988), intitulée *Abrégé d'histoire de la courtoisie, de la civilité et des bonnes manières.*

J'ai également emprunté des éléments d'information aux oeuvres suivantes.

Cookery and Dining in Imperial Rome, Apicius (Walter M. Hill, Chicago, 1936).

Hofzuchten et *Tischzuchten* (XIIIe siècle), par Tannhäuser, avec poèmes dans la langue originale.

Die Hofzuchten, dans *Der Deutsche Tannhaüser*, Halle, 1934.

De Civilitate Morum Puerilium, Didierius Erasmus, 1530 (orig.), et traduit par R. Whytyngton, J. Wallye (1554).

Erasmus, Huizinga (New York et Londres, 1924).

The Colloquies of Erasmus, traduit par Craig R. Thompson (Chicago et Londres, University of Chicago Press, 1965 — orig. 1522).

Oeuvre excellente et à chacun désirant soy de peste préserver, Guillaume Bunel, docteur (1513).

Des bonnes moeurs et honnestes contenances, Pierre Broë (Lyon, 1555).

Das Mittelalterliche Hausbuch, peintre et dessinateur anonyme (1475, 1480).

Arte Cisoria, Madrid, Officia de Antonio Marin, 1766 (orig. 1423).

Les Caractères, Jean de La Bruyère (1688, 1694).

L'Escole parfaite des officiers de la bouche, traduit par Giles Rose (Londres, 1682).

Les Règles de la bienséance et de la civilité chrétienne, La Salle (Rouen, 1729).

De la science du monde et des connaissances utiles à la conduite de la vie, François de Callières (Paris, 1717).

Du bon et du mauvais usage, François de Callières (Paris, 1694).

Mots à la mode, François de Callières (Paris, 1693).

The Morals of Manners, Catherine Sedgwick (New York, 1846).

Manners and Sentiments in England During the Middle Ages, Hapman & Hall (Londres, 1862).

La Vie privée d'autrefois: le repas, Alfred Franklin, E. Plon (Paris, 1887, 1902).

Les Très Belles Heures de Notre-Dame, Jean de France, duc de Berry (Paris, 1922).

Über den Prozess der Zivilisation («Pouvoir et civilité»), Norbert Elias, Haus zum Falken (Suisse, éditions de 1939 et de 1968).

Table Topics, Julian Street (Alfred A. Knopf, New York, 1959).

La Cuisine raisonnée: la table – le service – la femme à table, Congrégation Notre-Dame de Montréal (Québec, 1936).

Top savoir-vivre, Jacqueline Bus, Éditions Dupuis (Belgique, 1973).

Complete Guide of Good Manners and Hospitality, Sara Dorothy, The Crawell-Collier Publishing Company (Toronto, 1963).

Dining in France, Christian Millan, Stoddard Publishing Co. Ltd. (Toronto, 1986).

Amy Vanderbilt's Complete Book of Etiquette, Letitia Baldridge (Doubleday U.S.A., 1978).

Complete Guide to Executive Manners, Letitia Baldridge (Rawson Associates, New York, 1985).

The New Emily Post's Etiquette, Emily Post Institute Inc. (éditions de 1922, 1975 et 1984).

Miss Manners' Guide to Excruciatingly Correct Behaviour, Judith Martin, Atheneum (New York, 1982).

Etiquette — Guide to Modern Manners, Charlotte Ford (Clarkson N. Potter, Inc./Publishers, New York, 1988).

Le Guide du savoir-vivre en affaires, Olivier Protard et Pierre-Alain Szigeti, Albin Michel (Paris, 1987).

Manuel pratique du protocole, Jean Serres, ministre plénipotentiaire, Éditions de l'Arquebuse, Vitry Le-François.

Debrett's Etiquette and Modern Manners, Tigerlily Ltd. (Londres, 1981).

Debrett's Correct Form, Futura Publications (1984).

Achevé Imprimerie
d'imprimer Gagné Ltée
au Canada Louiseville